Achat novembre 1996
librairie Anjou
Centre d'achat Blvd
P.c IX

Suzanne Dionne

LA VIE RENAITRA DE LA NUIT

DU MÊME AUTEUR

CHEZ POCKET

AU NOM DE TOUS LES MIENS.

MARTIN GRAY

LA VIE RENAITRA DE LA NUIT

ROBERT LAFFONT

Les droits d'auteur de Martin GRAY assurent le fonctionnement de la FONDATION DINA GRAY, qu'il a créée en hommage aux siens et dont le but est la protection de l'homme à travers son cadre de vie (voir annexes).

ISBN : 2-266-06266-2

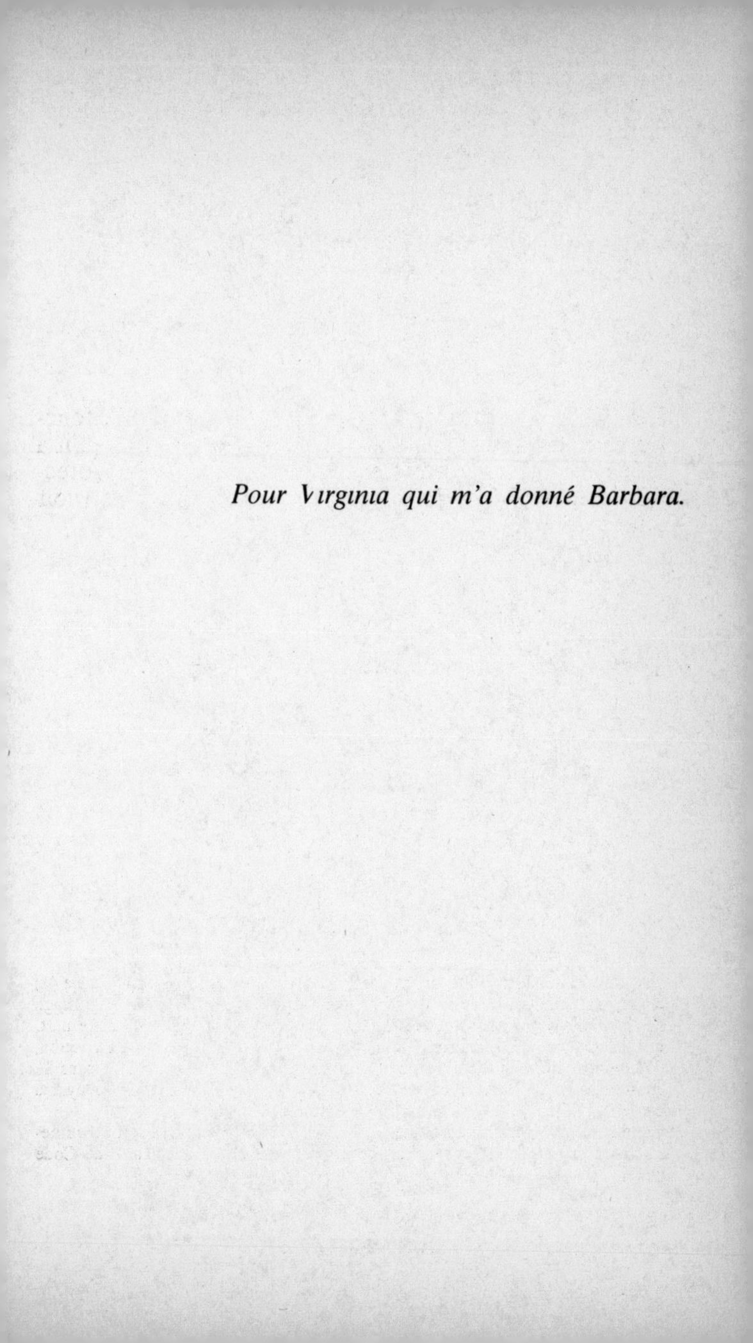

Pour Virginia qui m'a donné Barbara.

1

Je ne voulais voir que les yeux de Virginia

Je ne voulais voir que les yeux de Virginia. Des yeux neufs dans un visage que l'effort creusait. Virginia se mordait les lèvres, essayait de me sourire, puis une ride partageait son front et elle ouvrait grande la bouche comme si elle allait crier. Mais aucun cri de douleur ne sortait de sa gorge : elle recommençait à sourire, elle murmurait, et je me penchais pour l'embrasser, pour répéter avec elle :

– Il vient, il sera beau.

Je lui tenais la main. Je caressais son front. Une infirmière entrait.

– Est-ce que vous voulez un calmant ?

Virginia serrait ses doigts autour des miens, elle secouait la tête, elle disait non, et toujours ce regard neuf et nu, la beauté innocente de ses yeux. Je disais aussi, en moi : « Merci de me l'avoir donnée », et à haute voix, j'ajoutais :

– Tu es forte, tu es jeune et forte, tu vas accomplir le plus grand acte de la vie, le plus simple et le plus mystérieux, tu es forte.

Virginia a crispé ses doigts.

– Il est là, a-t-elle dit.

Le médecin est entré. Tout est allé si vite alors. La chaleur dans ma gorge, les yeux de Virginia qui s'adoucissaient encore, la ride qui disparaissait et dans le miroir placé au-dessus du lit, à la hauteur de ses jambes, la tête qui naissait, ce duvet noir, cette forme ronde.

– Va, va maintenant, ai-je dit à Virginia, va, ma femme.

Elle a rejeté un peu la nuque en arrière, l'enfonçant dans le coussin, offrant son cou tendu, si frêle, et où l'effort faisait surgir sous la peau si blanche des nervures de sang.

– Tout est bien, a dit le médecin, c'est parfait, parfait.

Virginia souriait, le visage couvert de sueur, elle haletait, et je haletais avec elle, je n'osais même pas regarder dans le miroir et c'est elle qui d'une pression de la main, en se soulevant un peu sur les coudes, me dit :

– Martin, Martin, voilà.

Tout en tenant la main de Virginia, je me suis approché du pied du lit pour saisir le moment où, gluant encore d'amour maternel, la vie neuve, celle de notre enfant, allait tout entière apparaître, liée encore au corps de Virginia et déjà différente d'elle et de moi. J'ai vu les yeux clos de cet être nouveau, j'ai vu son torse, ce renflement au cœur du ventre par où passait le flux qui l'avait nourri, j'ai vu qu'il s'agissait d'une fille et je crois que j'ai crié en même temps qu'elle poussait son premier cri de vie.

– Une fille, Virginia.

Et j'étais heureux que le premier de mes enfants à venir au seuil de la vie que je recommençais, sept ans après, soit une fille, une femme capable de porter à son tour, ronde et pleine, plus tard, la descendance.

Le médecin a posé sur le ventre nu de Virginia l'enfant – et nous avions choisi dans cette ronde des prénoms que les parents font tourner devant eux tout au long des neuf mois d'attente : Barbara – notre Barbara si menue encore mais que je m'étonnais de voir si longue, si lourde, tant il est difficile d'imaginer qu'une femme puisse porter en elle ce miracle d'un corps d'enfant formé et qui déjà, le médecin en était surpris, cherchait la nourriture, le sein de Virginia.

Je riais dans ces premiers instants, je pleurais sans doute, cachant mon visage dans mon bras, et Virginia essayait de me forcer à la regarder.

Mais quelque chose, une araignée dont le corps peu à peu grandissait, un insecte aux pattes noires, commençait à déchiqueter en moi, là, dans ma tête et ma poitrine, cette joie que je venais d'éprouver. Je sais que je me suis écarté du lit, abandonnant la main de Virginia, et j'entendais encore qu'elle m'appelait.

– Martin, Martin.

Je reconnaissais sa voix quc teintait l'angoisse. Mais l'insecte au cœur de moi ouvrait coup après coup des brèches. Il avançait, il portait la couleur de la mort que j'avais tant de fois rencontrée. Il était la guerre, dans le ghetto de Varsovie, quand les enfants mouraient sur les trottoirs et qu'on retrouvait leurs corps couverts de papier journal. Il était la fosse que nous remplissions chaque jour dans le camp d'extermination de Treblinka et, parfois, nous retrouvions des bébés vivants que leur mère avait réussi à sauver de la chambre à gaz et qu'il nous fallait tuer avant de les enfouir sous le sable.

L'insecte en moi, c'était la peur et la mort. Le souvenir de toutes les tragédies auxquelles j'avais été mêlé comme si ma destinée, sans fin, me précipitait dans un abîme et que je ne réussissais à en gravir les parois que pour être à nouveau rejeté au fond. Chaque fois l'abîme était plus profond, la chute plus inattendue.

Sept ans seulement, sept ans qui valaient un siècle, sept ans, à peine le temps de cacher mes yeux derrière mon bras, pour ne pas voir ce gouffre qui avait englouti ma famille, Dina, mes enfants dévorés par la forêt en feu, et les avait recouverts de sable jaune pareil à celui que la grande machine à creuser la fosse rejetait à Treblinka.

Sept ans de survie, sept ans pour ne pas mourir, pour atteindre à nouveau la surface, ce lieu d'où l'on voit le ciel et où l'on respire.

Sept ans pour que Virginia, épouse neuve, la femme miracle enfin rencontrée, donne naissance à cette vie que je voyais devant moi posée sur son ventre, la tête entre les seins.

Et j'avais peur de cet insecte en moi, comme si mon passé avait été une menace pour elles deux, Virginia et Barbara. Il me semblait aussi reconnaître dans ce petit visage unique les traits de Nicole, ma première fille disparue et, oui, j'avais envie de crier, j'avais peur, comme si, en moi, cette bête noire murmurait : « Tu es le témoin de trop de deuils, le survivant de trop d'abîmes, et tu oses encore donner la vie ? Tu oses encore affronter la longue routc qu'est une existence ? Auras-tu le courage de te coucher près de Virginia et de Barbara ? Ne craindras-tu pas, à chaque instant, qu'un gouffre s'ouvre sous leurs pas ? N'as-tu pas peur, toi qui as l'expérience du malheur, qui sais que le pire est toujours possible, que c'est déjà grande foi que de ne pas le croire certain? Ne trembles-tu pas, fou que tu es, d'avoir osé, avec ce que tu as subi, avec ce que tu as vu, avec ce que tu connais des ruses du destin, d'avoir osé, inconscient, oublieux de ton expérience amère, pousser, au milieu de cette jungle qu'est la vie, ce nouveau-né, ta fille nouvelle Barbara? »

Quelqu'un m'a secoué, l'infirmière ou le médecin.

– Monsieur Gray, ça va? Vous voulez boire quelque chose? Il fait si chaud ici!

J'ai ouvert les yeux. J'ai vu Barbara et Virginia.

Virginia me regardait, grave et tendre, tenant toujours contre elle sa fille. Je me sentais tout à coup étranger, appartenant à une autre histoire, enfoncé dans mon passé et mes questions. Enfouies ma joie, mon espérance.

A cet instant que j'avais tant voulu, après sept ans, voici que, au point culminant de cette longue ascension, au moment où devait s'étendre devant moi la nouvelle plaine fertile où j'allais marcher avec les miens, me reprenaient le désarroi, l'incertitude, le goût amer de l'échec et de la culpabilité. Moi qui durant sept années, de ville en ville, de mot en mot, avais, au nom de tous les miens disparus, crié qu'il fallait faire confiance aux Forces de la Vie, que le Livre de la Vie donnait une leçon de bonheur, de courage et d'espoir, voici que je me découvrais faible, abattu, rongé comme tant de ceux qui m'avaient écrit et que j'avais aidé à renaître.

Virginia me tendait la main cependant qu'on lui enlevait l'enfant mais j'hésitais à m'approcher d'elle comme si j'étais porteur d'une maladie contagieuse, comme si ma main, en touchant la sienne, allait la contaminer. Virginia me montrait le lit voisin, dans la chambre de la clinique.

– Tu vas dormir là, disait-elle. Tu pousseras le lit, je te tiendrai la main. J'ai besoin. Je me sens vide.

Je ne pouvais pas.

J'avais envie de déserter, moi qu'on avait pris, sept années durant, pour le modèle de la résolution et de la force. J'ai secoué la tête. J'ai dit :

– Il faut que je monte aux Barons, cette nuit, il faut que je sois au Tanneron, là-haut. Excuse-moi. Excuse-moi, il le faut. Cette nuit là-haut.

Virginia m'a longuement regardé. J'ai vu la tristesse dans ses yeux puis le sourire.

– Nous t'attendons, demain matin, Barbara et moi, a-t-elle dit. Puisque tu dois, pars vite.

J'ai à peine touché son front et je suis sorti comme quelqu'un qui s'enfuit.

2

J'ai pris seul la route

J'ai pris la direction du Tanneron. La route était déserte et claire sous la lune voilée de ce mois de février exceptionnellement beau.

Il y a quelques heures seulement j'avais conduit Virginia, assise à l'arrière de la voiture, jusqu'à la clinique. J'avais roulé calmement, et Virginia, les mains posées sur mes épaules, fredonnait une chanson. Elle s'interrompait souvent pour murmurer : « Martin, demain tout sera différent pour nous, nous serons trois, pour toujours. »

Je donnais de petits coups de klaxon pour rythmer la chanson de Virginia, faire sonner ma confiance. Il faisait un ciel immensément bleu. Et j'avais porté Virginia dans mes bras jusqu'à la réception dans le hall de la clinique. Ce n'était pas nécessaire mais je désirais la tenir contre moi, elle et l'enfant, pour franchir le seuil de ce lieu dont nous sortirions multipliés.

J'avais, dans ma première vie, accouché moi-même Dina, sans l'aide d'un médecin J'avais voulu alors prendre la vie dans mes mains. J'y avais renoncé pour Virginia. Je savais qu'il me fallait être près d'elle, à lui parler, elle était si jeune encore qu'elle avait besoin de la voix pour s'assurer. Je la connaissais forte et courageuse mais je n'ignorais pas que cette première naissance, pour elle, si sûre cependant, était comme la véritable épreuve de notre amour. J'étais donc resté à la tête du lit alors qu'elle maîtrisait les contractions de son corps. Elle m'avait souri, les yeux si largement ouverts.

Maintenant, je parcourais à nouveau la route du Tanneron, seul.

Qu'avais-je à chercher, à aller si vite vers ma maison des Barons, ma forteresse vide ?

J'ai roulé comme un aveugle, freinant au dernier moment dans ces tournants raides de la première partie de la route. Peut-être, alors que j'étais couronné par le bonheur, recherchais-je l'accident, la fin, parce que – je me suis interrogé depuis – j'avais, cette nuit de la naissance de Barbara, peur de l'avenir. Peur de son avenir à elle. Peur d'avoir à affronter avec elle cette vie qui l'attendait.

Je plaide coupable. J'ai été faible. J'ai été imprudent Les vitres de la voiture ouvertes, le vent me fouettait le visage. Il était chargé des odeurs de mimosas et des fleurs d'un printemps précoce. Je ne me suis arrêté qu'au moment où commence la nouvelle route et je sais que j'ai oublié de mettre le frein. La voiture a commencé à rouler, en marche arrière vers cette étendue lointaine, les lumières de la côte, les îles que l'on apercevait comme des blocs noirs sur la mer brillante. J'ai été secoué brutalement, j'ai été obligé de me redresser alors que j'avais posé ma tête sur le volant. La voiture venait de heurter le rebord de la route, au-dessus de la pente raide. J'ai bloqué le frein.

J'entendais en moi le crissement des souvenirs, ce grincement de l'insecte noir qui me rappelait qu'à chaque instant de ma vie où j'avais cru atteindre le complet bonheur, le sort m'avait rejoint.

J'ai ouvert la radio. La campagne du Tanneron autour de moi fut à nouveau pleine, comme il y a sept années quand pour ne pas penser je collais mon oreille contre le haut-parleur d'un transistor, d'une musique aiguë et je suis resté ainsi, longtemps. Je ne sais combien. Ma tête s'est vidée peu à peu comme après une migraine quand on éprouve l'effet bienfaisant et passager d'un cachet.

Je suis sorti et j'ai commencé à marcher sur la route. Le silence était revenu, mes pas résonnaient, j'étais dirigé par une force que je n'identifiais pas. Savais-je où j'allais ? Tout à coup, j'ai vu au-dessous de moi le creux, ce fossé en contrebas de la route. Les mimosas sauvages sont à nouveau les maîtres de ce terrain en pente abrupte. On n'aperçoit même plus les roches, le sol brun. La lumière de la lune effleurait seulement la cime des arbustes. J'ai franchi le parapet et j'ai commencé à descendre, le visage heurté par les branches, tombant à plusieurs reprises, atteignant enfin ce lieu, où les miens, ma femme Dina, mes enfants avaient péri dans l'incendie.

Qu'on dise ce qu'on veut. Que les gens qui sont toujours les juges – et quand les événements s'y prêtent, ceux-là deviennent si facilement des bourreaux – clament qu'il était scandaleux que je sois là, alors que j'avais une nouvelle épouse, que j'étais père à nouveau et que ma fille avait à peine quelques heures de vie. Qu'ils ne comprennent pas, ceux-là, qu'ils me dénoncent comme l'homme qui abandonne, qui se tourne avec complaisance vers le malheur passé, ne sachant ce qu'il désire vraiment. Que m'importent les paroles des bavards et des injustes, les condamnations de ceux qui croient que l'homme est d'une pièce.

Ils ignorent toujours que la joie et le malheur souvent voisinent.

Oui, cette nuit de la naissance de Barbara, j'étais au faîte du bonheur et en même temps je n'avais pas le courage de vivre. Oui, j'avais quitté Barbara et Virginia pour me retrouver seul, sur cette pente du Tanneron, au milieu des mimosas, debout près de ce lieu de mort où j'avais perdu, auparavant, mes raisons d'exister. J'avais ce besoin de retrouver ma peine passée, de voir le paysage que ma femme et mes enfants avant de périr dans les flammes avaient vu. Leur dernier regard, je voulais en éprouver l'intensité et la douleur. Et si, dans cette nuit-là, on m'avait pris la vie, je crois – que ceux qui veulent me jeter la première pierre le fassent, je partage contre moi leur indignation –, je crois, oui, que j'en eusse été heureux, soulagé. Trop de tension, trop d'émotions, trop de sentiments contradictoires en moi que je ne pouvais dominer. J'éclatais, j'étais emporté de toutes parts.

J'ai remonté en courant la pente, retrouvant la route, marchant encore jusqu'à la stèle où sont gravés, en souvenir de la tragédie du 3 octobre 1970, le nom de Dina et ceux de mes enfants. Chaque jour, toute l'année, des inconnus viennent fleurir ce monument. Cette nuit-là, peut-être est-ce une illusion, il me sembla que jamais il n'avait été autant orné, comme si quelqu'un avait voulu que je ne les oublie pas au moment où naissait leur sœur, Barbara, ma fille nouvelle.

Je suis resté longtemps près de la stèle.

Le temps a commencé à se troubler pour moi, les lieux se sont mêlés. Etait-ce bien Barbara que je venais de voir naître, ou bien n'étais-je pas, des années en arrière, au moment où naissait Nicole, ma première fille, dont le nom était gravé sur cette pierre, face aux mimosas ?

J'ai perdu pour une partie de la nuit la notion du temps. Virginia, Dina... Mais qu'était donc la vie pour que les jours passent ainsi, effaçant des visages et les laissant si présents dans les mémoires ? Je retrouvais toutes mes questions douloureuses. Celles qui m'avaient hanté après la mort des miens, ceux du ghetto, ceux du Tanneron, mes familles confondues. Moi, auquel la vie venait de donner Barbara, moi qui avais eu la chance de rencontrer Virginia, de voir à nouveau naître entre nous, malgré nos différences, le lien irremplaçable du vrai amour, moi, qui avais écrit tant de mots de confiance, qui avais reçu en témoignage tant de lettres de lecteurs qui avaient trouvé dans mes livres le réconfort, je doutais de la vie.

Et jamais le doute n'avait été aussi grand. Comprenne qui voudra.

Je me suis mis en marche, laissant ma voiture, montant vers ma maison des Barons, ma demeure passée, que j'avais crue ma forteresse heureuse il y a tant d'années déjà et que le feu avait encerclée voilà sept ans. Je l'apercevais, au fur et à mesure que j'approchais, puissante et trapue, comme un lourd rocher sombre dans la campagne. Plus un aboiement de chien pour m'accueillir, plus une lumière. J'avais voulu cette confrontation entre moi et les lieux, dans ma solitude. Peut-être voulais-je souffrir ?

Me punir d'être ainsi au seuil de la renaissance de ma vie. J'ai traversé ma plantation d'eucalyptus, les arbres que j'avais plantés, il y a quelques années. Avant, avant les sept années ici fleurissaient des pêchers. Avant, ici couraient mes enfants.

L'amertume étouffait ma joie.

Je suis entré dans la grande pièce de ma maison. Elle était dévastée. Meubles renversés, vitres brisées, désordre, comme si la guerre avait envahi ma maison. Et c'est cela aussi que je voulais voir seul, cette nuit. Depuis deux jours, avec Virginia, j'habitais à nouveau aux Barons. Mais quand elle était près de moi, joyeuse, ronde de la vie à venir, je ne souffrais pas trop des destructions opérées dans ma forteresse par les « barbares », cette famille à laquelle un temps je l'avais cédée par un acte qui voulait montrer que j'étais prêt à m'engager dans une nouvelle vie. Mais un arbre ne vit pas sans racines. Ma forteresse des Barons était les racines de ma vie. De ma vie avec Virginia aussi. J'avais oublié cela en vendant ma maison des Barons. Le destin me le rappelait : les acheteurs saccageaient ma demeure sans la payer. Ils m'agressaient. Ils frappaient Virginia.

Tout cela je l'avais vécu emporté par l'action et j'étais rentré aux Barons avec Virginia près de moi, mesurant les destructions mais heureux de retrouver mes pierres, ma terre. Et Virginia éprouvait là, aux Barons, les premiers signes et c'est des Barons que je partais vers la clinique.

Mais cette nuit, je retrouvais ma forteresse seul. Et toutes les plaies, les arbres centenaires amputés de leurs hautes branches, mes meubles brisés, les pelouses couvertes de gravats, de chiffons et plantées de chiendent, s'ouvraient comme si c'était la première fois vraiment que j'apercevais le mal qu'on m'avait fait en mutilant ma maison.

J'avais été fou de vouloir me séparer d'elle. Mais qui ne se trompe pas ? Je parcourais les chambres aux armoires ouvertes, j'entrais dans la cuisine dont ils avaient tout brisé. Ma maison était comme à l'image de ma vie. Et si j'avais quitté Barbara et Virginia, si je les avais laissées seules, n'était-ce pas pour m'obliger à voir, à regarder le chemin derrière moi avant de commencer une nouvelle route ?

Je me suis allongé sur le sol comme je l'avais fait, il y a sept années, la nuit de l'incendie.

Sept années pour que naisse Barbara. Sept années de bruits et de voyages, d'actions et de violences aussi, sept années où j'allais, comme je le disais à mes amis, *up and down,* haut et bas, d'espoirs en chutes, de rencontres chaleureuses en déceptions, sept années qui avaient fait de moi, sans que je le veuille vraiment et sans que je m'y oppose, un homme public sur lequel, dans la rue, on se retournait. Et je voyais les lèvres des passants qui murmuraient : « C'est Martin Gray. »

Dans l'avion, l'hôtesse, au moment de me servir une boisson, hésitait, me fixait en souriant : « Je m'excuse, monsieur, mais vous êtes... » J'étais devenu cela, moi, l'anonyme. Mon nom sur les couvertures de trois livres, ma photo en première page des journaux, mon histoire racontée à la télévision, et j'avais même accepté d'y jouer mon rôle, d'y réciter mes phrases.

Moi qui, il y a sept années, n'étais que le père heureux, vivant dans la nature aux couleurs d'or du Tanneron, j'avais prononcé des conférences à Montréal et à Bruxelles, à Genève et à Paris, j'avais souri devant les caméras des studios de télévision de Houston ou de Lyon, j'avais été une sorte de commis voyageur de l'espoir, du courage, du bonheur.

Et écrire m'avait permis de vivre sept années, et écrire était devenu ma manière de parler aux autres et de les écouter puisqu'ils me répondaient.

Sept années pendant lesquelles, d'une autre manière que pendant la guerre, je m'étais battu. Qui me croira si je dis qu'il m'a fallu plus de force pour traverser ces sept années que pour fuir du camp de Treblinka ou pour m'échapper du ghetto en flammes. Sept années : la FONDATION DINA GRAY était née et, de péripétie en péripétie, je l'avais portée à bout de bras. Maintenant, l'écologie était à la mode – qui en parlait avec passion, il y a sept années ?

La nuit s'achevait. J'avais – alors pourquoi ce gouffre ? – une famille depuis hier. Etait-ce parce que j'avais laissé Barbara et Virginia seules dans la chambre de la clinique comme ces rescapés d'une tragédie qui ne peuvent plus éprouver la paix en eux-mêmes, quand ils sont sauvés, que la guerre est finie ?

Le matin m'a trouvé toujours allongé sur le sol des Barons. Le téléphone a sonné plusieurs fois et je suis allé lentement vers l'appareil. Avec l'insecte en moi qui rongeait, faisait naître la terreur qu'une voix, là dans l'écouteur, ne m'annonce un drame. Mais ce n'était que la joyeuse intonation de Virginia qui répétait :

– Nous t'attendons, Martin. Barbara, si tu savais, elle mange, elle mange déjà et j'ai tant de lait !

J'ai ri, j'ai secoué la tête comme pour chasser ce grincement intérieur, intolérable depuis hier soir.

– Tu viens..., insistait Virginia.

– Je viens.

Mais d'abord, je voulais commencer à écrire, à raconter ces sept années de ma vie qui me conduisaient là, de la mort à la vie.

Sept années pour refaire un homme.

3

On m'a accusé, je le sais

On m'a accusé, je le sais.

Quand, il y a sept années, j'allais de pièce en pièce dans ma maison vide des Barons, que je me souvenais, que remontaient en moi, avec ma tragédie, toutes les tragédies que j'avais vécues, j'aurais dû savoir qu'il y a toujours parmi les hommes des chacals, de ceux qui se précipitent sur l'homme tombé, de ceux qui ne comprennent pas.

Je les avais connus déjà dans mon autre vie.

Lorsque j'étais arrivé aux Etats-Unis après avoir traversé la guerre, qu'il m'arrivait parfois, très rarement, de dire quelques mots de ce que j'avais vécu dans le ghetto de Varsovie ou à Treblinka, je voyais les yeux se détourner et parfois un haussement d'épaules pour me signifier qu'on ne me croyait guère. Certains murmuraient :

– Si c'était si terrible, pourquoi, comment avez-vous réussi à vous enfuir ? Allons, allons, vous n'allez pas nous faire croire que vous avez vu ça et que vous êtes vivant ?

Et d'autres, je l'ai su, s'ils croyaient à la tragédie de mon peuple – et tous n'acceptaient pas cette vérité –, laissaient entendre que mon récit cachait sûrement quelque chose. Mort, on m'aurait cru. Mais j'étais vivant, donc suspect, n'est-ce pas ?

Alors je pris l'habitude de me taire, de ne plus parler de ce que j'avais vécu. J'avais enfoui au fond de moi le souvenir du docteur Korczak et de ses infirmières, conduisant en rang les enfants vers le camp d'extermination. J'avais jeté un voile sur les images de ces combattants que j'avais vus bondir, une grenade ou une bouteille d'essence à la main, sur un tank dans les rues en flammes de Varsovie. Je ne voulais plus entendre le bruit de la pelle mécanique qui creusait le sable jaune de Treblinka.

Et puis j'avais des enfants. Ils ne connaîtraient pas la guerre. Pourquoi auraient-ils eu la tête empoisonnée par ces horreurs qui avaient marqué mon adolescence ?

Plus tard, beaucoup plus tard, je leur raconterais, je leur parlerais des raisons qui m'avaient fait survivre, de mon père, des colonnes de gens humbles et bons entraînés vers l'*Umschlagplatz* et des wagons où on les poussait pour les conduire à la mort.

Quelquefois, quand nous étions assis devant ma maison des Barons dans l'air vif de la montagne, avec Dina et mes enfants, je me levais, je m'éloignais de façon à ne plus entendre la musique. Elle était trop émouvante, elle laissait venir à moi trop de souvenirs. Toujours alors un de mes enfants tentait de me retenir, m'interrogeait :

– Où vas-tu, papa ? je viens avec toi, laisse-moi venir avec toi.

Je le soulevais, je disais :

– Je vais marcher un peu.

Et Dina, qui savait, s'avançait vers nous, me regardait, prenait son fils ou sa fille par la main, disait :

– Laisse papa, laisse-le, il va revenir, il doit être seul. Il a à penser.

C'était sa formule, je me souviens.

Oui, j'avais à penser. Je descendais dans les taillis, je me frayais un passage jusqu'à la rivière étroite au fond du vallon, ou bien je marchais longtemps sur la route. Il fallait que s'assoupissent à nouveau en moi tous ces souvenirs cruels pour que je puisse vivre.

Je rentrais, les enfants courant vers moi, et Dina sur le seuil de ma forteresse me faisait un signe de la main.

Leurs vies équilibraient en moi toutes ces vies que j'avais vues détruites par la guerre et la barbarie des hommes.

Est-ce qu'on comprendra mieux, si je dis cela, ce que fut pour moi le 3 octobre 1970, comment il me laissa mort, le mot n'est pas trop fort, mort, oui, avec une enveloppe de vie, mais ce n'était qu'écorce.

Je faisais des gestes mais était-ce encore des gestes de vie ?

La mort de ma femme et de mes enfants fit de moi, pour quelques mois, l'une de ces silhouettes que j'avais côtoyées dans les camps, hommes amaigris qui chancelaient mais qui continuaient de vivre – si ce mot convient –, leurs yeux brillants jusqu'à ce que, d'un coup, un bourreau les fasse basculer et qu'ils meurent.

J'ai attendu cela sans oser mettre moi-même fin à mes jours. L'image de mon père, ce visage courageux et grave qu'il m'avait toujours montré, les mots qu'il m'avait dits, la manière dont je l'avais vu dans la poussière blanche du combat faire face aux soldats qui allaient tirer sur lui et l'abattre, voilà ce qui m'a retenu.

Mais il n'a pas pu m'empêcher de mourir à l'intérieur de moi, arbre dont l'apparence est encore saine mais dont la sève s'est enfuie. Je fus cela.

Et c'est alors que les accusateurs vinrent, les nouveaux bourreaux, les chacals.

Je n'ai jamais parlé d'eux. Pourquoi montrer que le visage de l'homme peut être hideux ? Et puis, peut-être n'avais-je pas le courage de dire à haute voix ce qu'ils murmuraient.

Certains me téléphonèrent. Je me souviens.

C'était l'une des premières nuits après le 3 octobre. Il y a sept années. J'étais seul dans la forteresse. Mon ami David Douglas D. m'avait laissé, sûr maintenant que je n'allais pas essayer de me tuer. Il avait emporté les armes de chasse que je possédais. Il allait revenir au matin et j'avais accepté de prendre quelques calmants pour la première fois. Mais je n'arrivais pas à vraiment dormir, cependant.

Que peut un remède contre la peine profonde ?

J'avais seulement les yeux voilés de gris, la bouche sèche, je ne pouvais bouger les bras que difficilement, j'étais engourdi et englué. Mais clair en moi, vif, le feu du malheur et de la souffrance.

Tout à coup le téléphone.

Je l'ai laissé sonner longtemps. Que pouvait-on me vouloir ? Déjà quelques articles avaient été publiés dans la presse locale et sans doute était-ce encore un journaliste qui désirait interwiever celui qui avait perdu dans l'incendie sa femme et ses quatre enfants.

J'avais trop de douleur pour parler, je me contentais

quand on m'interrogeait de répondre en hochant la tête. Mais le téléphone continuait de sonner. Je me levai. Il s'interrompit. Trop tard.

Et brusquement une angoisse me prit : je n'avais pas répondu, peut-être, peut-être... C'était, je le répète, les premières nuits, quand ma tête était pleine de brumes et de folie, quand je mêlais toutes les cruautés auxquelles j'avais assisté ; que je ne savais plus où j'étais, à Treblinka ou dans le ghetto de Varsovie, voyant partir ma mère et mes frères et mon amie Rivka. Étais-je encore aux Barons, mes enfants et ma femme étaient-ils morts ? Je me suis tout à coup persuadé que ce coup de téléphone venait d'eux, qu'ils étaient sauvés. Folie puisque j'avais vu leurs corps, la voiture calcinée. Folie.

Mais qui peut être sûr que sa raison restera droite quand le malheur le frappe !

J'ai commencé à tourner en rond dans la pièce comme un animal emprisonné. Et j'étais cela : prisonnier de ma peine, prisonnier de moi. Quand le téléphone a sonné de nouveau, j'ai bondi, j'ai crié pour qu'on parle vite, qu'on me dise, et j'ai entendu. Une voix sèche et calme, une voix aiguë et sans colère, une voix d'homme comme celle qui peut dire quand, dans la rue, quelqu'un vous heurte : « Excusez-moi, je vous prie », une voix bien propre et polie.

– Monsieur Gray, Martin Gray ?

En un instant, j'ai retrouvé la souffrance après ce mirage, cette folie de croire qu'on allait m'annoncer que tout ce que je vivais depuis plusieurs heures n'était qu'un cauchemar, mais la voix glacée et nette me faisait brusquement reprendre conscience que j'étais là, seul, dans la maison morte, avec les accordéons que j'avais achetés pour mes enfants devant moi, gardant pour toujours entre leurs touches immobiles leurs chansons brisées.

Je n'ai pas répondu à la voix au téléphone, je la laissais répéter :

– Je suis chez M. Martin Gray, n'est-ce pas ? Au Tanneron ?

Je me taisais.

– Vous avez peur de me répondre ? Vous n'êtes pas mort, vous, monsieur Gray...

Un rire qui me déchirait, un rire perfide.

– Les hommes comme vous ne meurent pas, monsieur Martin Gray. Ils laissent mourir les autres et, parfois, ils les tuent, non ?

J'écoutais, je laissais cette voix me déchirer, me fouetter, et j'aurais voulu que chaque mot soit capable de me détruire. Qu'on en finisse avec moi, qui demeurais là, seul.

– Votre femme n'était pas juive, monsieur Martin Gray, et vous, vous êtes juif, non? Et les juifs, ils poussent comme les mauvaises herbes. Vous avez même échappé à Hitler et à Staline, alors ce n'est pas un petit feu de forêt, non, qui vous tuera? Vous les juifs...

Je n'ai pas raccroché, je laissais la voix poursuivre. Il me semblait entendre ces paysans qui, alors que je venais de m'évader d'un camp, me dépouillaient de tout ce que je possédais en me regardant avec mépris. Je pensais à ces hommes qui pourtant combattaient, avec les partisans, mes bourreaux, mais qui n'hésitaient pas à abattre les juifs comme des animaux, et je savais aussi que pour quelques kilos de sucre d'autres paysans livraient des juifs à la mort.

Et voilà que la voix m'atteignait ici, au centre du malheur. Et moi qui m'étais toujours insurgé, je l'écoutais. Trop de désespoir. Je ne comprenais pas qui me désignait aux coups. Pourquoi j'étais choisi. Toujours victime et pourtant rescapé.

– Vous avez honte, hein, monsieur Martin Gray, vous les avez laissés partir...

La voix s'est tue.

L'homme avait raccroché et moi, je restais là près de l'appareil.

Depuis ces premières nuits, durant sept années, j'ai connu d'autres accusateurs. Jamais courageux. Dissimulant leurs pensées derrière un sourire. Mais j'ai vu dans ma vie trop de visages pour ne pas savoir reconnaître l'âme des hommes. Ils avaient cette façon trop rapide de détourner les yeux, ou bien cette main fuyante, ou cette façon de dire : « Ah, oui, monsieur Martin Gray ? »

Je savais. Et aujourd'hui, après sept années, je veux dire tout le mal qu'ils m'ont fait, ces faux amis, ces gens qui, quand j'avais fait quelques pas pour m'éloigner d'eux, commençaient à chuchoter, murmures de la calomnie.

Quand on a vécu ce que j'ai vécu, quand on a vu toute la population d'une ville mourir, quand on a vu des milliers d'hommes, d'enfants, de femmes, entrer nus en courant dans une pièce, la chambre à gaz, et quelques minutes après n'être plus que monceau de corps, quand on a vu cela on devrait ne plus sentir sur sa peau les flèches empoisonnées de la calomnie.

Elles ne me feront pas mourir. Parfois, je me demande même si, alors que j'étais vide en moi, ce ne sont pas ces attaques qui m'ont forcé à me redresser, pour montrer que j'appartenais à un peuple que le malheur ne brise pas, que je savais être digne des miens, de l'enseignement de mon père et de toutes ces espérances, de toutes ces vies frémissantes étouffées par le gaz et le sable, là-bas, à Treblinka.

Si je parle aujourd'hui de ces rumeurs, ce n'est donc ni pour me défendre ni pour accuser. Mais simplement pour dire : voilà ce que peut attendre un homme quand le malheur le désigne aux autres. Et je veux en tirer pour moi, pour les autres, une leçon.

Car j'eus droit à tout.

Il y eut ceux qui me reprochaient d'être encore en vie. De ne pas m'être tué.

Je revois le visage de ce touriste venu de la côte après l'incendie et qui me croisait alors que je sortais des Barons, qui se tenait devant moi, sa femme quelques pas en retrait. Ils ne bougeaient pas, comme s'ils voulaient m'interdire le passage. A la fin, comme je m'immobilisais, l'homme a dit :

– Comment vous faites, monsieur Gray, pour survivre ? Pourquoi vous ne vous êtes pas tué ? Nous, à votre place...

Je les ai poussés du revers de mon bras.

Mais d'autres si nombreux...

Ceux, les plus fins, qui disaient souvent : « Martin, pourquoi pas une psychanalyse ? Il y a chez vous peut-être une psychose de répétition, vous avez perdu tous les vôtres une première fois, pendant la guerre, vous devez avoir, comme tous les survivants, un sentiment profond, terrible de culpabilité, avec ce que vous avez vu. Vous avez connu le bonheur avec votre femme et vos quatre enfants, seulement... »

L'un d'eux, l'un de ces intellectuels qui se disait de mes amis, je l'appellerai Marc, il se reconnaîtra, s'arrêtait de parler, il s'accoudait à la table de pierre qui est dans le jardin, devant chez moi, il montrait la maison.

– Ce bonheur, au fond, tu pensais que tu ne le méritais pas... Et c'est tout à fait normal... Quand on a connu les camps de la mort, qu'on a fait ce que tu as fait, le bonheur on se dit qu'on le vole à tous ceux qui sont tombés, à ta famille, Martin.

Je l'écoutais aussi, je laissais mon regard parcourir la forêt brûlée, les pêchers calcinés, je pensais à mes enfants qui s'accrochaient là-bas, à l'angle du champ, aux branches des cerisiers et, comme tous les enfants, ils revenaient en courant, des cerises pendues à leurs oreilles, du rouge colorant leur bouche.

Que voulait dire Marc avec ses phrases emmêlées comme des cordes pour me lier ? A sa manière, il parlait comme les autres.

– Je peux continuer, Martin, tu es prêt à m'écouter, disait-il encore.

Je faisais un geste. Va, que je sache jusqu'où peut aller ta pensée.

– Il n'est pas inconcevable, reprenait-il, que par une volonté de destruction, tu te sois placé dans la situation d'avoir à nouveau un immense malheur, tu comprends ? Pour te punir, te faire souffrir.

Fou. Qui était le fou ? Moi, eux ? Moi qui connaissais le poids de ma souffrance, eux qui ne pouvaient pas se contenter des explications simples et vraies. L'affolement de mes enfants, l'incendie dont je ne mesurais pas la puissance, la citerne de mazout que je voulais empêcher d'exploser et qui menaçait notre maison, moi qui laissai ma femme partir seule avec les enfants vers la côte où je savais qu'elle ne risquait rien. Qui pouvait prévoir la fumée qui envahirait la route, la peur, le coup de volant peut-être, le tournant manqué et le ravin ? Qui ? Quel Dieu ? Pas moi.

Eux, les accusateurs, après coup, ils savaient tout.

– Pour te punir, disait Marc, tu as laissé les tiens partir seuls. Tu as défié le destin. En somme, tu t'es placé dans la situation de l'homme seul qui veut survivre et que les autres peuvent gêner, tu comprends ? Ce n'est pas une accusation, non, une tentative d'explication.

Ils me touchaient l'épaule, ces bons amis, alors qu'ils venaient en quelques mots de me traiter de lâche ou d'assassin, pourquoi pas ?

Et il y eut ceux qui dirent que j'étais fou. Et il y eut... Il y a sûrement encore.

Les premiers jours, ces mots, ces questions étaient autant de nouvelles morts que l'on m'infligeait.

J'attendais un secours. Il vint bien sûr de quelques amis mais de la plupart de ceux que je côtoyais, je ne reçus, en pleine face, que leur curiosité avide ou leurs questions tranchantes. Ils furent sans pitié. Ils refusèrent de voir ce qui est simple, trop simple, trop nu : un homme en deuil de ce qui avait fait toutes ses raisons de vivre.

Plus tard, beaucoup plus tard, au cours de ces sept années, j'ai compris pourquoi les hommes se conduisaient ainsi avec moi.

On n'aime pas ce qui ne vous ressemble pas.

On dit que celui qui est différent de vous est « anormal ».

J'étais un anormal, oui. Je le suis encore et maintenant que je commence à raconter l'histoire de ces sept années, je me rends compte à quel point, à chaque moment de ma vie, je me distingue, j'échappe aux règles. C'est ainsi, je ne réussis pas à me revêtir de l'habit de tout le monde.

J'étais anormal d'abord parce que j'étais juif. Cela on me l'avait fait comprendre dès ce jour de 1939 où, dans une ville que je croyais la mienne, on me mit à l'écart puis on me traqua après m'avoir marqué comme une bête.

Les autres, les bourreaux, les habitants « normaux » de la ville qui venaient parfois autour du mur du ghetto nous voir vivre comme des animaux dans un zoo, les autres étaient *les hommes,* nous, nous étions les *Untermenschen,* les sous-hommes.

Ceux qui se disaient des *hommes,* qui se prétendent encore hommes normaux et moi, n'est-ce pas, je suis le survivant, l'anormal, je les ai vus de l'autre côté du mur de notre ville-ghetto, près de la porte où passait ce tramway que je réussissais à prendre pour franchir les murs, je les ai vus attendre qu'un soldat (un bourreau) épaule son fusil pour tirer comme on tire sur un animal, sur un enfant – un de mes frères, un de ceux de mon peuple – qui en rampant essayait de s'emparer d'une pomme de terre, parce qu'il mourait de faim.

Je les ai vus ces hommes normaux pendant l'insurrection du ghetto assister, comme à un grand spectacle, à la destruction par le fer et le feu des quartiers où se battaient, sans armes, les quelques survivants.

Je les ai vus, ces hommes normaux, qui regardaient avec curiosité rouler les trains chargés de milliers d'entre nous et ils savaient parfaitement que les bourreaux – d'autres hommes normaux, n'est-ce pas ? – allaient nous exterminer. Comment auraient-ils ignoré cela alors que, parfois, quelques-unes des victimes réussissaient à s'enfuir du train ou des camps et les hommes normaux les livraient pour quelques pièces ou quelques kilos de sucre ?

Je l'ai dit déjà, mais comment tout cela ne me hanterait-il pas alors que je sens parfois peser sur moi le regard hostile des hommes normaux ?

Et ce sont ces gens-là, aussi, je le raconterai plus tard, que j'ai vus, durant sept années, faire preuve si souvent de lâcheté et d'égoïsme, que j'ai vus détourner les yeux quand, dans les rues d'une ville, ils assistent à une agression et qu'ils refusent d'intervenir.

Oui, contre ceux-là, les passifs, les silencieux, les enfermés dans leur vie, contre ceux qui ont choisi d'être aveugles pour ne pas voir, oui, contre tous ceux qui ont décidé que, au-delà de la frontière de leur vie personnelle, rien ne se produit de désagréable, contre ceux-là – qu'ils s'appellent normaux, s'ils veulent – je fus, je suis un anormal.

Je l'ai toujours été.

Et qu'on ne croie pas que j'accuse tels ou tels hommes, tel ou tel peuple. A quoi cela sert-il d'accuser ? Je veux montrer, comprendre pourquoi je fus ainsi, dès les premières heures de ma souffrance, désigné par certains comme un coupable.

Coupable d'être en vie. Coupable de ne pas vouloir rester silencieux avec mon deuil comme du sable jaune dans ma bouche.

Coupable de dire : Nous pouvons éviter que cela se reproduise, nous pouvons protéger d'autres vies, d'autres enfants qu'un jour peut-être le feu aussi menacera.

On aurait accepté de moi que je me tue. On aurait fait de beaux articles, on aurait dit : Il n'a pu résister à son deuil terrible, pleurons sur lui.

Mais que je prenne ma peine dans les mains et que je la montre, cela paraissait choquant aux beaux esprits. Qu'il se taise cet anormal ! Qu'il ne nous dise pas qu'il souffre.

Je me souviens dans une forêt de Pologne alors que je venais de m'évader de Treblinka, que je savais ce que les bourreaux faisaient de nous, j'ai rencontré une équipe de travailleurs juifs comme moi. Ils étaient encore en liberté et ne rentraient dans leur ghetto que le soir. Je leur ai dit : « Voilà ce qui vous attend. Evadez-vous. Combattons. »

Ils m'ont chassé, j'étais l'oiseau de malheur, celui qui dit et sait. Le trouble-paix.

Alors, pour échapper aux voyeurs, à ceux qui flairent le malheur, pour ne plus écouter les voix du téléphone, j'ai quitté, il y a sept années, ma maison des Barons, et j'ai marché dans la nature que l'incendie venait de dévaster.

J'ai besoin de la nature et de l'espace.

Je suis enfant de la ville mais la Varsovie où je suis né, je m'en suis rendu compte plus tard en découvrant les cités des Etats-Unis, était encore une ville mariée à la campagne. Les champs commençaient dès les banlieues, le fleuve n'était pas éloigné. J'ai souffert dès que j'ai été privé de cette nature. Et le ghetto, c'était cela, rues encombrées, foule, surpeuplement des appartements, absence d'arbres, le ciment des trottoirs, les façades et le mur de brique qui bouchait les rues. La nature était inaccessible, pour l'atteindre à nouveau, il fallait risquer sa vie.

Après, il y eut le camp de Treblinka et son sable nu, ses landes désherbées, sa nature morte ou emprisonnée.

Au-delà des fils de fer barbelés, les bourreaux avaient encore abattu les arbres pour qu'un espace découvert leur permette de traquer facilement d'éventuels fugitifs.

Quand je réussis à m'échapper de cet enfer, la liberté ce fut d'abord, pour moi, la nature vivante : un ruisseau, les hautes herbes d'un talus qui m'accueillit quand je sautai du wagon où je m'étais caché, et puis surtout les arbres, la forêt, les sous-bois où je dormais, le silence que ne venaient plus déchirer le moteur de la pelle mécanique du camp ou les cris des victimes. Le vent seulement, les oiseaux, la musique d'une nature libre et belle. L'espace aussi qui s'étendait... forêt profonde de Pologne, ou bien les champs riches des récoltes à venir. Le ciel enfin, qu'aucune fumée sinistre ne venait recouvrir.

Là, durant des mois, dans l'hiver puis la douceur printanière, j'ai appris la nature et l'espace. Je pouvais regarder longtemps, sans me lasser, l'aller et retour des oiseaux en train de construire un nid ou le sautillement inquiet d'un écureuil, et je suivais la trace d'un renard. Parfois, alors que j'étais avec les partisans, je restais à la limite d'un champ, caché dans la forêt à observer le travail des paysans, et j'aimais leurs gestes lents, les chants malgré la guerre.

Là-bas, dans mon premier pays, j'ai découvert que l'homme est ce que la nature le fait.

J'ai donc quitté ma maison des Barons marchant au milieu des chênes brûlés, des mimosas réduits en cendres. La plantation de pêchers n'était plus que troncs noirs et toute la colline du Tanneron, aussi loin que je pouvais la voir, était ainsi détruite.

Je me suis assis sur la terre. J'avais devant moi ma mort : la nature était à l'image de ma vie, saccagée. Je ne pouvais pas supporter ce spectacle qui pour moi était comme le reflet de mon esprit, de mon propre malheur. Mon jardinier m'a rejoint. C'était un homme jeune, mince, habile, qui aimait les plantes et les arbres avec une attention minutieuse. Il enseignait à mes enfants, à Dina, à moi, la vie des plantes, il disait :

– Chaque plante a son visage.

Il soulevait avec la paume les feuilles, ou bien il écartait les pétales d'une fleur. Maintenant, il était assis près de moi et il pleurait, sur la mort des miens et sur la mort de la nature et pour lui, je le sentais, l'une et l'autre étaient mêlées. Il me dit :

– Monsieur Gray, c'est notre faute, pas vous, pas moi, mais la faute de tout ce que l'on fait : les lignes électriques, les pylônes, tous ces débris de verre qu'on laisse dans la forêt. Avant, quand il y avait ici vraiment des paysans, le feu on le connaissait, on savait le combattre. Qui protège la nature, qui ? Si au moins – il s'essuyait les yeux, il se levait –, si au moins ce que vous souffrez ça pouvait servir, si au moins...

Il fermait son poing. Je le laissai s'éloigner. Je regardais sa silhouette élancée. Il se baissait souvent, écartait les branches mortes, essayait de découvrir entre les mottes déjà une pousse protégée, une nouvelle vie que le feu n'aurait pas détruite. Je le voyais qui haussait les épaules de colère. Et tout à coup, des souvenirs ont afflué. Mon père qui m'entraînait dans un coin d'une place à Varsovie, cependant que les bourreaux vêtus de noir frappaient de pauvres gens, mon père qui se penchait vers moi :

– Que ce que tu vois soit utile aux autres, Martin. Souviens-toi, vis pour dire ce que tu as vu.

Mon père me secouait, sa colère contre les barbares passait en moi par cette tension qu'il me communiquait.

– Il faudra que ce que nous avons vécu serve de leçon, à nous, aux hommes, et ce sont les jeunes comme toi qui devront le dire, toi, Martin, tu vas survivre.

Que ceux qui doutent ne lisent plus, mais dans les champs dévastés par l'incendie, sur cette colline des Barons où les arbres n'étaient plus que des bras torturés, il m'a semblé voir et entendre mon père et autour de lui ceux qui, dans les prisons ou dans les camps, m'avaient transmis le flambeau de la vie, parce que c'était leur manière de se venger des bourreaux qui voulaient nous exterminer.

Je veux redire le morceau de pain que le vieux compagnon de misère du camp de Zambrow m'a donné, je veux redire encore l'effort du camarade de Treblinka qui, à ma place, parce que je crevais de maladie, a tourné le treuil et a offert ainsi ses dernières forces pour moi.

Moi qui, dans le champ brûlé, avec ma peine en moi, blessure ouverte, me croyais à nouveau face à eux : mon père et les miens, ceux qui m'avaient poussé là-bas, hors de la mort, et donné le courage.

Je me suis levé, j'ai couru vers le jardinier, je l'ai rattrapé. Il était courbé sur le sol, il écartait la terre, me montrait de jeunes pousses d'un vert clair sur lequel le feu était passé trop vite pour le détruire.

Quand il m'a vu près de lui, il s'est redressé, me montrant les pousses de mimosa :

– Vous voyez, monsieur Gray, celui-là, il ne l'a pas eu.

« Il », pour lui, c'était le feu, le mal, le pouvoir de la destruction.

– Rémy, que croyez-vous qu'on puisse faire ?

Je l'interrogeais mais déjà je m'éloignais en courant vers la maison, je criai, je me souviens :

– Il faut, on doit faire quelque chose.

Je criais.

Certains diront que j'avais besoin de cette action pour survivre, que je me jetais dans la première idée venue comme d'autres se seraient mis à boire ! Mais que m'importe le discours des gens qui jugent de tout par le petit côté. Leurs appréciations sont à leur mesure. Ils me font penser à ces clients qui se disaient connaisseurs, que je voyais entrer dans mon magasin d'antiquité à New York et qui, devant une pièce magnifique qui avait traversé les siècles miraculeusement, un retable d'église allemande du XVIe siècle – je me souviens du visage du saint amoureusement sculpté –, me montraient une petite entaille dans le bois ou bien la patine noire des années et disaient en secouant la tête : « Non, non, vraiment, ce n'est pas en état. »

Que voyaient-ils ? Un arbre leur cachait la forêt. J'avais envie de leur dire : « Mais que venez-vous faire ici ? Achetez donc un objet en plastique dans un drugstore ! »

Je criais, oui, en rentrant chez moi, en me précipitant vers le téléphone.

– Il faut faire quelque chose, ça ne doit plus jamais recommencer, plus jamais.

Je sais qu'il y avait, dans ma grande pièce, devant la cheminée, plusieurs personnes dont j'ai oublié les noms. Mais je revois leurs yeux étonnés, leur expression gênée. Mes cris, mon agitation leur paraissaient peut-être inconvenants. Je criais, je les prenais à témoin.

– Vous, saviez-vous ? Est-ce que je savais, moi, qu'ici, quand il y a un feu de forêt, il faut s'enfermer chez soi, attendre que le vent ait poussé le feu ! Et si on l'avait dit à mes enfants à l'école, si on leur avait enseigné ça, vous croyez qu'ils seraient morts ?

Et je criais plus fort encore :

– Vous croyez que je serais seul maintenant, vous le croyez ? Et qu'est-ce que vous faites pour éviter que ça recommence ?

J'étais fou de colère, de désespoir. Plus vive était ma certitude qu'il aurait suffi de si peu pour que ma tragédie soit évitée.

Je me suis brusquement arrêté de crier. Je les entendais chuchoter, mes camarades, mes aînés des camps et du ghetto. Ils nous expliquaient comment certains depuis longtemps avaient prévu ce qui allait advenir, comment personne n'avait voulu les écouter. Ils avaient hurlé dans le désert. Les chefs des communautés, les beaux esprits n'écoutaient pas, refusaient d'avertir ceux qu'ils représentaient, qui les avaient désignés précisément pour qu'ils comprennent à temps d'où viendrait le danger.

Souvent, ils auraient pu, dû avertir. Ils en avaient eu le temps et les moyens.

Je me suis retrouvé face à ce banc de classe où mes deux plus grandes s'asseyaient ensemble, j'ai vu leurs cartables.

Peut-être ont-ils raison ceux qui disent que j'avais besoin de croire que j'avais une mission à remplir ? Peu m'importe encore. J'étais sûr qu'à nouveau il me fallait témoigner.

J'ai commencé à téléphoner : « Je suis Martin Gray, je veux mener une campagne pour la protection de l'homme en cas d'incendie, vous m'écoutez, monsieur ? »

Ceux que j'avais au bout du fil, maires, fonctionnaires, personnalités responsables, enseignants, je les sentais souvent pleins de pitié pour moi, mais je percevais aussi que je les dérangeais dans leurs habitudes. J'exigeais, je parlais avec trop de violence, sans doute, je m'en prenais à toutes les autorités qui n'avaient donné aucune consigne. La fatigue, le malheur, l'absence de sommeil, ma rage de changer ce qui existait pour protéger d'autres enfants, pour essayer de sauver le cadre de vie naturel de l'homme, tout cela me rendait peut-être excessif. Je parlais mal le français, j'étais américain, j'étais un homme porteur du deuil le plus terrible ; quel était mon droit à revendiquer, ici en France ?

Excédés, certains fonctionnaires me répondaient : « Mais nous avons des règlements, des lois, monsieur, c'est prévu. »

Je frappais du poing sur le bureau chargé de documents et de dossiers, je disais :

– Et vos lois, vos règlements, est-ce qu'ils ont protégé mes enfants ? Ils sont nés ici pourtant, je vivais en France depuis dix ans. Qui m'a protégé, qui m'a expliqué ce qu'il fallait faire ?

C'était dans un de ces bureaux aux fenêtres fermées comme il y en a dans toutes les administrations. L'employé s'est levé :

– Monsieur, je comprends votre peine, je compatis,

mais un accident, n'est-ce pas, personne ne peut prévoir.

« Accident », le mot m'a fait bondir.

C'était les premiers jours après la disparition des miens, j'avais tant de peine au cœur, et je mesurais combien il eût été facile d'empêcher cela, savoir simplement, ou bien un réseau d'avertisseurs prévenant que la route qui conduit à la mer était coupée.

– Non, ai-je crié, ce n'est pas un accident, on les a tués.

J'ai dit cela et c'était trop. Je voulais faire comprendre qu'il fallait éviter d'autres tragédies. L'employé a voulu me contraindre à sortir. J'ai refusé.

– Vous m'écouterez.

– Vous êtes fou, monsieur, je ne peux pas vous en vouloir, mais vous êtes fou, vous ne savez plus ce que vous faites, ce que vous dites...

Avec un de ses collègues, il m'a poussé dans le couloir. Il y avait accroché au mur un extincteur rouge avec une belle inscription expliquant comment il fallait, en cas d'incendie, se servir de l'appareil.

– Laissez-nous travailler, maintenant, essayez d'oublier.

Comme si je le pouvais, comme si je le voulais.

– Nous avons à l'étude une série de réglementations.

– A l'étude !

J'ai décroché l'extincteur.

– Voilà vos règlements, nous allons voir si ça marche.

J'ai retourné l'appareil, j'ai appuyé pour qu'il se déclenche. Rien n'est sorti de l'orifice.

– Vous brûleriez avec vos règlements...

Je sais que j'ai lancé vers eux l'extincteur. Ils se sont précipitamment écartés, l'appareil rebondissait avec fracas sur le sol mais ne se déclenchait toujours pas.

Je comprenais qu'il fallait, avant d'obtenir la collaboration des autres, créer moi seul une force, une institution, qui imposerait, s'il le fallait, à ceux qui dirigeaient, des solutions, ou qui les obligerait à se préoccuper de ces questions, de cette nature qu'on laissait saccager, de l'homme qui vivait dans elle et par elle.

Personne encore, il y a sept années, ne prononçait le mot ECOLOGIE ! La mode – et vive cette mode ! – ne s'était pas encore emparée de la couleur verte pour en faire le drapeau de tant d'associations. Mais moi je n'avais pas besoin de la mode pour savoir que la nature peut être détruite et qu'il faut la protéger.

Etais-je en avance sur les autres ?

J'étais celui qui avait payé pour être en avance sur les autres.

J'ai donc décidé, il y a sept années, de créer la Fondation Dina Gray pour la protection de l'homme dans son cadre de vie.

Ce fut, pour moi, comme une bouée que les miens disparus me lançaient pour m'aider à ne pas me noyer.

4

J'étais à nouveau dans la guerre

J'étais à nouveau dans la guerre, il me semblait que j'avais, comme autrefois en Pologne, une mission. Il me fallait convaincre, arracher les gens à leur égoïsme et surtout à leur indifférence et à leur inconscience. Là-bas, ils n'imaginaient pas, ces camarades rencontrés dans la forêt, que les bourreaux les avaient déjà condamnés, qu'on ne leur laissait la liberté et la paix pour quelques semaines que pour mieux les tenir. J'avais essayé de les secouer. Ils ne m'avaient pas cru. Et à la fin, dans le ghetto de Varsovie, nous, les jeunes qui avions décidé de nous battre, nous ne cherchions même plus à convaincre : nous exigions qu'on nous aide, qu'on nous donne de l'argent pour acheter des armes. Nous arrachions un appui aux plus timides.

C'est vrai, quand je me suis retrouvé aux Barons, après mes premières visites dans les administrations, quand j'ai revu les arbres calcinés et, sur le lit, les tabliers de mes enfants qu'ils avaient enlevés avant de courir vers la voiture, j'ai pensé : « Tu feras comme dans le ghetto, tu les obligeras à t'aider, va, Martin, il le faut. »

J'ai commencé à parler de mon malheur.

On n'aime pas cela, personne, dans n'importe quel pays, mais peut-être surtout en France. Les gens cachent leur tête dans les voiles noirs du deuil. Ils dissimulent aussi leurs joies. Ils ne disent pas s'ils sont riches ou pauvres. En France, on est aimable, mais on ne vous invite pas à dîner chez soi. Ce qui est privé doit rester dans l'ombre.

Moi, j'avais décidé d'agir autrement. Il le fallait. Et j'avais de plus passé ma vie aux Etats-Unis, où tout est à la première page des journaux. Je n'avais pas de la vie privée la même conception que les Français. Je le savais avant de me lancer dans la mêlée. Je le savais parce que quand je m'étais installé aux Barons avec Dina, j'avais découvert la réserve des paysans. Bien sûr, avec quelques-uns d'entre eux – d'abord Mme Lorenzelli qui, douce et bonne, venait chaque jour chez moi pour aider Dina – j'avais des contacts. Mais j'étais l'Américain, le personnage un peu bizarre dont les enfants couraient nus sur les pelouses, la famille de milliardaires qui se nourrissaient seulement d'herbes. Des gens curieux, végétariens, qui ne buvaient jamais de vin, des fous en somme. On nous regardait avec sympathie, mais cela n'allait pas au-delà. Je m'étais parfaitement accommodé de cette situation : mes amis, c'était mes enfants et ma femme. Ma ville et mon univers c'était la maison des Barons et les champs autour d'elle. Nous étions à nous seuls toute une population heureuse. A l'école de Tanneron, mes enfants trouvaient des petits camarades. Cela suffisait.

Voici que je me retrouvais seul et qu'il me fallait, je le voulais, enfoncer les portes de l'indifférence, crier pour qu'on me regarde, utiliser, oui, utiliser les journaux, pour qu'on parle de mon malheur, afin qu'il serve. Il fallait que je devienne une vedette, un homme dont le nom résonne : « Martin Gray, vous savez bien, celui qui a perdu sa femme et ses enfants dans l'incendie. »

Durant dix ans, au Tanneron, personne n'avait su quel était mon passé. Maintenant, il allait exploser, je le voulais. Qu'on me voie, qu'on parle de moi, qu'on sache d'où je viens, comment le destin m'a poursuivi. Alors, peut-être, quand mon nom sera en lettres grasses et noires à la première page des journaux, il faudra bien que l'on m'entende, qu'on écoute ce que je veux pour éviter que recommence la tragédie.

Cela, je le pense maintenant clairement, après sept années. Sur le moment, j'agissais sans trop savoir ce que je faisais. J'avais la tête pleine de bruits. Je ne dormais presque plus. Avec moi, ne me quittant jamais, un transistor, que je collais contre mon oreille. Il me fallait ces chansons et ces musiques grinçantes pour survivre. Quand je l'arrêtais, j'avais besoin de parler à haute voix, d'affronter des visages.

Si j'avais dû rester replié, seul, que serais-je devenu ? Je n'avais pas encore pris la route de la sagesse intérieure. J'étais une force qui n'avait que deux possibilités. S'enrouler sur elle-même, s'autodétruire. Ou bien se déployer, tenter de construire.

Toute ma vie passée, l'exemple de mon père et ma vitalité biologique aussi, pourquoi le nier, et aussi, je le dis même si je dois paraître sans modestie, la mission généreuse et humaine que les miens me confiaient me faisaient choisir la deuxième voie : l'action.

Le désir de l'action était si fort en moi que je devenais fébrile.

– Vous me faites peur, monsieur Gray, disait Mme Lorenzelli.

Elle connaissait tout de ma vie passée. Elle allait et venait maintenant dans la maison, perdue et désemparée comme moi. Je la voyais pleurer par longues saccades et j'avais envie de la chasser en hurlant, j'avais envie d'être injuste, de lui dire : « Jamais plus, ne revenez jamais plus, vous me rappelez trop de choses, Dina et les enfants autour de vous, partez, partez. » Mais nous nous regardions, en silence, nos yeux rougis, et souvent, nous nous prenions les mains.

– Vous me faites peur, monsieur Gray, si vous allez comme ça, il va vous arriver quelque chose à vous aussi, on dirait que vous le cherchez, un accident quand vous conduisez, ou le cœur, je sais pas moi...

J'avais parfois tant d'énergie en moi qu'il me semblait que tout le malheur s'était transformé en une boule de force, un nœud de violence et de colère. Mais c'était, je le sentais aussi, une énergie qui rendait mon corps cassant comme de la fonte trop dure. Mon dos me faisait mal, j'étais raide, ma peine s'était répandue en moi, avait coulé en moi dans chacune de mes articulations : elle me tenait debout, mais en se solidifiant elle me bloquait. Il me fallait avant de commencer à bâtir ma fondation guérir cela. J'avais connu pendant la guerre un vieux médecin. Dans le ghetto, j'allais parfois le trouver. J'aimais sa silhouette digne, sa maigreur qui n'était pas semblable à celle des autres habitants du ghetto. Comment s'y prenait-il ? Son corps, qui souffrait comme nous de la faim, avait encore une fine musculature. Je l'avais interrogé et il m'avait expliqué que plus le malheur était sur nous et plus il était nécessaire de faire de son corps son allié. De le connaître, de le plier à l'exercice. Chaque matin, le vieux docteur s'imposait des exercices d'assouplissement et de respiration.

J'ai donc recommencé sur la pelouse couverte de rosée, alors que le soleil se levait sur les îles, les mouvements du contrôle de soi, pour que l'énergie en moi soit comme un fleuve qui coule dans un chenal et qui ne se disperse pas et inonde.

Mais parfois quand j'étais allongé sur le sol, les yeux dans le ciel, une si grande lassitude me gagnait. A quoi bon ? Pour qui maintenant se garder homme sain ? Où étaient ceux que j'aimais ? Et cette question veut dire aussi : Qui m'aimait ?

Car là peut-être était le plus douloureux. J'avais le sentiment – et je tentais de le contrôler – d'être entouré d'indifférence et souvent d'hostilité. L'incendie après cette guerre qui m'avait laissé seul, n'était-ce pas une nouvelle preuve de la violence du destin contre moi ?

Quand je téléphonais à un maire du département, que je le sentais hésitant ou bien déjà lassé de mes propos, je continuais pourtant : « Je veux, monsieur le maire, aller à Paris, obtenir du ministre des moyens pour avertir tous ceux qui peuvent être menacés par le feu de forêt, vous m'entendez ? Savez-vous combien d'hectares chaque année brûlent ? Vous croyez qu'on peut accepter cette destruction ? »

Et sa respiration, à l'autre bout de la ligne, voulait dire : « Oui, nous savons cela, mais ne criez pas, monsieur Gray, rien ne presse », et un autre soupir signifiait : « Laissez-nous faire en paix ce que nous voulons. »

Oui, je repérais l'indifférence et je me sentais seul comme un naufragé.

Alors je me levais. J'avais obtenu le droit de garder chez moi les urnes funéraires des miens. Je les avais placées dans la grande salle de musique, devant la large baie d'où l'on apercevait les arbres centenaires et les montagnes dont les plus hauts sommets étaient couverts de neige. Je m'asseyais sur les dalles, face aux urnes et au paysage. Je restais là dans le silence. Peut-être des heures, car souvent la nuit venait sans même que je le sache, et peut-être la nuit passait-elle et venait un autre jour. Les heures étaient pour moi immobiles. Le temps était un bloc coulé à l'instant où tous les miens avaient disparu.

Parfois c'était Mme Lorenzelli qui me secouait et je sentais au tremblement de sa main qu'elle avait peur de quelque malédiction tombée sur moi. Mon silence et mon attitude figée l'impressionnaient. Elle devait craindre, en me touchant, que je ne tombe en poussière comme les arbres morts qui n'ont gardé que leur apparence. Et sous l'écorce est déjà la cendre. Parfois aussi la sonnerie du téléphone venait de très loin jusqu'à moi, j'avais le désir de me lever, de répondre vite, mais j'étais lourd, si lent entre l'écoute et le geste : dès que j'entrais dans la salle de musique, dès que j'étais assis face aux miens, j'échappais au monde. Ils me prenaient, ils m'enveloppaient, souvenirs si proches. Ils me parlaient aussi, les miens. Dina, mes enfants, assis sur le rebord de la baie, le dos appuyé à la vitre et au paysage, et l'un d'eux disait : « Raconte-nous. »

J'avais aménagé dans la maison des Barons ce que j'appelais ma « chambre secrète ». Dina était seule à savoir. Cela m'avait pris dès que j'avais acheté la propriété. Un reste de la guerre. La maison était isolée sur ce plateau du Tanneron. Je savais trop que l'impossible est toujours possible. J'avais vu tant de gens autour de moi survivre grâce à ces pièces dissimulées dans les appartements derrière des murs, fausses cloisons qui tournaient sur elles-mêmes, que dès que les maçons eurent quitté les lieux, je me mis à construire une séparation de plâtre et de brique. A prévoir, là, une bibliothèque dont l'une des parties parfaitement invisible pivotait sur elle-même. Et je plaçai cette séparation dans une pièce ouverte sur le jardin et que ne séparait de la campagne qu'une large baie coulissante. Ce que l'on veut cacher, il faut souvent le montrer. Ainsi celui qui cherche ne le verra pas ! Ce qui est trop simple est un défi.

– Mais pourquoi, Martin ? Pourquoi ?

Je haussais les épaules. Je ne savais même pas moi-même exactement. Mais je voulais que nous ayons, aux Barons, notre grotte mystérieuse. Le lieu secret aménagé par mes soins et que personne ne saurait trouver. Je me mis donc au travail. Je construisis de mes mains la cloison de plâtre, j'installai à l'intérieur de la cachette l'électricité. On pouvait vivre là. Attendre que passe le plus terrible d'un fléau pareil à ceux que j'avais connus. Oui, j'étais, en pleine paix, marqué par la guerre et ce que j'avais vu. Ne l'auriez-vous pas été si tous ceux que vous aimiez, tous les habitants de votre quartier, toute la population de votre ville, vous les aviez vus conduits comme un troupeau vers l'abattoir ?

Souvent, après, pour nous amuser, Dina et moi, nous entrions dans la cachette. Nous nous enfermions : je tirais la cloison. La petite pièce était silencieuse. Dina y avait placé quelques-uns des tableaux qu'elle avait peints. La pièce était, avec les couleurs claires de ses toiles, joyeuse comme un rêve d'enfant. C'est là, dans cette pièce, que Dina m'a dit la première fois :

– Martin, tu ne m'as jamais raconté vraiment ce que tu as vu, là-bas, jamais. Je sais des choses, mais pas tout. Je voudrais que tu le fasses, pour moi, pour les enfants plus tard.

Elle était appuyée contre moi. Elle allait au-devant de cette envie forte qui me prenait souvent de parler, de dire à haute voix l'*Umschlagplatz* et les fosses, le halètement du train roulant vers Treblinka.

Là, dans la pièce secrète, j'ai commencé à écrire. Ce n'était pas vraiment un récit mais je laissais les phrases venir côte à côte, comme on suit au hasard les sentiers d'une forêt. J'écrivais là, seul. Dina donnait un coup à la cloison, notre signal. J'ouvrais. Elle se glissait près de moi.

– Lis-moi.

Je lisais à voix basse et nous nous tenions la main. Je redevenais l'enfant du ghetto que la guerre avait saisi un jour de septembre. Elle était ma compagne de toujours, elle s'appelait ma mère, elle s'appelait aussi Rivka, elle s'appelait du nom de toutes les femmes que les bourreaux avaient tuées, du nom de toutes celles que j'avais juré de venger, auxquelles j'avais survécu et dont j'avais rêvé. Elle était ma femme.

Ainsi j'écrivis, page après page, dans la cachette qui ressemblait aux cachettes du ghetto.

Je pensais à cela, dans la grande salle de musique, face aux urnes et au paysage, et il me semblait les entendre encore qui me disaient : « Raconte-nous. »

Je me suis levé. J'ai fait glisser la porte dans la cloison, je me suis enfermé dans la cachette et j'ai relu ce que j'avais écrit. Je découvrais que je n'avais pas tout dit. Chaque mot relu faisait surgir en moi d'autres images, d'autres événements, et je sentais que j'avais besoin de laisser jaillir cette source noire et violente du passé. Pour nous tous, pour moi.

Je ne sais combien de temps je suis resté ainsi avec les pages devant moi, avec cette idée qui devenait de plus en plus forte, qu'il me faudrait dire aussi toute la guerre, tout mon peuple martyr, pour faire comprendre combien l'incendie qui me privait de ma nouvelle vie, pour moi, venait de loin, comme si, du ghetto aux Barons, le feu m'avait toujours poursuivi.

J'entendais Mme Lorenzelli qui m'appelait, qui s'inquiétait ne me découvrant pas. J'aimais entendre le bruit de ses pas sur le carrelage, je la laissais répéter son appel « monsieur Gray, monsieur Gray », voix humaine de solidarité dont j'avais tant besoin.

Quand je suis sorti de ma cachette, je me souviens bien : il faisait nuit. Et j'ai pris ma voiture. Claire était en moi l'idée que la création de la Fondation devait aussi s'appuyer sur le récit de ma vie, que, de l'une à l'autre, il fallait qu'il y ait échange. Je ne savais pas encore avec précision comment je conduirais cela : un livre à écrire, une Fondation à créer. Comment je secouerais la poussière des administrations, l'indifférence et la nonchalance.

Je savais que je n'étais ni un écrivain ni un homme important. Mais simplement un homme en deuil. Mais j'avais confiance. J'avais, dans ma vie, franchi trop de fois les barrières où l'on enferme les hommes pour ne pas savoir que celui qui veut peut.

Et je voulais.

J'ai roulé passant la clue, cette entaille entre deux montagnes qui ouvre sur une plaine. Je ne savais pas que j'allais rencontrer Jo, mon ami, l'ancien maçon devenu paysan. J'aimais sa sagesse, le don qu'il avait de savoir, de pressentir les événements et les hommes. Ce qu'ils portaient en eux de leur avenir.

– Tu étais en déséquilibre, me disait-il. L'incendie te force à choisir le bon côté de toi. Qui sait ?

Et son interrogation était lourde de mystère et de sens. Voulait-il dire que tout cela ne se produisait que pour que je choisisse une nouvelle route dans ma vie ?

Je n'osais l'interroger. Mais quand je l'ai quitté j'étais plus calme, plus *résolu* à dire et à faire. Pour les miens, pour les autres, pour moi.

J'écris tout cela aujourd'hui alors que sept années ont passé et que ne restent en moi que les moments les plus forts de ces jours qui ont suivi mon drame du mois d'octobre 1970. Mais ces instants, je veux les revivre par ce livre pour demeurer lié à mon passé, pour lui être fidèle. Même si la vie d'aujourd'hui est heureuse, je ne suis homme que par ce qui m'a fait, que par ceux qui, il y a sept ans, il y a plus longtemps encore dans la guerre, m'ont aimé, que j'ai aimés jusqu'à croire que j'allais perdre la raison quand ils ont disparu.

Je suis donc revenu de chez Jo aux Barons plus résolu et plus calme. Je sais qu'on avait planté en moi la première graine de sagesse qui fleurirait plus tard. J'avais encore beaucoup de jours violents à traverser.

Sur la pelouse devant les Barons, des hommes m'attendaient, des journalistes qui venaient des principales villes de la côte et de la capitale. J'ai tout de suite vu qu'ils étaient entrés dans ma maison. La porte de la grande salle était ouverte. Je suis passé devant eux sans les saluer et ils me suivaient. J'ai compris qu'ils avaient aussi pénétré dans la salle de musique, et je les ai précédés là, devant les urnes. Ils avaient – qui donc pouvait l'avoir fait ? – déplacé les urnes, et disposé près d'elles les accordéons des enfants. Sans doute pour une photo. Je me suis penché : un éclair de flash, un autre encore, et quand je me redressais pour les affronter, ils me photographiaient encore. L'un d'eux, très grand, avec de fines moustaches noires, le teint très brun, me souriait : « Est-ce que vous pouvez refaire ce geste, monsieur Gray ? »

Il s'approchait de moi, me prenait le bras, pour me montrer que je devais prendre l'accordéon dans la main. Je me suis dégagé avec violence, rejetant du même mouvement le journaliste, et les trois autres me regardaient avec surprise.

– Ça va pas, disait le grand, on fait notre métier non ? C'est pas nous qui avons fait tout ce bruit ? C'est vous, non ? Il faudrait savoir ce que vous voulez ? La pub ou quoi ?

Ils se parlaient entre eux :

– Tu l'as vu, il est fou ce type.

Je crois que ce jour-là est la seule fois dans ma vie où

j'ai sangloté devant des hommes sans pouvoir me retenir. Ils ont osé me photographier cependant que je pleurais et je n'ai pas eu la force de me jeter sur eux. A quoi bon ? N'avaient-ils pas raison ? N'était-ce pas moi qui avais attiré les projecteurs de l'actualité sur ma tragédie ? J'ai sangloté longtemps, je l'avoue. Que l'on dise que je suis impudique de le raconter, cela ne me touche pas.

L'impudeur est ma loi parce que ce qui m'arrive n'est pas le sort de tous.

Ce qui m'avait révolté dans la présence et les gestes des journalistes ce n'était pas tant qu'ils fassent leur métier, c'était leur sans-gêne, cette absence de solidarité que je devinais. J'ai toujours été sensible au rayonnement des hommes, à ces ondes qui semblent émaner de leur corps et de leur âme. D'où me vient cette intuition, cette prescience qui me fait reconnaître la qualité d'un homme, sa vérité qu'il cache avant même qu'il ait dit un seul mot ? Mon père déjà avait remarqué chez moi cette qualité. Au début de la guerre, je me souviens que, alors que mon père qui était pourchassé nous avait laissés seuls avec ma mère, j'avais comme cela, simplement, en devinant qu'un homme était un mouchard des bourreaux, évité qu'on nous prenne. Et mon père m'avait dit quand je lui avais raconté :

– Martin, tu sens les hommes, tu as ce don, il est rare. Tu vois dedans, j'espère que tu le garderas.

Je l'avais gardé et même développé, malgré moi, parce que la vie dépendait durant la guerre du premier regard. Ou l'on jugeait bien un homme et l'on avait la chance de survivre ou l'on se trompait et l'on mourait. J'avais ce flair. Un homme ne me trompait pas par de grands mots ou des grimaces. Je voyais ce qu'il était. Je sentais l'être véritable. Et je suis encore capable de cela aujourd'hui.

Ces journalistes, je les devinais indifférents et glacés comme de la matière. A peine hommes encore. J'avais, dès les premières heures après l'incendie, été photographié par mon ami David D. D., l'un des plus grands photographes des Etats-Unis, un homme qui s'était mêlé aux combats sur tous les fronts des guerres de ce temps pour témoigner de la mort et du courage des soldats. Et de notre folie humaine.

J'ai toujours ces photos, elles sont ma douleur, ma

vérité. Je n'ai jamais senti le regard indifférent de David quand il me photographiait. Son œil, son appareil même et jusqu'au mouvement de son corps quand il se baissait étaient gestes de fraternité.

Les journalistes sont partis. Hommes vides. Et j'ai réfléchi longuement à l'aventure dans laquelle je me lançais – où je m'étais déjà engagé – et qui me ferait rencontrer tant d'hommes comme eux, qui ne seraient que l'apparence d'hommes. Hommes du spectacle – journalistes, politiciens et tant d'autres – hommes du pouvoir – fonctionnaires ou ministres – tous ces hommes qui avaient choisi d'être d'abord des masques et qui, pour mieux jouer leur rôle, avaient souvent tué l'homme vrai en eux.

Et si moi aussi j'allais devenir l'un d'eux ? Si j'étais pris par la grande machine sociale qui vide le cœur et le remplace par du bruit, qui fait d'un homme un nom, « Martin Gray », au moment même où il n'est plus rien ?

Déjà, mon nom, mon histoire étaient dans les journaux ainsi que mon visage. Déjà des inconnus me téléphonaient, osaient se présenter chez moi, franchir ma porte même en mon absence.

Celui dont le nom est devenu public, qu'est-il ? Ceux qui lisent « Martin Gray » dans les journaux s'imaginent-ils que je suis autre chose qu'un nom ? Je leur appartiens. Ils entrent chez moi comme chez eux. Ce risque, dès les premiers jours avant même que ma Fondation ait été connue, je l'ai mesuré.

Mais qu'est-ce que la vie sans risque et sans pari ? Je pariais que je resterais moi-même, fidèle. Que je ne serais pas seulement une apparence. Qu'on ne ferait pas taire en moi la vraie voix, celle des miens. Je parlerais haut et fort, j'aurais mon nom dans les journaux, j'écrirais le récit de ma vie, je deviendrais un homme public. Et je resterais ce que j'avais toujours essayé de demeurer, libre et vrai.

J'ai donc continué.

Sur la pelouse des Barons, j'ai rassemblé les maires des départements méditerranéens que les incendies menaçaient, je me suis adressé à eux, moi qui parlais si mal le français, qui ne connaissais pas la division administrative de ce pays, qui confondais un maire et un préfet ! Mais j'ai vite compris. Je comprends vite. La vie m'a habitué à cela : saisir la vérité des choses ou mourir.

J'ai parlé aux maires. Ils étaient devant moi, assis, et à plusieurs reprises je m'interrompais dans mon allocution, quelques secondes de silence non pas pour reprendre souffle mais pour mesurer quel étrange destin était le mien. Rescapé des camps et de la barbarie, émigrant en Amérique, faisant fortune là-bas, me retirant ici, et voici que j'étais là, après une tragédie, à parler à des élus, à serrer des mains. Les maires signaient une délégation me chargeant de les représenter, de parler en leur nom au gouvernement. Ils entraient dans la salle de musique, ils passaient l'un après l'autre devant les urnes des miens.

Etrange destin. Scènes incroyables, que je n'aurais pu imaginer, il y avait seulement quelques jours, Et qui pourtant étaient. Et les préfets, les sous-préfets, les députés, les sénateurs me recevaient, je leur remettais des pétitions, des déclarations, les signatures des maires. Les journalistes m'interviewaient. La Fondation Dina Gray prenait une réalité. J'enquêtais. Je découvrais que l'incendie provenait peut-être d'imprudences dans la pose de lignes à haute tension. Ce n'était qu'une hypothèse mais déjà elle déclenchait des polémiques. J'étais, sans le vouloir, au centre d'une bataille.

Le soir, quand j'en avais fini avec les visites, les coups de téléphone, la rédaction des premières brochures de la Fondation, il m'arrivait de m'enfermer dans ma chambre secrète pour y pleurer.

Comment ai-je tenu durant ces premières semaines ?

Je ne dormais pas ou à peine quelques minutes par heure, réveillé chaque fois par le même cauchemar. J'étais avec mes enfants et ma femme. J'ETAIS : c'est-à-dire que, dans mon sommeil, je me persuadais quelques minutes peut-être qu'ils étaient encore là, que nous marchions tous ensemble. Puis survenait l'incendie. Et dans ma tête ce n'était qu'un cauchemar – et non pas la réalité. Un cauchemar horrible : je me disais alors dans ce sommeil fragile : « Réveille-toi, Martin, et le cauchemar finira, tu n'auras qu'à aller dans leurs chambres et tu les verras qui dorment paisiblement. » Je me réveillais couvert de sueur : mais le cauchemar était la réalité. J'étais seul dans ma maison des Barons, recroquevillé dans ma chambre secrète, y étouffant.

Dans la nuit ainsi, presque toujours venait Lady. C'était ma dernière chienne. L'autre avait péri avec les miens, près de la voiture, dans le ravin. Lady, elle, était restée avec moi, mais depuis le drame, elle errait dans la maison, perdue, elle aussi. Souvent, dans la journée elle se cachait sous le lit des enfants. Le sanglot – quel autre mot employer – qu'elle lançait parfois, un cri long et aigu, sans violence, me déchirait. La nuit, Lady savait me trouver. Elle gémissait contre la cloison de la chambre secrète. Je lui ouvrais. Elle me léchait les mains, lentement, puis se couchait près de moi, la tête sur les pattes, en gémissant.

Une nouvelle fois, je découvrais la tendresse, la sensibilité profonde des animaux, que trop d'hommes croient avec orgueil sans sentiments. Comment oublierai-je le chat du bord du fleuve, à Varsovie, qui, alors que tant d'hommes n'étaient que bêtes sauvages, était pour moi, enfant pourchassé, la douceur et l'affection !

Ici, aux Barons, j'avais vu nos chiens puissants se laisser chevaucher par mes enfants, jouer avec eux, en mesurant tous leurs mouvements de manière à ne pas leur faire mal, pleins d'une attention humaine pour le dernier-né. Et sans doute mon chien, au lieu de s'enfuir quand les flammes avaient atteint la voiture, avait-il voulu rester près des miens, jusqu'au bout, périr avec eux.

Et maintenant Lady, qui souffrait avec moi, qui refusait la nourriture, comme si elle avait voulu se laisser mourir, et il fallait que, morceau après morceau, en lui parlant, en lui présentant longuement la viande, je la force à manger. Il fallait, pour qu'elle accepte, que je lui parle, que je la raisonne. « Tu vois, Lady, nous sommes tous les deux. Tu ne veux pas m'abandonner ? Tu ne veux pas me laisser seul ? Tu me restes, toi ! Mais il faut que tu manges. »

Lady me regardait avec ses yeux graves et doux. Elle avalait avec difficulté. Elle se forçait, je le sentais, pour me satisfaire, mais en elle, quelque chose résistait. Elle n'avait plus le désir de vivre. Et pour moi qui devais me décider à chaque seconde à continuer d'exister, la présence de Lady, son désespoir qu'elle ne pouvait exprimer par des mots mais qui était visible dans chacune de ses attitudes étaient une remise en cause de chaque instant. J'avais envie de m'étendre près d'elle et nous serions restés côte à côte, jusqu'à ce que le sommeil nous prenne et nous emporte vers ceux que nous aimions.

Mais j'étais un homme.

Un homme, c'est-à-dire pour moi quelqu'un qui ne renonce pas. Que le désespoir ronge mais qui lutte contre lui. J'essayais donc de vivre et de contraindre Lady à vivre, à manger.

Seulement, j'ai dû partir à Paris.

J'avais en effet atteint mes premiers objectifs : les maires, les préfets et les sous-préfets, les députés, les sénateurs, toute cette hiérarchie de notables et de fonctionnaires, s'étaient convaincus, en me voyant ou en me recevant, qu'on ne m'arrêterait pas.

L'un d'eux, en uniforme, m'avait écouté debout dans l'entrebâillement de sa porte, le corps placé de telle manière qu'il voulait m'empêcher d'entrer. Et de temps à autre, tout en m'accordant une attention distraite, il regardait sa montre, s'écartait et me disait :

– Vous permettez, monsieur Gray ?

Et il m'expliquait qu'il avait une personnalité étran gère à recevoir.

– Je dois absolument me rendre à l'aéroport, mais envoyez-moi une note et je vous assure qu'elle sera transmise à Paris avec un avis favorable. Nous étudierons vos propositions de façon très précise.

Il me prenait par l'épaule.

– Vous ne connaissez pas l'administration française, monsieur Gray ? C'est la première du monde.

Il me prit la main, la secoua, me laissa dans le bureau de sa secrétaire et je le vis par la fenêtre qui descendait en courant les escaliers avec le sentiment d'avoir sûrement échappé à un gêneur.

Mais il ne me connaissait pas. Je me suis tourné vers la secrétaire.

– Je dois l'attendre dans son bureau.

Et avant même qu'elle ait répondu, je me suis dirigé vers le bureau. La porte était encore ouverte. Je suis entré. J'ai ouvert ma sacoche et j'ai commencé à préparer mes dossiers. J'avais un projet de brochure expliquant les précautions à prendre en cas d'incendie. Je voulais qu'elle soit distribuée à tous les enfants des écoles en France. Tous ceux qui connaissaient l'administration de l'Education nationale m'expliquaient qu'il était impossible que ce ministère accepte ainsi de faire diffuser par les enseignants un texte rédigé par une personne privée.

Impossible ? Que de fois ce mot était venu se dresser devant ma route : impossible de sortir du ghetto, impossible de passer le mur plusieurs fois par jour, impossible de fuir de Treblinka, impossible de ne pas mourir dans l'insurrection du ghetto, impossible qu'un incendie de forêt tue ma femme et mes quatre enfants à quelques kilomètres de Cannes.

Impossible : je ne connaissais pas ce mot.

J'avais rédigé la brochure. Elle serait distribuée. Dans le bureau le temps a passé. J'ai allumé la lampe, j'ai laissé la porte ouverte. Parfois une personne de l'administration entrait et me voyant paraissait surprise puis ressortait avec discrétion. A un moment, la secrétaire a toussoté pour attirer mon attention :

– Je ne sais pas si M. le préfet reviendra à son bureau. Il y a réception à la mairie et...

J'ai secoué la tête.

– Il m'a dit de l'attendre ici. Ne vous inquiétez pas, je l'attendrai. Je travaille.

Je montrais mes dossiers placés sur mes genoux.

La secrétaire a hésité puis, à la fin, elle est ressortie en soupirant. A un moment donné, quand on montre de la détermination, les gens renoncent. Il faut simplement vouloir plus longtemps qu'eux.

Au bout de quelque temps encore j'ai entendu des chuchotements, des pas qui hésitaient, des conciliabules, la voix plus forte et irritée du préfet, il a poussé la porte. Son visage reflétait l'étonnement et la colère. J'ai rangé mes dossiers, j'ai dit avant même qu'il parle :

– J'ai menti à tous vos collaborateurs, monsieur le préfet. Il faut prendre des risques, parfois, non ? A Varsovie, je me faisais passer pour polonais d'origine allemande. Pourquoi j'ai menti : je voulais vous voir vous, je voulais que vous m'écoutiez personnellement, avec votre cœur, monsieur le préfet. Alors, je le sais, vous deviendrez mon allié.

Il m'a regardé longuement, a enlevé sa casquette en passant sa main dans ses cheveux, il s'est assis en soupirant.

– Je vous écoute, monsieur Gray. Je crois que je ne peux pas faire autrement, n'est-ce pas ?

J'ai secoué la tête.

– Vous pouvez me faire arrêter, bien sûr. Mais je reviendrai, parce que je m'évade.

Il a éclaté de rire. Et moi, pour la première fois depuis ma tragédie, j'ai souri.

Ainsi, dans l'action têtue que j'avais entreprise, je trouvais un regain de vie. Je découvrais des hommes et un monde que je ne connaissais pas.

Le préfet, le soir, me conduisit chez lui : nous dînâmes avec sa femme. Ils devinrent mes amis.

Il y a souvent, je m'en convainquis, sous le masque de l'indifférence, derrière les rôles qu'on oblige les fonctionnaires à jouer, des hommes vrais, ouverts aux autres.

A Paris, je rencontrais quelques-uns de ces hommes compréhensifs, mais d'autres aussi. Au grand étonnement de quelques journalistes qui me guettaient, un ministre me recevait, les conseillers techniques du Premier ministre m'écoutaient. L'un d'eux – que j'appellerai Serge, il ne servirait à rien de le désigner plus précisément – me paraissait plein d'attention. Il m'invita à déjeuner :

– Je veux que nous parlions à fond de votre affaire

– Ce n'est pas une affaire.

Je possédais encore mal les subtilités de la langue française : affaire, pour moi, cela signifiait « business ». Ma Fondation ce n'était pas cela.

Serge était assis en face de moi dans l'un de ces restaurants cossus où se retrouvent les journalistes, les hommes politiques, ces personnalités du Tout-Paris qui font et défont les réputations.

Je suis peut-être puritain et excessif : mais je me méfie toujours de ceux qui aiment trop la bonne chère. Serge s'étonnait de me voir refuser le vin et les viandes. J'étais encore végétarien à ce moment-là et je pris une salade sans assaisonnement. Petit scandale qui attirait les questions du maître d'hôtel, les regards apitoyés des garçons et de M. Serge. J'étais un barbare qui ne comprenait rien à la vie. Mais la vie, pour moi, valait mieux qu'un bon repas. Serge buvait avec délectation, mangeait goulûment.

– Votre Fondation, disait-il, vous n'avez pas de souci à vous faire. Bon, vous avez investi, maintenant vous êtes à sec ? Mais l'argent, ce n'est jamais un problème. Et croyez-moi, il n'y a pas que l'Etat qui peut vous alimenter. Laissez-moi faire, amorcez la pompe et quelqu'un suivra, ça je vous le garantis.

Je quittai M. Serge mal à l'aise. Je l'ai dit : j'ai l'intuition des gens. Et M. Serge avec son assurance, cette trop rapide confiance, sa manière de me rassurer, m'inquiétait. Je sais trop qu'il y a des obstacles pour ne pas m'étonner quand la porte s'ouvre trop rapidement sans même qu'on ait à la pousser. Je m'attends à un piège. Quand je faisais la guerre, là-bas, dans les forêts, que nous crevions de froid, il nous arrivait parfois de découvrir dans une hutte du bois en tas, des bûches sèches, il semblait qu'il suffisait d'y mettre le feu. La cheminée attendait, semblait-il. Mais de vieux partisans commençaient par monter sur le toit et souvent ils revenaient avec un chapelet de grenades, une charge de dynamite, placés dans les conduits par nos ennemis.

Mais je ne pouvais guère deviner les pièges de M. Serge. Je ne connaissais rien à ce monde qui entoure les hommes au pouvoir. Il me fallait attendre. Je rentrais à l'hôtel épuisé par ces conversations dans les bureaux des ministères, ces attentes dans les antichambres, ces poignées de main. Et pour une main franche que de paumes qui se dérobaient, de doigts qui se repliaient, comme pour fuir l'engagement que je leur proposais !

A l'hôtel, je m'allongeais. J'étais malade d'insomnie et de fatigue. Je ne supportais pas le silence ni la vue de la rue. Je baissais les stores, je tirais les rideaux, j'allumais la radio. J'ouvrais mes albums de photos. C'était une attitude enfantine peut-être, malsaine aussi, car que peuvent les photographies contre la mort, mais j'avais besoin de les voir. Je feuilletais, je fixais Nicole ou Richard, Dina, Suzanne ou Charles. Mais qu'étais-je devenu ? La chambre de l'hôtel ressemblait à celles des hôtels américains ou de ces résidences de Berlin-Ouest où il m'arrivait de séjourner quand, pour mon commerce d'antiquités, je parcourais les Etats-Unis ou revenais en Europe. Tout mon vrai passé, celui du bonheur avec ma famille, s'était effondré. Et j'étais debout au bord d'un précipice qui venait de s'ouvrir, face seulement à ce vide et au-delà, ces chambres qui me rappelaient ma situation d'avant, d'avant ma rencontre avec Dina, quand j'errais à la recherche du bonheur, accumulant une fortune dont je savais qu'elle ne me donnait qu'une fausse puissance puisque me manquaient ceux que j'aimais et avec qui j'aurais pu la partager.

Quand j'étais ainsi seul, que la nuit venait, tout se mettait à tourner autour de moi.

A quoi bon? A quoi bon?

J'avais la nausée, une boule brûlante naissait au cœur de ma poitrine ou lentement montait vers ma gorge où elle y demeurait, étouffante, et j'étais oppressé. J'essayais de me calmer. Je me forçais à penser à mon père, à tout ce que j'avais enduré pendant la guerre, comment j'avais résisté à la panique. Souvent cela ne servait à rien : la guerre était un événement qui me prenait moi et des millions d'hommes. L'incendie semblait au contraire m'avoir désigné.

Il fallait que je refuse cette idée qui me torturait. Je n'étais pas la victime d'un destin cruel mais bien celle des ignorances ou des maladresses des hommes et c'est contre elles que je devais créer ma Fondation.

A l'hôtel souvent des journalistes demandaient à me voir. Un long article avait été publié dans *France-Soir,* racontant les principaux épisodes de ma vie. Et j'attirais : tout le monde n'a pas été insurgé du ghetto de Varsovie, évadé de Treblinka, capitaine de l'armée rouge, et... homme d'affaires aux Etats-Unis. Je ne savais pas encore que j'avais l'une de ces vies qui servent à fabriquer les vedettes d'un instant, des journaux et des livres à succès. On me l'a vite fait comprendre. J'eus ainsi la visite, un soir que je revenais d'une rencontre avec un fonctionnaire de l'Education nationale auquel, une fois encore, je soumettais mon projet de brochure, d'un représentant d'une grande maison d'édition. Il entrait dans ma chambre avec moi. De toute la journée, je n'avais pu regarder les photos des miens, et sans lui expliquer ce que je faisais, j'ai ouvert mes albums, commencé à les feuilleter, lentement. Pour eux, seulement pour eux, pour leurs visages, il fallait que je continue. L'homme s'était mis à parler.

– Votre histoire, c'est un film, disait-il. Et on fera un film. Vous n'avez rien écrit?

Je levai la tête.

– Un très bon écrivain est prêt à se mettre d'accord avec vous. Les droits d'auteur sont... Votre livre vous rapportera...

Il parlait argent, seulement argent, toujours argent. Et publicité, et lancement.

Mais qu'étais-je devenu déjà pour qu'on me traite

ainsi ? Comme une marchandise qu'on allait vendre, comme si ma vie, celle des miens étaient des produits qu'on allait répandre sur le marché.

– Vous nous faites confiance ? Vous signez avec nous un contrat d'exclusivité et nous vous garantissons...

J'ai tendu à ce monsieur les albums de photos. Il a eu un sourire affecté, une expression de circonstance.

– Ah, ce sont eux ? Nous mettrons d'ailleurs plusieurs pages de photographies à la fin du livre. Naturellement vous les choisirez. Les photos couleur ce n'est pas possible, sauf sur la couverture.

Il a refermé les albums que j'ai repris.

Qu'étais-je déjà devenu ? J'ai secoué la tête pour indiquer que je refusais. Il se levait après avoir insisté.

– Je ne vous comprends pas, monsieur Martin Gray, disait-il. Vous semblez rechercher la publicité ? Je vous assure, vous en aurez.

Ne comprenait-il pas que le dégoût, à l'écouter, m'envahissait. Que si j'écrivais un livre, il faudrait qu'il ait une âme, qu'il soit fait de vérité et non de mots sonores ?

J'avais encore de très nombreuses démarches à accomplir. L'Education nationale résistait à mes pressions. Partout, dans les bureaux, je passais pour un homme « fou de douleur », un « Américain », un « barbare, presque analphabète », quelqu'un « qui n'avait plus toute sa raison », qu'il fallait écouter, mais surtout ne pas suivre.

Ces obstacles, en un sens, me stimulaient. Ils me rappelaient le temps de mon arrivée aux Etats-Unis où je n'avais pour moi que la jeunesse et le désir d'être libre dans une société où l'argent est la clé de l'indépendance. Il me fallait gagner des dollars : je réussis à en gagner. N'était-ce pas plus facile maintenant d'imposer à des administrations réticentes des mesures utiles, désintéressées ?

Un matin, alors que je m'apprêtais à quitter l'hôtel pour rencontrer un fonctionnaire qui devait m'expliquer comment soumettre le texte de ma brochure aux commissions pédagogiques, le téléphone sonna. C'était un appel des Barons. Un voisin, M. C., l'un de ceux qui m'avaient veillé les premières nuits quand je cherchais un moyen d'en finir avec le cauchemar en faisant exploser ma tête et ma mémoire, m'avertissait : « Lady, votre chienne, Mme Lorenzelli ne la trouve plus... » J'ai décidé de rentrer immédiatement aux Barons, remettant à plus tard ma rencontre avec le fonctionnaire. J'étais atteint au plus profond par la disparition de Lady. Qui comprendra ? Elle n'était qu'un animal mais nous avions en commun la joie des jeux avec mes enfants. Elle s'était laissé renverser par Suzanne, elle avait, sur la pelouse, veillé sur Richard. Elle avait survécu comme moi et voici qu'elle me quittait. J'ai durement ressenti cette perte. Dans l'avion, parce que je gardais la tête baissée, le bras devant les yeux, l'hôtesse m'a demandé si j'avais besoin de quelque chose, si je me trouvais mal. On m'arrachait une dernière part de moi, mais je vivais : et je me reprochais de vivre, de ne pas avoir choisi, comme Lady, de disparaître, anonyme, sans bruit.

Aux Barons, on m'expliqua qu'elle avait, depuis que j'étais à Paris, refusé toute nourriture. Qu'elle s'était placée devant les urnes des miens, ne bougeant pas, gémissant seulement. Puis un après-midi, elle s'était levée et sans que Mme Lorenzelli ait pu la retenir, elle avait fui en courant, efflanquée et nerveuse.

– On aurait dit qu'elle savait où elle allait, me disait Mme Lorenzelli. J'ai essayé de l'appeler, elle a un peu hésité au bout du terrain, là-bas sous le cerisier, mais quand j'ai marché vers elle, elle est partie.

J'ai, à mon tour, traversé le champ, imaginant le chemin suivi par Lady. Je savais, moi, par où elle était passée. Elle avait couru en diagonale comme mes enfants quand ils revenaient la bouche rougie par le jus des fruits. Puis, elle avait franchi la haie, pour atteindre la route. Et souvent Nicole se cachait là quand nous jouions. J'ai marché sur la route. Il faisait nuit sombre, avec une couche de brume. La campagne était déserte, mais je voyais les corps des arbres brûlés. J'ai continué. Elle avait dû, elle aussi, aller tout droit vers le ravin. J'ai atteint le tournant, j'ai franchi le rebord de la route et j'ai commencé à descendre, là où la voiture des miens avait glissé dans la fumée.

Ce n'était cette nuit-là que brume grise et humidité. Mais j'étais, moi, enveloppé de détresse et de peur. Pour la première fois depuis le jour de l'incendie, je faisais à nouveau ce parcours, j'atteignais la carcasse de la voiture. Je touchais la carrosserie couverte de gouttelettes glacées.

Je me suis mis à appeler : « Lady, Lady... »

J'étais sûr que la chienne avait dû venir jusque-là, guidée par son instinct, ce que j'osais appeler son amour. Il m'a semblé entendre un bruit de branches cassées. J'ai aperçu Lady.

« Lady, Lady », j'ai recommencé à l'appeler, en chuchotant pour ne pas l'effrayer.

Elle s'est encore approchée. « C'est moi, moi. »

J'ai avancé. Et elle a bondi, disparaissant, me laissant seul.

J'ai compris qu'elle avait définitivement choisi. Qu'elle ne pouvait plus supporter de vivre avec moi sans les miens.

Et qui le pouvait ?

Je suis resté longuement assis sur le sol couvert de cendres, avec le froid qui me prenait, et je ne suis rentré qu'au moment où le soleil se levait, défaisant peu à peu la brume. Partie Lady. Partie ma vie passée et ses témoins.

Il fallait être un homme pour supporter de survivre. Heureusement, la Fondation qui naissait commençait à m'aider.

Je ne pouvais plus demeurer isolé du monde : il venait à moi. J'avais lancé des appels, ouvert des portes. On me répondait, on m'invitait à entrer. Téléphone des ministères, des préfectures, d'un imprimeur, d'un journaliste, de personnes privées qui avaient lu les journaux et voulaient se joindre à moi pour me donner leur aide bénévole. On me demandait de compléter des dossiers, de rencontrer le maire de..., le recteur chargé de..., les députés de la majorité ou de l'opposition. J'étais au centre d'une toile que j'avais tissée et elle me soutenait. Sans elle qu'aurais-je fait ?

Parfois, naissait aussi en moi la révolte et c'était comme un coup de fouet que me donnait la vie pour me contraindre à me redresser.

Ainsi, un jour, je vis arriver aux Barons M. Serge, le conseiller technique, avec un personnage d'une soixantaine d'années, râblé, l'air satisfait, qui me serrait la main avec vigueur et que M. Serge présentait avec respect.

– Voici M... Vous le connaissez, n'est-ce pas ?

Je ne donnerai pas son nom, je l'appellerai *le Marchand,* car il vendait et il achetait. J'ignorais jusqu'à son nom : je n'étais pas client de ce qu'il vendait. Je n'aime pas cette sorte de poison. Ma seule drogue c'est la vie. Je n'ai pas besoin d'autre chose.

– Vous ne me connaissez pas ?

Le Marchand paraissait à la fois surpris et amusé.

– Ça alors, vous êtes bien le seul en France.

– M. Gray est américain, commentait M. Serge.

– Vous, vous vivez ici depuis longtemps, non ?

– Dix ans, répondis-je au Marchand.

Je le faisais entrer dans la maison des Barons, sans enthousiasme, sur mes gardes. Je n'aimais pas cette suffisance, ce regard plein de morgue et de prétention. Il posait sur la table un petit livre.

– Monsieur Gray, disait-il, puisque vous ne me connaissez pas, voici un livre où l'on raconte ma vie. Vous verrez qui je suis. Vous aussi vous avez une vie exceptionnelle, n'est-ce pas ?

Je jetai une bûche dans le feu, je hochai la tête.

– Monsieur Gray, disait M. Serge, a une vie qui ressemble à un roman.

– Je crois que vous et moi, nous pouvons nous entendre, non ? M. Serge me dit que vous avez créé une Fondation pour la protection de la nature ? La Fondation Dina Gray ? C'est une très bonne idée ça... Vous savez que je fais beaucoup pour la nature ? Une partie de mes bénéfices, je les mets là-dedans, vous me comprenez ?

Il souriait.

– Je vous avais dit, monsieur Gray, disait le conseiller technique, l'argent, il est toujours possible d'en trouver.

Le Marchand se levait :

– Quand vous aurez lu le livre, vous aurez compris qui je suis et vous verrez où je vis, ce que je suis capable de faire. Vous êtes d'accord ? Si vous voulez – le Marchand était déjà sur le seuil de la porte –, je vous envoie mon chauffeur personnel. Vous voulez ?

Je secouai la tête.

– Je viendrai, ai-je dit, par mes propres moyens.

– Bon. Vous rencontrerez des gens qui vous étonneront. Avec eux votre Fondation, on en parlera.

Je les accompagnai jusqu'au portail.

– Vous avez eu une idée, monsieur Gray. Votre Fondation pour protéger la nature, c'est une très bonne idée, mais maintenant – il riait – laissez-moi faire, moi et mes amis, nous allons vous la vendre votre idée. Dans un an, vous me direz : Je n'imaginais pas tout ce que vous pouviez faire. Je suis comme ça. Serge vous enverra tous les détails.

M. Serge, que j'avais vu dans un bureau officiel, haut fonctionnaire, s'empressait d'ouvrir la porte au Marchand, il me serrait rapidement la main, murmurait : « C'est votre chance, je vous l'avais dit, je vous téléphone, ne manquez pas le rendez-vous. »

Je n'aimais pas le Marchand. Je n'aimais pas M. Serge. J'étais trop habitué aux hommes pour ne pas sentir autour de ces deux-là les compromissions, les intérêts. Pas un mot du Marchand sur les miens. Rien. Pas un mot sur la nature dévastée. Rien. Le regard uniquement tourné vers lui-même, ce livre qu'il m'avait remis et que je me mis à lire : je n'y découvrais que l'homme satisfait de sa vie, qui disait avoir toujours su choisir, ne s'être jamais égaré dans de mauvaises routes. Un roi absolu n'aurait pas écrit ou fait écrire autrement. Et Serge était le courtisan du Marchand.

Je n'aime pas les courtisans. Ils ont l'âme souple à force de s'être courbés devant leurs maîtres. Et j'en avais tant vu ; courtisans des bourreaux, courtisans des truands les plus puissants du ghetto, courtisans des policiers, courtisans des patrons. Voix mielleuse et gestes mous : pour moi, ce n'était pas là graine d'hommes véritables. J'aimais, j'aime toujours les hommes fiers et humbles. Ceux qui disent haut ce qu'ils pensent et qui sans orgueil savent qu'ils peuvent se tromper et qu'ils ne sont pas meilleurs que les autres hommes.

Le Marchand acceptait d'être entouré de courtisans et de domestiques : voilà qui disait clairement qu'il n'était pas de pur et franc métal. Que quelque chose en lui était pourri.

Et je le vis bien quand je le rencontrai, chez lui, dans l'île qu'il possédait et où il me reçut dans son petit château, entouré de sa cour.

Ils étaient tous là ceux qui lui tressaient des couronnes et des compliments et vivaient de son or. Deux ou trois hauts fonctionnaires, des notables, des ingénieurs et des avocats, un prêtre aussi, quelques jolies femmes, grande tablée sous les oliviers, et sur la nappe blanche brillaient les chandeliers d'argent. Les domestiques servaient un vin qui faisait s'exclamer les convives. Par politesse j'y trempai mes lèvres. Oui, grand cru, de belle couleur. Et le poisson cuit aux herbes fondait dans la bouche. M. Serge, près de moi, saisissait mon poignet :

– Avec lui, disait-il, en me montrant le Marchand qui régnait au centre de la table, avec lui votre Fondation va devenir une très grande chose. Il peut en faire une institution puissante et je vous assure, personne en France et à l'étranger n'ignorera le nom de Dina Gray. Vous savez qu'il vend dans le monde entier. Et s'il le veut – et il veut – chacun de ses représentants peut devenir le délégué de la Fondation Dina Gray. Vous vous rendez compte ?

Je me rendais compte. En publicité, cela s'appelle un « support ». Les miens allaient devenir le « support » des produits du Marchand. Ah ! sûrement, j'aurais des dons, la Fondation Dina Gray verrait son nom inscrit sur de grands panneaux publicitaires, et dans les programmes de radio entre deux annonces on dirait : « La société Marchand offre à la Fondation Dina Gray ce temps d'antenne », et moi, il me faudrait ajouter : « Merci à la société Marchand, si généreuse. » On planterait un arbre de-ci, de-là, et on y accrocherait le panonceau de la société Marchand.

Je ne suis pas à vendre. Les miens ne sont pas morts pour être vendus. Je préfère ne planter qu'un seul arbre, mais que ce soit avec mes mains, et que seuls ceux qui pensent vraiment aux miens m'aident. Merci de votre générosité qui sent le bénéfice. Ne touchez pas aux miens.

J'ai quitté la belle tablée de notables sans rien dire. Je ne pourrai plus compter sur M. Serge qui était puissant dans les cabinets ministériels. Tant pis. Ma mémoire n'était pas à vendre.

Je ne regrettais pas d'avoir dû rencontrer le Marchand. Je savais jusqu'où je ne devais pas aller.

5

J'ai partagé ma mémoire

Une rencontre peut changer la vie. Je le savais depuis toujours. Tout se joue parfois dans le premier regard. Je ne parle pas seulement ici de l'amour, du visage de Dina qui dès que je l'ai vu est devenu pour moi mon horizon. Je parle aussi de l'ami ou de l'ennemi. De ce soldat, au temps de la guerre, qui, sur la plate-forme du tramway, me regardait longuement puis se détournait et ce geste suffisait à me laisser en vie. Je parle de la première poignée de main entre Mokotow-la-tombe, truand de Varsovie, et moi : nous nous faisions désormais confiance. Je parle de Rivka ma compagne des toits du ghetto quand nous guettions la ville, je parle de Tolek, mon ami de l'armée, et je parle aussi du vieux Joseph Goldman qui, à New York, me permit d'entreprendre en me faisant confiance. En me donnant. « Avec la chance », écrivait-il en m'envoyant ce chèque, ce don qui allait faire le moi un antiquaire et m'ouvrir ainsi un autre chemin, celui le l'indépendance et de la fortune. Tous ceux-là, et je pourrais multiplier les noms, dans le bon ou le mauvais sens : regard ami du kapo dans le camp de Treblinka avant qu'il me désigne pour le poste de travail d'où je pourrai m'évader, regard de haine de Frankenstein qui me frôle et qui veut dire la mort. Regard sur moi de l'officier aux yeux blancs qui désigne ceux qui vont mourir. Tous ceux-là, ami ou ennemi, j'ai su, dès le premier instant, qu'ils étaient avec moi ou contre moi. Et j'ai su aussi que notre rencontre allait changer ma vie. Ou notre vie.

Mais voilà des années que je n'éprouvais plus ce

même sentiment. J'étais heureux. Sans doute m'étais-je enfermé dans la paix. J'étais avec les miens sur les pelouses des Barons, à regarder le ciel bleuir au-dessus de la mer, et je croyais que désormais notre vie ne dépendait plus d'une rencontre. Mes dés étaient jetés depuis dix années : femme, enfants, fortune, bonheur. J'avais ramassé la grosse mise. Je gérais avec prudence mon gain. Nous étions en bonne santé tous. Je préparais déjà le lointain avenir : une cuisine dans notre forteresse des Barons pour les enfants quand ils seraient adultes, qu'ils auraient leur famille à eux, et j'imaginais qu'ils allaient construire leurs maisons sur mes terrains et que, de notre terrasse, Dina et moi nous verrions les toits, les fenêtres de leurs demeures. Que pouvait une rencontre ?

Il y eut le feu. Revint la guerre. Revint le temps des rencontres.

Au premier contact, je me défiais de M. Serge et de son maître le Marchand. J'avais à nouveau ce sens et cette intuition que donne le malheur. J'étais dans la jungle, sur mes gardes. Trop tard sans doute : si j'avais été en éveil, si j'avais cru que le destin ne vous lâche jamais, attend que vous soyez rassuré pour frapper, sans doute les miens n'auraient-ils pas péri. Mais j'étais si sûr d'être sorti de l'enfer ! Si sûr d'être en paix, à l'abri, j'étais devenu pacifique comme un fauve repu.

Un jour suffisait à me rendre mes griffes et mes défenses. Avec le désespoir, je redevenais solitaire et aux aguets. Finie la paix. Tout dépendait à nouveau du regard d'un homme.

Je retournai à Paris. Maintenant, j'étais attendu. Quand j'arrivai à l'hôtel, je trouvai des messages : « Appeler M. X. » – « L'éditeur Y vous a demandé. » – « Z, du journal..., voudrait faire une interview. »

Je montai dans ma chambre. Je m'allongeai. J'avais un cérémonial : j'ouvrais les albums de photos près des dossiers de la Fondation. Je relisais les pages que j'avais écrites pour Dina et où je racontais ma vie. J'allumais la radio. J'hésitais encore. Devais-je vraiment apparaître aux yeux de tous, nu, dans la vérité de mon histoire ? Tout dire à tous ? Dina avait été la seule gardienne de mon passé. Et maintenant, allais-je renverser le sac, disperser les grains : « Voilà ce que je fus, voilà d'où je viens, lisez ma vie » ?

Je sentais la curiosité de ceux que je rencontrais : « Vous êtes américain ? me demandaient-ils. Mais avant ? Vous n'êtes pas né aux Etats-Unis ? »

Par bribes, ils reconstituaient mon passé à partir des articles de journaux. Ils s'étonnaient. Ils s'exclamaient et doutaient. Mais cela pour moi n'était pas l'essentiel. En moi, le besoin d'une grande éruption montait, puissant. M'ouvrir comme le flanc d'une montagne sous la pression de la lave et crier ce passé rouge, toute cette inhumanité où j'avais été plongé dès l'enfance. Crier la barbarie et la solidarité. Laisser sortir les mots pour savoir vraiment, moi-même, qui j'étais.

Je n'avais plus rien.

Imaginez ce que c'est que d'avoir construit toute une vie alors qu'on a déjà été le survivant d'une guerre impitoyable et s'en trouver à nouveau privé.

Imaginez ce que c'est que de ne plus avoir un point – un cœur ami – qui vous sert de repère. Simplement des lieux : les Barons, des objets. Mais plus un être cher. Ou alors si loin, aux Etats-Unis, mon oncle encore, mais si étranger à ma vie d'ici.

Seul dans un désert. Il me fallait dire pour savoir où j'étais. Me reprendre et me repérer.

Un soir, on frappa à la porte de ma chambre.

J'avais, toute la journée, rencontré des fonctionnaires de différents ministères. Une commission d'experts s'était réunie pour discuter mot à mot le texte que j'avais élaboré, sorte de guide destiné aux enfants pour qu'ils sachent comment se comporter en cas d'incendie. Je ne savais plus à qui j'avais encore donné rendez-vous. Mais on frappait. Sur le lit, je me souviens, les albums de photos étaient ouverts et j'avais d'autres portraits encore dispersés sur les couvertures et même sur le sol, car je m'étais assis par terre appuyé au dossier du lit.

On frappa à nouveau.

Je n'ai pas bougé et j'ai simplement demandé qu'on entre. Porte ouverte, une haute silhouette qui restait sur le seuil, un regard qui s'attardait sur moi d'abord puis sur les photos. L'homme se baissait après avoir refermé la porte. Il s'asseyait près de moi sur le sol, sans se présenter, et il commençait à prendre les photos une à une, à les regarder longuement sans rien dire. Et je me mis à les lui passer, à feuilleter devant lui les albums, à les commenter. « Ici, c'était Charles. » Je parlais et il hochait la tête, me demandait une explication, reprenait une photo pour mieux la voir. Nous restâmes ainsi côte à côte un long moment et sans que je sache qui il était, je devinais que ma rencontre avec lui allait être importante. Pour moi. Peut-être, pour lui aussi.

Une rencontre ce sont deux destins qui se croisent et vont se côtoyer désormais, différents l'un et l'autre de ce qu'ils étaient séparément.

– Je suis écrivain, dit-il.

Dans l'album de photos, il avait remarqué celles où j'étais en uniforme d'officier de l'armée rouge. Il feuilleta les pages jusqu'à retrouver ce cliché, plaça près de lui les photographies de mes enfants, dit :

– Bien sûr, vous, vous ne pouvez peut-être pas voir tout cela comme je le vois. Mais votre vie doit être dite, écrite, parce que vous êtes un témoin de la folie de ce temps. Il y a toutes les vies dans votre vie. Il faut que vous acceptiez de parler. Vous n'avez pas le droit de vous taire. Il faut le dire non parce que vous en sentez le besoin, mais parce que des centaines de milliers de lecteurs apprendront par vous. Vous ne pouvez pas garder votre malheur pour vous. Vous trahissez si vous vous taisez.

Il parlait d'une voix énergique, rapidement. Et il était le premier qui disait exactement ce que j'avais en moi depuis des semaines.

Je le regardais. Depuis combien de temps était-il entré dans cette chambre ? Il me semblait que j'avais déjà avec lui partagé ma vie. Qu'avec lui, je pourrais travailler. Je sentais l'une de ces rencontres importantes de ma vie. Et je savais que je ne me trompais pas.

– Je m'appelle...

Son nom est inscrit dans mon premier livre. Depuis le jour dont je parle, nos voies se sont éloignées. Il est devenu un écrivain connu. Il a écrit de très nombreux romans à succès. J'ai, moi aussi, publié plusieurs livres. Nous labourons chacun notre champ mais aujourd'hui encore je le consulte. Il lit mes manuscrits. Il me conseille souvent. J'ai confiance dans sa franchise et son talent. Cependant, nos rapports ont changé. Alors que pour mon premier livre nous fûmes, durant quelques mois, l'un près de l'autre appuyés aux montants de la même charrue pour retourner la même terre.

Dans le sillon que nous avons ensemble creusé, qui

dira l'effort de l'un et de l'autre ? Nous avons mis le meilleur de chacun de nous. Moi, ma vie, les mots que j'avais déjà écrits, lui toute sa sincérité, son expérience, sa solidarité, sa foi et aussi sa vie.

Son nom : Max Gallo. Mais qu'ai-je à faire d'un nom « officiel », d'un nom connu ? Ce n'est pas la notoriété qui fait l'homme et ce n'est pas le succès qui donne la mesure du talent. Et le talent je crois d'abord qu'il est fait de générosité.

J'aimerais appeler l'écrivain « Frère ».

Nous avons partagé nos mémoires, nous les avons mêlées, elles se sont inscrites ensemble, à la manière des enfants qui, dans les jeux, pour sceller leur amitié, entaillent le bout de leur doigt et mélangent leur sang.

J'aimerais même l'appeler simplement *l'Ecrivain* parce que, pour moi, il fut d'abord cela, l'homme du miracle des mots.

Mais, quand nous nous rencontrons, il est Max, et c'est ainsi qu'il sera ici.

Max a beaucoup écrit depuis notre rencontre, reçu des louanges. Mais qui le connaît comme moi ? Qui sait ce qu'il peut faire, sinon moi ? Et je suis fier de l'avoir rencontré alors qu'il n'avait pas encore pour le suivre tous les lecteurs d'aujourd'hui. Il m'a fait découvrir, à moi qui savais si mal ce que sont les mots, ce que peut être leur puissance, comment ils bouleversent. Et lui qui n'imaginait pas encore la force qu'il possédait, je lui faisais prendre conscience du pouvoir qu'il détenait. Du devoir qu'il avait lui aussi – il me parlait souvent du mien – d'écrire puisqu'il lui avait été donné d'avoir le don des mots.

Il me disait : « Martin Gray, vous devez raconter votre vie pour ne pas trahir ceux dont vous avez été les témoins. » Et moi, plus tard, je lui dis : « Vous devez écrire, et écrire droit ce que vous sentez pour ne pas trahir et décevoir celui qui vous a donné ce don. Attention à ne pas faire de la boue avec ce fleuve d'or qu'on fait couler en vous. Attention à vos devoirs, attention à ne pas trahir. »

Notre rencontre, à Max et à moi, fut, je crois, un moment important de nos vies. Et sept ans après nous sommes différents l'un et l'autre parce que nous nous sommes rencontrés.

Quelque temps après avoir commencé ce livre-ci, je l'ai averti : j'allais devoir parler de lui, résumer nos conversations d'il y a sept ans. Peut-être aussi, parce que la mémoire parfois n'est pas précise, prêter à Max des propos qu'il ne reconnaîtrait pas. Et lui rappeler aussi une période lointaine et qui fut cruelle de sa vie.

Il fallait que Max me donne son accord.

Au téléphone je le sentis hésitant et je laissai entre nous le silence. Puis il me dit :

– Ça ne m'enchante pas, Martin, mais...

Il s'interrompit. Un nouveau silence, puis il reprit.

– J'accepte mais à une condition : ne me montrez rien, ne me demandez rien. Ecrivez comme vous sentez. Je lirai le livre après...

C'est moi qui l'interrompis :

– Vous ne voulez rien voir avant ?

– Vous croyez que c'est nécessaire entre nous ?

Ce n'était pas nécessaire, il le savait. Je le savais.

Je continuai à écrire, et je retrouvais dans mes souvenirs l'atmosphère d'il y a sept ans.

Il y a sept ans, j'avais donc décidé de travailler avec Max. J'ai eu une totale confiance en lui quand il m'a dit :

– Martin, j'ai besoin de vos photos pour quelques jours. Et de ce que vous avez écrit aussi. Il faut que je prenne tout ça en moi. Que je devienne un peu vous. Vous comprenez ?

Et moi qui ne pouvais vivre sans eux, ces visages près de moi, ces clichés ou comme dans un miroir se reflétait ma vie passée, je lui ai confié cela. Je n'ai gardé que quelques photos. Et je n'étais pas inquiet. J'avais foi dans Max. Je comprenais qu'il avait besoin de sentir avec moi, comme moi. Et les soirées, au lieu de feuilleter les albums, je restais dans l'obscurité, je me préparais. Je revoyais les épisodes de ma vie qu'il allait me falloir dire. Au bout de quelques jours Max m'a appelé :

– Je suis prêt, a-t-il dit. Je vous attends, nous commençons.

C'est la période la plus étrange de ma vie.

Nous nous retrouvions, Max et moi, dans un atelier d'artiste situé au dernier étage d'une rue calme. Je me souviens d'abord de la couleur bleue : bleu du ciel qui envahissait l'atelier, ciel ouvert et où, en parlant à Max, je laissais perdre mon regard. Et il me semblait que ce ciel était celui qui couvrait les forêts de Pologne. Le même bleu. Bleu des tapis qui semblait renvoyer la couleur du ciel. Période étrange de ma vie car période immobile. J'avais jusque-là été un actif. Je marchais, je courais. J'avais été l'adolescent toujours en train d'échapper au bourreau. Puis le jeune immigrant qui, aux Etats-Unis, devait, dans cette autre jungle que sont les affaires, courir de rue en rue pour vendre à la sauvette des mouchoirs, sautant d'un palier à l'autre, passant d'un bloc d'immeubles à un autre bloc d'immeubles du Bronx. J'avais été l'antiquaire qui débarquait à Berlin ou à Paris, organisait ces expéditions d'objets anciens vers l'Amérique. Et puis, même dans ma paix, au Tanneron, j'avais toujours été en mouvement, jouant avec mes enfants, débroussaillant une pente, plantant des arbres. Et ma tragédie ne m'avait couché à terre que quelques jours. J'avais recommencé : forçant la porte des ministères, téléphonant aux responsables. Agité, fébrile, oui, peut-être jusqu'aux limites de la folie. Voici que, face à Max, je me tenais immobile, assis dans un fauteuil, les paumes couvrant mon visage ou bien le ciel envahissant mes yeux. Et le seul mouvement, c'était le glissement du temps et des mots dans ma mémoire, toutes ces images qui revenaient, si nettes que j'avais peur quand je décrivais mes premières découvertes, en octobre 1939, l'inégalité qui me frappait parce que j'étais juif. Et je souffrais comme j'avais souffert quand je voyais s'élever le mur de brique qui fermait les rues du ghetto.

Je parlais. Quand je quittais le bleu du ciel ou que j'enlevais mes paumes de mes yeux, je voyais Max. Regard et visage amis. Il prenait des notes sans regarder le papier où il écrivait. Quelques mots à peine pour de longues phrases que je lui disais. Parfois, je m'en étonnais.

– C'est votre visage qui parle, disait-il. Je veux

d'abord comprendre cela, ce qu'est la mémoire de votre corps. Après, nous reviendrons sur les détails. Mais ce qui compte d'abord, c'est la couleur de ce que vous dites, et c'est pourquoi je vous regarde, je ne prends que quelques mots.

Parfois, l'inquiétude me prenait. J'interrogeais Max.

– Croyez-vous que vous pourrez ?

– Vous jugerez. Il faut d'abord continuer à parler.

Continuer : plus j'avançais dans mes souvenirs et plus devenait touffue, infranchissable cette horreur qu'il me fallait raconter. Je découvrais des résistances. Je faisais comme si je ne me souvenais pas alors que je distinguais fort bien ce qu'il m'eût fallu dire. Mais comment redire les fosses ? Comment se retrouver avec ma mère, mes frères, Rivka, dans la colonne qui marchait vers l'*Umschlagplatz* ?

Je revivais tout cela. Comment ai-je pu parler ainsi alors que je venais d'éprouver la peine la plus profonde ? Quittant l'atelier de Max, je m'en prenais à lui et à moi. Folie que de croire s'éclairer, s'aider aussi en remettant au jour l'horrible et le désespéré. Peut-être eût-il mieux valu que je me contente de créer cette Fondation. Que je laisse le volcan éteint au lieu de fourrager en lui pour que la lave se déverse.

Le récit que je faisais à Max me brûlait non seulement pendant que je lui parlais mais aussi avant et après notre rencontre. J'aurais presque voulu parler d'un seul coup, ne plus dormir, ne plus le quitter, aller d'un bout à l'autre de ma vie, de la tragédie à la tragédie. Mais je ne le pouvais pas. Etre face à Max et lui raconter, rencontrer son regard fraternel, n'était pas insurmontable. Cela m'apaisait en un sens. Mais après... Quand je rentrais à l'hôtel, à pied le plus souvent, avec cette rumeur de guerre en moi, ces hurlements des chiens des bourreaux de Treblinka, le halètement de la pelle mécanique et le grincement des portes des chambres à gaz. Voilà l'enfer. Et déjà, l'engrenage des souvenirs recommençait à tourner. Demain, j'allais dire à Max : les images venaient.

Souvent je lui téléphonais au milieu de la nuit. Trop d'événements qui m'encerclaient... une lave trop brûlante à laisser tout de suite se répandre sinon j'allais exploser.

– C'est moi.

– Je sais, disait-il. J'attendais votre coup de fil. Ça ne va pas ce soir, n'est-ce pas ? Je m'en suis rendu compte.

Il m'avait proposé de rester avec lui, mais j'avais aussi le besoin de marcher seul, de lutter seul.

– Il y a tant de choses que je ne vous ai pas dites, je dois...

– Parlez, Martin, parlez.

Je racontais, le téléphone à mon oreille devenait tiède, je parlais des heures, dans la nuit, je chuchotais : « Nous étions sur les toits avec Rivka, je vous ai parlé de Rivka, elle était si douce... »

Ces choses souvent je ne pouvais que les murmurer, il m'était difficile de les dire devant Max. Et il le comprenait puisqu'il ne m'interrogeait pas sur certains sujets, me disait au moment où je m'arrêtais : « Je vous téléphonerai, Martin, ce soir, n'est-ce pas ? » ou bien : « Vous me téléphonerez, j'attends votre coup de fil. »

Ainsi entre nous se liaient les vies.

Souvent Max posait son crayon sur la feuille, ouvrait la porte-fenêtre qui donnait sur un petit balcon au-dessus de la rue étroite. Je venais m'accouder près de lui. Les ménagères se rendaient au marché voisin. Devant la devanture bariolée de la droguerie, deux ou trois femmes discutaient avec vivacité et nous entendions quelques mots. Un chat sur le toit de la maison d'en face restait lové au soleil entre deux cheminées. Ces silences entre nous continuaient notre conversation. A ces moments-là, je savais que Max serait fidèle au ton de ma vie et de ma voix. Je le sentais et je lui disais – sans prononcer un mot – quelque part en moi : « J'ai confiance, toute confiance. » Il se redressait, me clignait de l'œil.

– On continue ?

Il souriait, ajoutait :

– Après, Martin, ce sera à moi de vous raconter ma vie.

Ainsi, dans ces laves et ces cendres qu'il me fallait à nouveau regarder, je trouvais par l'amitié le réconfort. Sans Max qui m'aidait à avancer, aurais-je pu à nouveau traverser les années de la guerre et puis les jours de l'incendie aux Barons ?

Sept ans plus tard, j'ai de la peine à retrouver les événements de ce mois de novembre 1970. Il me semble, là est l'étrange chimie du souvenir, que rien ne sépare cette année-là de celles de la guerre. 1970, pour moi, c'est 1939, 1940, 1941, 1942, 1943, les temps les plus sombres quand régnait la barbarie.

Je parlais et je vivais à nouveau. Et parce que je venais de perdre les miens, ma femme, mes enfants, j'étais dans l'état d'esprit de ces jours sinistres où je voyais partir vers les chambres à gaz Rivka, mes frères, ma mère. Et rien pour pouvoir les retenir. Seulement lutter pour durer, pour dire un jour. Obligé de survivre puisque, au fond de moi, mon père et mon peuple m'avaient légué – je le ressentais ainsi – le refus de me laisser mourir.

Je parlais.

Les instants les plus durs, je les connus durant quelques jours quand il me fallut refaire le chemin qui conduisait à Treblinka, le camp d'extermination. Je dus me laisser enfermer dans le train, je dus sentir contre moi mes frères que la folie des hommes et des femmes écrasés dans le wagon l'un contre l'autre menaçait d'étouffer. Ces cris, dont je parlais à Max, je les entendais toutes les nuits, durant tout le temps que dura mon récit. Et Max n'oubliait rien : il voulait savoir. Il avait devant lui une page blanche sur laquelle il dessinait un plan :

– Martin – sa voix était pressante, angoissée aussi mais il continuait de m'interroger –, il faut se souvenir où était le camp n° 1, où étaient les fosses... Là ?

Il traçait une ligne, un rectangle, je fermais les yeux, je voyais, les baraques, les barrières des camps, j'entendais. Je ne voulais plus continuer, Max se taisait quelques minutes.

– Martin, disait-il, il le faut.

J'avais décidé ainsi.

Je continuais donc à remuer à pleines mains le sable jaune qui m'étouffait à nouveau.

Je me souviens de la nuit la plus dure. Je racontais... Mais inutile de recommencer ici. Je dis simplement : c'était la nuit la plus dure parce que j'avais tenu une nouvelle fois contre moi ces enfants vivants que nous trouvions après avoir ouvert les portes de la chambre à gaz. Tout cela Max et moi nous le vivions ensemble.

Je ne réussissais même pas dans la chambre de mon hôtel à écouter la radio. Trop forts les cris de la guerre. J'allais bêtement les mains sur les oreilles d'un bout à l'autre de la pièce. Je m'asseyais sur le lit. Je sortais sur le balcon. Et là, j'ai vu Max, sur le trottoir en face de ma chambre. Il me faisait un signe. Il arrivait à l'hôtel. Je suis descendu. Nous nous sommes donné l'accolade comme si cela faisait des mois que nous ne nous étions vus alors que nous venions de nous quitter depuis deux heures à peine.

– Je ne pouvais pas dormir, me dit-il. Et j'ai pensé que vous non plus. Alors, je suis sorti et je me suis trouvé là, devant votre hôtel. Vous voyez, votre vie, je la sens si fort que parfois cela me fait peur. Je ne sais pas pourquoi, mais parfois je m'interroge : Si tu entres si bien dans la vie de Martin, si tu es sûr de trouver les mots qu'il faut pour la dire, qu'est-ce que cela signifie ? Alors que ma vie, Martin, est si différente, si calme, que je n'ai rien vécu de ce que vous avez subi, rien. En imagination peut-être parce que j'ai lu presque tout ce qui concernait cette guerre là-bas, cette politique des bourreaux, mais ce n'est pas vécu. Et pourtant je ressens tout cela, de l'intérieur, comme si c'était déjà dans ma mémoire.

Nous marchions. Nous avions abandonné les rues pour les quais de la Seine, nous traversions des ponts.

– Vous ne connaissez pas l'île Saint-Louis ? me demanda-t-il.

Je secouai la tête. Ce Paris-là, quand je débarquais pour mes affaires, je n'avais pas le temps de le parcourir. J'allais de l'aéroport au Marché aux Puces, ou bien chez les antiquaires. Jamais ici.

– Comme si votre vie était dans ma mémoire, reprenait-il. Vous comprenez cela ? Alors, quelque chose me fait peur. Je me dis : Tu ne ressens cela si bien que parce que, au fond de toi, il y a une tragédie que tu ignores. Si tu es en harmonie avec Martin, c'est qu'un drame te guette ou bien que tu l'as connu et oublié, quelque part, peut-être dans une vie avant ou dans une vie à venir.

Il souriait.

– Faut-il croire à cela, Martin ? demandait-il, vie avant, mémoire d'une vie antérieure ou bien prémonition de ce qui va arriver. Sait-on jamais ?

Je n'avais aucune réponse à lui fournir. Je mesurais simplement combien j'avais eu raison d'accorder ma confiance à Max.

– La première fois, disait-il, je suis venu à votre hôtel,

sans bien savoir ce que j'attendais de vous. Je voulais vous rencontrer. Pour écrire un livre sur vous ? Travailler avec vous pour l'écrire ? Je ne peux pas le dire avec précision, bizarre non ? Dès que votre histoire a été connue par les journaux, j'ai eu le désir de vous rencontrer, je me suis dit : Cet homme-là n'est pas ordinaire, sa destinée est exemplaire. Je vous assure.

Il s'arrêtait, s'accoudait au parapet, et nous regardions glisser la Seine au travers de reflets.

– Je vous assure, reprenait-il, je ne me lie que très rarement, et là, alors que je fais si peu le premier pas vers les autres, pourquoi ma démarche ? Vous vous souvenez ? Dès que je suis entré dans votre chambre, j'ai eu l'impression que nous nous connaissions déjà et quand j'ai regardé vos photos, il me semblait que je redécouvrais ce que je savais déjà.

J'observais Max. Il disait mieux que je ne pouvais le faire ce que j'avais personnellement ressenti.

– Et cela vous fait peur ? ai-je demandé.

– Quelque part, en moi, oui. Parce que si je suis allé vers vous, vers votre histoire, alors que d'autres, je le sais, éprouvent une répulsion, d'autres, un récit comme celui de votre vie les fait fuir, je me dis que si je vous sens si bien, cela veut dire quelque chose de profond en moi. D'inquiétant peut-être.

Max ne m'avait pas encore parlé de lui et cette nuit-là, peut-être le faisait-il pour chasser de moi ses souvenirs. Il commença.

Je m'accuse de ne pas l'avoir écouté avec assez d'attention. Mais peut-on savoir ce que l'avenir réserve ? Les problèmes dont il me parlait – problèmes familiaux – me semblaient des maladies bénignes alors que j'étais porteur du cancer. Je ne comprenais pas que lui-même cherchait des réponses auprès de moi. J'étais enfermé dans ma douleur, je n'avais pas assez de générosité encore pour le forcer à aller plus loin, à me dire, à se dire dans ce qui paraissait banal ce qu'il pressentait de grave. Le temps n'était pas encore venu.

Est-ce toujours ainsi qu'on découvre trop tard après qu'elles se sont produites les maladies qui nous guettent ? Pourquoi, si souvent, ne savons-nous pas les soigner dès l'origine, les voir même ! Pourquoi préférons-nous détourner le regard ?

– Difficile, disait Max, de savoir quoi dire à ma fille...

Elle est intelligente. Mais comment lui parler ? Quand je lui parle, je me heurte à un mur. Elle est là, en face de moi, et son regard passe à travers moi, elle ne me voit même pas. Et mes mots glissent sur sa peau. C'est une impression horrible, vous savez, Martin. Vous vous dites : « Il faudrait qu'elle comprenne. » Vous êtes sûr d'avoir raison. Eh bien, non, rien ne passe, un mur.

Egoïstement, je me disais : Sa fille est vivante. Ce sont là problèmes de vivants. Les morts ne posent pas de problèmes.

Nous avons bu dans l'un des premiers bistrots ouverts et là, brusquement, alors que j'avais été presque indifférent à tout ce que m'avait dit Max, dans la rumeur des voix, le bruit des tasses, alors qu'il se taisait, le visage marqué par cette nuit d'insomnie, j'ai eu peur pour lui, pour sa fille. J'ai dit :

– Attention à elle, il faut que vous lui parliez tout le temps. Je ne sais pas, voulez-vous que je la rencontre, que je lui parle, moi. Prenez-la avec vous. Ne la quittez pas.

Je parlais avec une voix rapide dont je sens encore sept ans plus tard le rythme en moi.

– Ne la quittez pas.

Max souriait avec lassitude.

– Difficile, disait-il. C'est comme ça. Je fais tout ce que je peux et en même temps, je vous le disais, j'ai l'impression que ça glisse, vous comprenez ? Voilà le mot, ça glisse sur elle.

Je me suis tu. Il savait sans doute mieux que moi. Mais avait-il assez de hargne, de volonté pour s'accrocher ? Je découvrais en écoutant Max les difficiles rapports entre les parents et les enfants. Les uns étaient les mieux intentionnés. Et je connaissais Max, je n'ignorais rien de son âme parce que je l'avais vu en face des photos des miens, je l'avais surpris alors que je lui racontais, son visage transformé par la douleur qu'il partageait avec moi. J'imaginais sa fille, remarquable sans doute. Pourquoi alors ces deux mondes, l'un issu de l'autre et qui s'éloignaient ? A qui la faute ? A l'époque, à trop d'intelligence qui, peut-être, affaiblissait l'instinct ? Je ne savais. J'ai à nouveau dit à Max : « Attention. »

Nous arrivions ces jours-là à la fin de mon récit. Max avait encore quelques questions à me poser. Il me fallait compléter aussi le texte que je lui avais remis. Puis Max se mettrait au travail. Et souvent, malgré la confiance que je lui portais, je m'interrogeais et je l'interrogeais :

– Réussirez-vous à rendre cela ? Bien sûr ce sont les mots de votre langue, je sais que vous le pouvez, mais ici, il faut dire des cris, des faits qu'on n'imagine même plus. Je voudrais que les jeunes comprennent ce que cela a été, et je voudrais...

Nous parlions dans l'atelier, assis côte à côte avec le ciel devant nous, parcouru de volutes blanches.

– Dans trois jours, a dit Max, je vous lirai les premières pages. – Il souriait. – Je n'ai aucune inquiétude, Martin, ce sera fidèle, parce que c'est vous qui parlerez.

Je continuais à regarder le ciel.

– Vous et moi, ai-je dit. Vous aussi, et si vous parlez alors ce sera fidèle à ce que je vous ai dit.

Je sentais en effet qu'entre nous l'amitié était devenue plus profonde encore depuis cette nuit où Max avait commencé à évoquer sa vie à lui, ses inquiétudes. Je sentais que sa voix ne me trahirait pas, qu'elle enrichirait la mienne. Et je serais d'autant mieux entendu qu'il allait parler lui. À nous deux nous n'étions que les porte-parole d'un chœur, le chœur de tous les miens.

– Ce livre, ai-je dit, au début je le voulais seulement pour Dina, mes enfants, pour leur mémoire, pour la Fondation. Peu à peu, j'ai senti qu'il serait plus que cela, un livre pour tous les miens.

– Voilà le titre, a dit Max, pour tous les miens.

Le livre est devenu *Au nom de tous les miens.*

Mais je n'imaginais pas combien il me faudrait encore de semaines avant de le voir naître. Le troisième jour après cette conversation, Max m'a téléphoné.

– Je peux venir, maintenant ?

Il m'apportait les premières pages. Il s'installait dans un des fauteuils de ma chambre. Je fermais les yeux.

– Je vais lire, disait-il.

Il y eut un silence. Il était ému, moi aussi.

– Je vais lire, n'est-ce pas, Martin ?

J'ai fait oui de la tête.

– « Je suis vivant, commença-t-il. Souvent, ce n'est pas facile. Hier matin, un autre journaliste est venu : maintenant, je les connais bien. »

C'était ma voix qui s'élevait, à côté de moi, ma voix la plus secrète qui disait : « Je suis né avec la guerre. Les sirènes ont hurlé, les bombardiers passaient au ras des toits. »

Ma voix, plus vraie encore que lorsque j'arrivais à parler et à écrire, ma voix intérieure, celle que j'étais le seul à entendre et que Dina, elle, connaissait. J'écoutais Max. Je m'écoutais. Max s'est interrompu. Près de deux heures avaient passé sans que je m'en rende compte. J'ai ouvert les yeux. J'ai eu du mal à reconnaître la chambre de l'hôtel. J'étais dans la rue Senatorska et dans les allées Szucha, à Varsovie, et j'entendais mon père qui me disait avec fierté et inquiétude quand je lui annonçais que je voulais franchir les frontières du ghetto : « Et tu crois toi, seul, un gamin de quinze ans... »

J'ai dit à Max :

– Merci pour les miens.

Il tenait les pages dans ses mains, il les faisait glisser l'une sur l'autre sans me regarder.

– C'est eux que vous et moi devons remercier, Martin.

Nous sommes restés là silencieux, longtemps.

– Ma femme, mes enfants, je suis sûr qu'on ne les oubliera pas, ai-je dit. Ils seront vivants pour chaque lecteur, toujours.

Max hochait la tête, souriait.

– Le livre parle juste, Martin, parce que vous parlez juste, mais est-ce qu'on entendra leur voix ? Cela, je ne peux le dire.

Il écartait les mains dans un geste d'incertitude. Et moi, je fermais mes poings.

– Vous doutez, ai-je crié, vous doutez qu'on lise ce livre ?

– On ne sait jamais, a-t-il dit. Les meilleurs parfois...

Je levai mes deux poings.

– Croyez-moi, ce livre-là, il éclatera dans leur cœur. Il le faut. Et je me battrai pour ça.

Les mots, pour moi, n'étaient pas seulement une musique nostalgique. Un chant désespéré et intime. Il fallait qu'ils prennent leur envol pour devenir une force.

Maintenant que j'avais fait durant des jours surgir les silhouettes aimées, les visages de mère et de père, de Rivka et des frères, maintenant que j'avais longé le trottoir du ghetto à nouveau et que j'avais entendu la voix plaintive des enfants qui mouraient de faim, maintenant qu'allaient venir les jours heureux de ma rencontre avec Dina, la naissance de mes filles et de mes fils, et puis maintenant qu'il me faudrait écouter l'incendie souffler dans les mimosas du Tanneron, autour de ma forteresse, maintenant que j'allais être face à toute ma vie mise en mots, il faudrait, oui, qu'elle soit partagée. Pour les miens, pour le succès de ma Fondation.

Je ne connaissais rien au monde de la presse, de l'édition, de la télévision. Aux Barons, nous lisions peu les journaux, nous avions Dina et moi décidé de ne pas acheter de poste de télévision. Parfois, nos enfants, quand ils revenaient de l'école, nous interrogeaient : « Fabienne, la fille de... disait Nicole, elle me dit qu'à la télévision, on voit.. »

J'attirais Nicole sur mes genoux. Je lui expliquais :

– Ecoute, tu sais comment nous vivons ? Les autres, quand vous mangez des fruits, quand vous leur dites que vous ne consommez pas de viande, ils ne vous comprennent pas, n'est-ce pas ? Est-ce que tu souffres de la nourriture que tu as ?

Nicole riait.

Parfois, quand nous partions en voyage, nous nous arrêtions dans un restaurant : nous commandions ce qui nous paraissait le plus sain, le plus conforme à nos règles diététiques. Mais nos enfants, quand ils goûtaient ces aliments salés, couverts de sauce, faisaient la grimace. Leur goût avait été formé par la vraie saveur des aliments sains et naturels.

– Cela te manque, la viande ?

Nicole secouait la tête. Je l'interrogeais encore.

– Est-ce que tu t'ennuies ici, avec nous ?

Nicole ne comprenait même pas le mot ennui. Comment l'un d'entre nous aurait-il pu s'ennuyer ? Nous jouions : nos chiens couraient autour de nous, poussaient les ballons de leur museau. Nous nous arrosions d'eau claire, nous riions. Nous plantions des arbres, puis nous nous allongions côte à côte au soleil sur la terrasse ou la pelouse avec le ciel clair au-dessus de nous. Nous écoutions de la musique. Dina peignait et jouait du piano. Mes enfants souvent avec elle organisaient pour moi ce que j'appelais « mon petit concert ».

Les plus âgés entourant leur mère jouaient de l'accordéon, ils commençaient à étudier le piano. Je les conduisais au cours de danse et devant la maison,

Nicole, dans le soleil, sautait, légère. Une grande partie de l'année, nous descendions nous baigner, tôt le matin, sur les plages encore désertes, dans l'eau à peine ridée. Les journées passaient si vite, lequel d'entre nous eût pu savoir ce qu'était l'ennui ?

A table, quand nous déjeunions, nous voulions tous parler. Et Dina devait élever haut la voix, dire : « Ecoutez papa, écoutez-le », ou bien elle nous faisait tous taire pour nous réciter un poème qui lui faisait le visage tendre et apaisé, heureux.

Où était la place pour la télévision, ces images heurtées que j'avais vues chez des voisins ou aux Etats-Unis, ce reflet violent et partiel du monde ? Je voulais préserver entre nous les liens vivants de la famille et de la parole, du jeu et de l'attention. Nous n'avions pas besoin de l'intrusion chez nous des étrangers qui viendraient à coups de revolver et de cymbales, avec leurs hurlements indiens, le bruit des sirènes des voitures de police, déchirer notre paix. Mes enfants connaîtraient bien assez vite la violence qui venait battre notre forteresse, ces guerres dont j'avais été la victime et l'acteur. Je voulais leur donner la force dans cette paix de notre famille, grâce à Dina, l'élan pour qu'ils puissent entreprendre seuls ce voyage dont jamais personne ne connaît l'itinéraire et qui s'appelle la vie.

Je ne voulais pas que l'eau des origines – l'enfance – soit troublée déjà, empoisonnant le cours de toute l'existence.

Maintenant, j'allais devenir une de ces voix qui parlent dans les salles à manger des familles. Je jurais sur les miens, je répétais mon serment, chaque jour, de ne jamais parler de haine ou de vengeance. Je désirais que les mots d'*Au nom de tous les miens,* malgré la barbarie qu'ils racontaient, soient porteurs de paix et d'espoir, de bonheur.

Je discutais souvent de cela avec Max, au fur et à mesure qu'il me lisait le livre. Je l'arrêtais parfois au milieu d'une phrase. Je disais :

– Bien sûr, j'ai dit cela, vous avez été fidèle à ce que j'ai raconté, mais maintenant, en vous entendant, j'ai peur que ce soit trop noir. Finalement, je ne veux pas semer la vengeance ou la peur. Je veux simplement qu'on comprenne.

Max m'écoutait. Il me faisait un signe de la main

comme pour me dire d'attendre, de bien saisir ses intentions. Il relisait la phrase et je découvrais presque toujours que nous étions d'accord, qu'il avait comme moi le souci de ne condamner que les bourreaux, de ne pas marquer un peuple – quel qu'il soit – d'une croix de haine. Et qu'il était comme moi sûr que celui qui écrit, qui parle, qui conquiert une audience doit peser chaque mot, qu'il a une responsabilité majeure : il doit aider l'homme à choisir sa route, à voir clair. Il doit avoir une morale et respecter ceux qui le lisent et l'écoutent.

Quand nous avions terminé un passage, nous sortions faire quelques pas. Je lui parlais de la Fondation dont il approuvait l'action. Il se révoltait comme moi de la lenteur de certains services, de l'indifférence de beaucoup de responsables. Il s'étonnait de mes succès.

– Martin, disait-il, plus je vous connais, et plus je suis surpris. Il y a un mois, vous ne saviez rien de ce qu'est un ministère, maintenant, quand je vous écoute, j'ai l'impression que j'ai affaire à un spécialiste de droit administratif, vous en savez plus que moi sur le ministère de l'Education nationale et j'ai été professeur quinze ans !

Il riait. Et j'avais, moi aussi, quand il me disait cela, un bref éclat de gaieté qui retombait vite parce que seul j'étais repris par le désespoir et le souvenir. Max le savait. Il me quittait tard. Il m'expliquait ce qu'il voulait écrire après ce livre qu'il faisait avec moi. Il me confiait ses doutes et je le rassurais :

– Je suis sûr, moi, disais-je, et j'ai vu beaucoup d'hommes, vous savez, je suis sûr que vous arriverez à vous faire entendre. Je le sais, je lis ce que vous avez écrit à partir de mon récit ; quand on a pu raconter cela, croyez-moi...

Je lui serrais le bras. Il m'arrivait souvent de ne pas comprendre cette angoisse qui était la sienne, que je devinais dans un silence. Je me disais : Pourquoi ? Voilà un homme de culture – et moi, je n'ai rien eu de cela –, un homme lui a le don de s'exprimer, un père, que lui manque-t-il pour que la paix l'atteigne ? Qu'il soit simplement un créateur tourmenté par son travail et non un homme qui s'interroge sur lui-même. Parfois, en le quittant, je pensais longuement à lui et à travers lui que je connaissais bien maintenant, à notre civilisation qui avait peut-être perdu son orientation, l'étoile polaire claire et nette qui doit servir à orienter la vie. Je me disais que si un homme comme Max était ainsi blessé en lui-même, des millions d'autres qui n'avaient pas ses dons, ce moyen par l'écriture de dire, devaient souffrir. Et je me souvenais des angoisses qui prenaient souvent Margaret, une amie que j'avais eue aux Etats-Unis avant de connaître Dina. Je repensais à Jane, une actrice que nous avions, Dina et moi, connue à New York et qui s'était précipitée dans la course au succès et dont un jour, à Cannes, nous avions appris le suicide. Tant d'hommes et de femmes qu'une faille intérieure affaiblissait. Et pour quelqu'un qui, comme ma voisine des Barons, Mme Slutton, reflétait l'équilibre, que de peurs enfouies sous les visages qui se voulaient souriants et que je devinais parce que les yeux ne réussissent pas à masquer l'anxiété.

Max n'était pas comme cela. Il se connaissait. Il parlait de lui calmement. Mais lui aussi était blessé. Et moi, parce que après dix ans de bonheur, dix ans, cela passe si vite dix ans, moi parce que je n'étais plus qu'un gouffre, j'apprenais à nouveau à voir autour de moi le désarroi. Et puis, des gens venaient vers moi que le malheur attirait parce que eux-mêmes portaient la douleur au cœur de leur vie. Je le disais à Max.

– Peut-être suis-je de ceux-là aussi ?

Je haussais les épaules.

– Il faudrait que ce livre, les gens le prennent comme un moyen de lutter pour eux, qu'ils se disent : Si cet homme a traversé tout cela, moi, je peux aussi dominer ce trouble en moi. Vous croyez qu'ils le liront comme cela ?

Je découvrais qu'au-delà de la Fondation, de la protection de l'homme dans son cadre de vie, j'avais peut-être autre chose à dire, à faire.

Et c'est vrai, en parlant avec Max, je m'exaltais. Il venait de me lire le passage de ma rencontre avec Dina. Et le souvenir était si fort en moi alors que nous marchions dans le jardin du Luxembourg au début de l'après-midi, que nous nous arrêtions devant le bassin dont l'eau était gelée, l'émotion que je ressentais était si grande que je *voyais* ce qu'il me fallait faire. *Voir*, comme si j'avais la prémonition de mon rôle. Comme si Dina me le dictait.

– Ce bonheur, disais-je à Max, ce bonheur que j'ai

eu, je crois qu'il faudrait que chaque homme, chaque femme le trouve. Il faudrait les aider. Je voudrais les aider. Je voudrais les aider à cela. Dina, c'était cela, elle savait prendre, voir la vie, et nous ne savons pas. Je vous l'ai dit, vous l'avez écrit, quand je l'ai connue, je courais. Ma vie, c'était la poursuite de l'argent, et je savais que si je ne m'arrêtais pas, j'allais vers un gouffre, que je manquerais le bonheur, vous comprenez ? Dina le savait, cela. Si tout le monde savait comment conduire sa vie... J'ai eu, grâce à Dina, par mes enfants, dix ans de bonheur, je sais qu'on peut être heureux, et si je survis maintenant...

Je me suis arrêté de parler. Nous étions toujours devant le bassin gelé. Un enfant lançait des pierres l'une après l'autre sur l'épaisse couche de glace. Elles glissaient d'un bord à l'autre du bassin.

– Grâce à eux, Max, grâce à l'élan que le bonheur donne, je survis, parce qu'ils m'ont lancé dans la vie. Et loin, avant Dina et mes enfants, c'est l'amour de mon père et de ma mère qui m'a donné le premier élan.

Je parlais comme je n'avais jamais parlé. Ces mots étaient neufs pour moi. Mais je pressentais, je voyais qu'ils allaient occuper une place de plus en plus importante dans ma pensée. Et là, c'était le premier fruit de ce livre que nous venions de terminer.

– Maintenant, disait Max, quelques jours plus tard, il faut le faire lire.

Il avait devant lui les pages dactylographiées que je lui avais remises après les avoir relues plusieurs fois, les avoir corrigées de façon que ma voix et celles des miens conservent toujours leur accent.

– Vite, ai-je dit.

Je voulais déjà partager ce que j'avais vécu. Que les miens, par le regard des autres sur les mots, par ces phrases qui entreraient dans leur cœur, redeviennent vivants. Mais il fallut des semaines. Les rouages sont lents à se mettre en route. Enfin, je vis mon éditeur. Il parlait peu, mais à la manière dont il me regardait, dont il me serrait les mains, je sus qu'il avait lu et partagé.

Avant même qu'il parle, j'ai eu confiance, une confiance totale en lui. J'avais devant moi un homme vrai.

– Je suis heureux, dit-il, heureux et ému que ce livre soit publié ici. Pour un éditeur, faire connaître un livre comme le vôtre, c'est un devoir.

Avec lui, j'étais sûr, après l'avoir écouté, de parler *Au nom de tous les miens*. Il ne pensait pas d'abord commerce, succès de vente, mais nécessité de faire lire, parce que l'histoire doit être connue.

Quand je vis les premiers mots imprimés, ces pages où me sautait aux yeux, avant même que je les relise, le nom des miens, des quartiers de Varsovie, des camarades que j'avais laissés là-bas, dans le sable jaune de Treblinka, quand je vis plus tard ce volume qui vibrait entre mes mains de toutes les vies confondues, du bonheur et du malheur mêlés, je sus que j'avais eu raison de parler. Ce livre, c'était la voix du cœur. J'étais sûr que chacun de ceux qui le liraient comprendrait ce que nous avions vécu et pourquoi maintenant je me battais encore. Ce livre, il allait aussi me donner les moyens financiers de multiplier les actions de la Fondation Dina Gray. Chez l'éditeur, dans les couloirs, les escaliers, ceux qui l'avaient lu me disaient quelques mots. Et je ne sentais pas la curiosité malsaine mais l'amitié. Presque tous me disaient :

– Monsieur Gray, votre livre, nous allons le porter très loin. Faites-nous confiance.

J'avais confiance dans les hommes et les femmes. Je m'en rendais compte. Ma vie n'était faite que de paris sur la qualité des êtres.

Il faut faire confiance au meilleur de l'homme.

J'avais eu raison avec Max. J'aurais encore raison. Moi qui avais côtoyé ces animaux à visage d'hommes, ces bourreaux, je ne croyais pas que l'humanité était composée de loups. Même sous le masque des bêtes féroces, il y a un homme.

C'est ce que j'avais voulu dire dans mon livre.

– Ce que j'aime dans *Au nom de tous les miens,* me disait un des lecteurs dans la maison d'édition, c'est que vous n'avez pour ennemis que de vrais bourreaux et même vous essayez de les expliquer.

Max et moi, nous avions donc réussi. Maintenant je savais que l'essentiel allait être compris. Je pouvais oser ce que j'avais hésité à faire jusque-là, parce que j'avais peur.

– Je voudrais, ai-je dit à Max, dédier ce livre.

– Il n'est que temps, a-t-il dit, les dernières épreuves partent maintenant.

Il a poussé vers moi une feuille de papier. J'ai écrit ma dédicace sans inquiétude. Eux aussi devraient lire ; j'ai écrit sur la première page du livre :

« A tous les enfants. »

6

J'ai commencé à vivre sous le regard des autres

J'ai commencé à vivre sous le regard des autres. Je ne savais pas combien ils peuvent être lourds, difficiles à supporter.

Mais j'avais accepté de montrer ma vie, notre vie sur la grande scène. Le rideau venait de se lever, à moi d'entrer sur les planches du théâtre et d'essayer de deviner ce qui se cachait dans le noir de la salle. Car je ne craignais pas l'affrontement avec des visages que je voyais : mais où sont les lecteurs d'un livre ? Qui sont les téléspectateurs ou ceux qui ont remarqué votre photo dans un grand journal ?

Au début, dans la rue, le lendemain d'une émission de télévision, j'étais surpris, mal à l'aise, parce que, à plusieurs reprises, des passants se retournaient sur mon passage, chuchotaient. Certains, même, s'arrêtaient. J'aurais voulu aller vers eux : qu'ils m'interrogent, que je leur parle. Mais non, si je me retournais à mon tour, ils paraissaient gênés et se remettaient à marcher, plus vite.

Je découvrais l'étrange communication qui règne aujourd'hui : j'étais vu par des millions d'yeux puisque j'avais durant une longue séquence parlé de mon livre à la télévision, j'étais entré dans les cuisines, les salles à manger. J'étais devenu familier pour quelques minutes, et je m'étais confié au journaliste, parce qu'il était là près de moi, j'avais oublié les caméras, les autres écrivains. Mais avec qui avais-je communiqué ? Communiquer pour moi c'était DIALOGUER : je voulais autant parler qu'écouter. Dire ma vie, mes malheurs et mes bonheurs, oui, mais qu'on me réponde.

Après plusieurs articles dans les journaux, une série d'émissions à la radio, des passages à la télévision, j'étais déçu. Je discutais de cela avec Max et je comprenais que notre société qui montre, dévoile, raconte, place sous le projecteur les replis les plus intimes de certaines vies, n'établit pas pourtant un véritable échange. Je parlais à tous par ces grands moyens de communication, j'étais devenu pour quelques jours la vedette des mass media, et je parlais dans le vide.

– Je ne veux pas seulement cela, disais-je à Max. Je ne veux pas comme un acteur faire mon numéro devant une salle pleine et silencieuse, devant le noir, comme une vedette de théâtre. Je n'ai pas voulu ce livre, étalé ma vie, lancé ma Fondation, pour être une star qui salue devant le public et le rideau tombe. Une autre arrive.

– Vous êtes gourmand, a dit Max. Vous avez déjà tout eu de ce qu'un auteur peut avoir.

– Mais, je ne suis pas un auteur comme les autres. Moi, je veux vraiment parler au public, et savoir ce qu'il pense, ce qu'il veut dire. Je ne veux pas faire un monologue. Et surtout...

Je prenais les mains de Max. La sortie du livre, tout ce « cirque » publicitaire qui se mettait en route pour moi me bouleversait, au fond. Je portais comme une culpabilité plus ou moins nette, plus ou moins forte selon les jours, ce grand tintamarre que l'on faisait autour du livre, autour de moi, autour des miens. J'en avais parfois du dégoût. Et j'avais envie de fuir, d'enfoncer ma tête pour ne plus entendre. « *Aujourd'hui, avec Martin Gray, nous continuons le récit de sa vie.* » Encore quelques secondes pour le présentateur, puis je lirai des pages de mon livre, j'arracherai quelques souvenirs à ma vie, à leur vie, et je les livrerai aux auditeurs.

Qui étaient-ils ? D'un geste, on m'arrêterait et on passerait sur l'antenne un message publicitaire. « *Pour tous vos achats de meubles et de téléviseurs* »... musique criarde... Et à nouveau moi, le sang des miens, le souvenir de leurs mains nues contre les tanks ou le souffle de l'incendie enveloppant leurs jeunes vies.

Avais-je le droit ?

Cela me tourmentait. J'avais aussi envie de ne pas voir ces titres « *Martin Gray le survivant* ». « *Martin Gray ou la mort impossible* ». Il me semblait que je commettais un sacrilège.

Pourtant tout cela je l'avais voulu, je l'avais prévu. Mais une chose est d'imaginer, une autre de vivre.

– Et surtout ces gens autour de moi – ces journalistes, ces gens de la radio ou de la télévision, votre milieu. Je ne les sens pas.

Max haussait les épaules.

– Ils sont blasés, c'est vrai, disait-il. Ce sont des professionnels. Des livres, des vies comme la vôtre, ils en lisent, ils en racontent, qu'est-ce qui peut encore les étonner ?

Nous étions assis dans l'un des cafés du boulevard Saint-Germain, au lendemain d'une émission littéraire à la télévision. Je n'en étais pas satisfait. Je n'avais pas pu m'exprimer comme je l'aurais voulu. On m'avait posé une question sur le ghetto, les camps d'extermination, j'avais commencé à parler. Peut-être n'avais-je pas l'habitude, peut-être parlais-je maladroitement, mais après quelques secondes, une autre question était déjà venue, sur ma vie aux Etats-Unis.

Comment faire passer la souffrance des miens ? Comment convaincre, dire, transmettre ce message de lutte et d'espoir que mon père m'avait confié et que, puisque mes enfants avaient disparu, je voulais donner aux autres ? Je découvrais que non seulement j'étais contraint aux monologues, sans véritable échange avec ceux qui m'écoutaient et me voyaient, mais j'étais ligoté, prisonnier.

Ma parole était libre et pourtant elle ne l'était pas. Il y avait les règles d'un jeu : celui de ces émissions. Un jeu dont le téléspectateur ou le lecteur de journaux ignorait l'existence même si parfois il le pressentait, et il fallait se plier au jeu.

Trois minutes pour Martin Gray, trois minutes avec le sourire, une autre question, un spot publicitaire, un autre livre, un autre titre.

Max me prenait aux épaules.

– Martin, vous ne voudriez pas toute l'émission pour vous ? C'est comme ça.

Je criais presque.

– Mais je ne peux rien dire ! On ne peut pas crier, on ne peut pas faire entendre ce qu'on a dans le cœur.

– Il y a votre livre. Là est votre cœur.

– Mais s'ils ne voient de moi que ce visage maquillé – car on nous maquille avant les émissions –, s'ils n'entendent que ces quelques mots, comment sauront-ils, tous ces téléspectateurs qui croient me connaître maintenant ?

Je m'interrompis. Je n'avais jamais réfléchi à tous ces problèmes. Je le redis : aux Barons, dans notre forteresse, nous vivions d'abord de nous, de notre bonheur. Nous vivions à la campagne entre les mimosas, le ciel et la mer.

Mais je comprenais que notre société était factice. On me présentait – et il me fallait remercier ceux qui m'invitaient à parler, qui rendaient compte de mon livre – à des millions de regards, mais qu'étais-je ? Pareil à ces fruits de carton-pâte qu'on voit avec de si belles couleurs sur des plateaux, dans des vitrines. Et la télévision ne transformerait-elle pas chacun de ceux qui y parlaient en homme factice, en voix artificielle ? Ne me vidait-elle pas de ma vie qui ne venait que de mes rapports avec les autres ? Et la vie n'était-ce pas cela d'abord, le vrai contact, une poignée de main, un vrai regard, une voix qu'on écoute ?

Je venais à peine d'entrer dans cette « boîte » qu'est un poste de télévision, à peine d'être mis en vitrine, que je voulais déjà m'en échapper, pour rejoindre les hommes de chair, les femmes, ceux qui lisaient mon livre, et qui me parleraient, après l'avoir lu, de leurs vies. Et il y avait autre chose que je ressentais très fortement. Mais pour que j'ose en parler avec Max, il fallut un petit événement.

Alors que nous étions ainsi assis côte à côte à la terrasse de ce café, deux jeunes femmes qui passaient sur le trottoir revinrent sur leurs pas, s'arrêtèrent devant la glace qui fermait la terrasse. Elles me regardaient. Puis l'une entra dans le café, vint vers nous. Elle hésitait, je lui souris. Quand elle fut proche de notre table, elle dit :

– C'est bien vous, monsieur, qui étiez hier soir à la télévision ?

Je fis oui d'un mouvement de tête.

Mon amie ne voulait pas le croire.

La jeune femme était gênée. Moi-même, je ne savais pas quoi dire. Max montra une chaise, mais avant qu'il eût dit un mot, la jeune femme s'était écartée, comme effrayée.

– Non, non, je pars.

– Vous ne voulez pas vous asseoir ? dit Max. Appelez

votre amie. Martin Gray aimerait savoir sûrement ce que vous avez pensé de l'émission.

La jeune femme secouait la tête.

– On oublie, disait-elle, on oublie ce qu'on dit, il y a tellement de gens qui parlent, on parle tout le temps. Mais le visage, et puis votre œil, hein, j'avais remarqué que votre œil gauche...

Elle s'arrêta tout à coup comme si elle avait dit une impolitesse.

– Enfin vous avez un visage qu'on remarque, et puis vous aviez fait la guerre.

J'ai fait oui de la tête.

– Mon œil, ai-je dit, c'est en me battant avec un bourreau, dans le ghetto. Vous pouvez le dire, j'ai l'œil gauche qui est mort.

– Et votre femme, vos enfants, cet incendie, on avait lu ça dans les journaux. Votre nom, c'est...

Elle cherchait, elle pouffait en se mettant les doigts devant la bouche.

– Ça va tellement vite, on est en train de faire quelque chose, on n'entend pas, on oublie...

– Martin Gray, dit Max.

La jeune femme rougit.

– Vous l'avez déjà dit, c'est vrai, il y a une seconde, vous voyez, je n'ai pas de mémoire. Non.

Elle marchait à reculons entre les tables. Avant qu'elle s'éloigne, je pris dans ma sacoche un exemplaire de mon livre. Je le lui tendis.

– J'aimerais que vous lisiez cela, ai-je dit. Je pense que vous n'oublierez plus le nom des miens. Merci.

Elle faisait tourner le livre entre ses mains. Elle murmura quelques mots. Quand elle rejoignit son amie sur le trottoir, elle lui montra le livre et en s'éloignant elles se retournèrent plusieurs fois. Avant de disparaître, elle s'arrêta encore et me fit un signe amical de la main.

– Si vous donnez un livre à chaque téléspectateur, dit Max en riant, je ne sais pas avec quels droits d'auteur vous allez financer votre Fondation.

Je ne répondis pas immédiatement. Cette jeune femme m'avait fait mesurer que je n'acceptais pas que les vies des miens soient mutilées. Puisque j'avais voulu, choisi d'abattre ma vie pour que chacun puisse y lire notre destin, il fallait que j'agisse pour qu'on le lise complètement.

Qu'on sache vraiment.

Sinon, à quoi aurait servi de nous livrer ainsi en pâture aux regards ! Si rien de profond ne naissait, si des liens ne se tissaient pas entre nous – moi qui parlais au nom des miens et eux, lecteurs, téléspectateurs dont je pressentais qu'ils pouvaient me donner par leur sympathie, leur confiance, tant de force. Pour moi, pour survivre, mais aussi pour d'autres, vers qui j'irais un jour, comme porté.

Mais pour parvenir à cela, il fallait vraiment leur parler, ne pas se contenter de grimaces, de courtes phrases, démaquiller son visage des artifices de la scène. Ne plus accepter les règles du jeu. Ou plutôt, si je devais encore entrer dans ce quadrille, n'y rester que le temps minimal et partir vers les autres, pour les entendre et dialoguer avec eux.

Ce dernier geste de la main qu'avait eu la jeune femme, c'était comme un premier signe, une invitation à sortir du cercle. Et c'est ce geste qui me fit comprendre et parler à Max. Je savais d'ailleurs, sans qu'il m'eût dit quoi que ce soit, qu'il partageait mon sentiment. Comment un homme vrai eût-il pu penser autrement ?

– Votre milieu, ai-je dit, ces auteurs, ces présentateurs, ceux que vous m'avez fait rencontrer...

– Vous ne l'aimez pas ?

Je secouai la tête.

– Ils sont intelligents, ai-je dit. Je n'ai jamais croisé, en si peu de temps, des gens aussi brillants. Depuis New York, quand Dina m'a fait connaître ses amis, mais...

J'expliquai longtemps à Max. Les amis de Dina étaient aussi des intellectuels, ils avaient fui l'Allemagne nazie. Ils écoutaient Bach, ils récitaient Rilke et ils parlaient de Bertolt Brecht. Je les comprenais, moi qui n'avais eu aucune culture, qui avais volé de-ci de-là dans des livres rencontrés par hasard les connaissances que je possédais, moi qui avais surtout appris dans les rues du ghetto, dans les baraques des camps et dans les escaliers des immeubles du Bronx à New York, quand je vendais au porte-à-porte les mouchoirs et les chemises.

– On apprend comme cela, vous savez, Max. Je n'ai lu que trois ou quatre romans dans ma vie, mais je sais vite ce que vaut un homme ou une femme. Je sais ce qu'ils ont là.

Je me frappais la poitrine de mon poing fermé. Je

voulais dire : je sais ce que vaut leur cœur. S'ils peuvent trahir un ami ou donner pour lui tout ce qu'ils possèdent. Je sais s'ils voient tout homme comme un rival ou comme un frère.

– Ce qu'ils ont là, dans la tête, est-ce que c'est tellement important si cela étouffe ça (et je mettais ma main sur la poitrine).

Dans les moments extrêmes que j'avais traversés dans ma vie, j'avais vu des humbles et des ignorants se conduire en grands seigneurs humains, généreux, héroïques, pénétrants, vifs et téméraires. Et j'avais côtoyé des hommes couverts de titres et de savoir que les difficultés transformaient en bourreaux égoïstes, en mouchards.

– C'est le cœur qui décide, ai-je dit. Le cœur et le caractère d'abord. Après ce que vous appelez la culture.

Et dans le cercle où j'étais entré, puisque maintenant mon nom ornait la couverture d'un livre, je voyais surtout des gens brillants qui, quand on leur parlait, quand ils m'interviewaient, résonnaient comme des poitrines vides. Le son de leur voix était une belle musique. Mais je n'y entendais pas la vibration du cœur.

Bien sûr, quelques-uns étaient différents. Ceux-là, ils ne m'avaient pas posé ces questions acides. « Pour un Polonais devenu américain qui ne possède pas très bien notre langue, votre livre est parfaitement écrit. Vous avez été aidé ? »

Le nom de l'écrivain était pourtant écrit sur la couverture près du mien. Max avait rédigé une préface où il expliquait comment il avait travaillé. Tout était clair pour qui voulait lire. Mais ce n'est pas la clarté qui les intéressait : ils voulaient faire de bons mots. Ils voulaient se servir de moi et de mon livre pour que la lumière une fois encore s'arrête sur eux. Pour eux, le centre de la scène. Mon livre, moi, c'était une manière de monter sur une marche pour qu'on les voie mieux. Je ne leur reprochais pas cela. Mais de ne pas sentir les voix qui s'exprimaient dans mon livre.

Ils jugeaient – et cela ne valait pas seulement pour moi, je les entendais parler d'autres livres, d'autres auteurs – les œuvres et les hommes par le petit côté. Ils cherchaient à toute chose de petites causes. Alors qu'il faut, je crois, d'abord voir ce qui est grand. Accorder aux autres le meilleur. Le petit, le dérisoire, le sordide sont partout. Pourquoi s'attarder sur cela ? Regardons les hommes à la hauteur de leurs yeux et de leur cœur. Et non de leurs pieds.

Quelques-uns, je l'ai dit, avaient cette attitude. Je me souviens de l'un d'eux avec qui je déjeunai dès la sortie du livre. Il était petit, les cheveux coupés court. C'était un homme qui avait combattu dans la Résistance, qui pendant longtemps avait fait du journalisme politique puis avait été rédacteur en chef d'un grand journal. Il m'expliquait qu'il ne faisait pas vraiment partie du « cercle » des gens de lettres et des chroniqueurs qui en dépendaient.

– On ne va pas vous aimer, disait-il. D'abord, votre livre va avoir du succès. Mais oui, répétait-il tourné vers Max, mais oui, mon cher, un grand succès. Parce qu'il est vrai que les lecteurs, les simples lecteurs savent reconnaître le ton juste. Et le ton juste, authentique, il percera tous les barrages. Seulement on n'aime pas le succès. Les beaux esprits vont faire la grimace aussi. Vous remuez des choses trop terribles. Mauvais goût, Martin Gray : très mauvais goût. Et puis, je vous écoute parler. Vous n'êtes pas modeste. Votre vie échappe aux normes, à nos habitudes. Vous n'êtes pas discret. Ils n'oseront pas vous attaquer parce que ce que vous dites, personne ne peut le nier, bien sûr, et puis un livre moral où soufflent de grands sentiments, on ne peut pas le dénoncer, n'est-ce pas ? Mais on le prendra du bout des doigts. Il faut, parce que je sens que vous en avez besoin, que vous sortiez de ce cercle. Rencontrez des gens vrais. Pas ceux d'ici. Ceux qui lisent vraiment. Ailleurs qu'ici.

J'ai suivi ce conseil. J'ai pris la route pour que le dialogue s'engage. Et ce que j'espérais s'est produit. Au-delà même de mon espérance.

Pourtant rien n'était organisé. Les rencontres se mettaient sur pied au dernier moment. On ne savait pas si les salles où j'allais parler à mes lecteurs étaient libres. Les lecteurs viendraient-ils pour dialoguer avec moi ? J'avais confiance. Je ne craignais pas les gens vrais. Ceux qui n'avaient pas la poitrine vide, même s'il leur fallait pour lire une phrase suivre les mots avec leur doigt, comme des enfants, avaient dû entendre nos voix. Max était sceptique.

– Vous savez, disait-il alors que nous nous rendions à

une salle de conférences, à Genève, pour ma première rencontre avec des lecteurs, vous savez, on m'a dit qu'il y a un grand match, ce soir à la télévision. Et puis les lecteurs ne se déplacent plus. Pourquoi viendraient-ils ? Ils ont lu votre livre, ils vous ont vu.

Je secouais la tête.

– Vous-même qui avez écrit ces mots, vous ignorez leur pouvoir.

Je prenais le bras de Max. Je continuais.

– Moi, je connais leur pouvoir parce qu'ils sont faits de ma vie, de toutes les vies des miens. Je connais leur force parce que vous les avez choisis avec toute votre âme. Qu'ils sont vrais, c'est un chœur, grave, un chœur, vous n'avez pas introduit une fausse note. Cela, Max, c'est la chanson de mon peuple et de mon destin, j'y reconnais la voix des enfants du docteur Korczak qui marchent avec lui vers l'*Umschlagplatz*. Et j'y reconnais la voix de mes enfants et de Dina. Vous voudriez que personne n'entende cela ?

– Je ne voudrais pas que vous soyez déçu, Martin, me disait Max. C'est difficile aujourd'hui de rassembler des gens, même pour une grande cause.

– Et ce n'est pas la plus grande cause que de les inviter à parler ensemble de la barbarie, du bonheur et du destin, ce n'est pas une grande cause que de dire ensemble, eux et nous, qu'il faut, malgré tout, espérer ?

– C'est la plus grande des causes, dit Max. Bien sûr.

Je l'interrompais, et reprenais :

– Elle est au-dessus de la politique. Elle contient la meilleure des politiques possibles. C'est la cause humaine.

Je m'exaltais. J'étais sûr. Je voulais être sûr de rencontrer les autres. Nous montions vers la salle de conférences par les rues étroites et obscures du vieux Genève. Pas une silhouette. Les voitures seulement tapies contre les trottoirs, volumes noirs et vides.

– Il n'y a personne dans ces rues, disait Max. Pourtant, nous ne sommes plus très loin, on devrait voir des gens, s'ils y vont. Nous ne sommes pas en retard.

Il regardait sa montre. Je lui serrais le bras.

– Ils sont déjà là-bas, ils nous attendent.

Max hochait la tête.

– Martin, je vous en prie, ne mettez pas tant d'espoir dans cette soirée, je vous en prie.

Je le comprenais. Il était mon ami. Il voulait me protéger contre une déception.

– Non, non, Max, ils sont là.

Un petit lampadaire devant la salle de la conférence qui éclairait une affiche manuscrite où je devinais mon nom en grosses lettres maladroitement tracées :

Ce soir
à 21 heures
débat
avec Martin Gray
qui parlera de
« Au nom de tous les miens »

J'ai gardé cette première affiche. Depuis, bien d'autres se sont entassées chez moi, affiches imprimées avec ma photo. Affiches aux couleurs vives de riches associations ou d'universités qui m'invitaient à des débats, à des colloques. Affiches barrées d'une inscription « complet », parce que la salle de mille, cinq mille personnes – et jusqu'à dix mille au Canada, j'en parlerai – était comble. Mais cette première affiche, papier journal blanc et froissé, ces lettres au fusain, c'est pour moi la plus émouvante. Un point de départ.

J'ai poussé la porte. Le hall était vivement éclairé. Il était désert et silencieux.

– Vous voyez, murmurait Max.

Oui, je voyais. Je lui serrais à nouveau le bras. Je lui montrai entassés sur une table des pardessus, des manteaux de femmes, des chapeaux. Je voyais ces vêtements accrochés qui remplissaient le vestiaire. Il me semblait que ceux qui étaient ainsi entrés dans la salle avaient voulu abandonner leur carapace officielle, leur rôle, pour ne plus être que des hommes prêts à écouter et à parler.

Je n'avais jamais, de ma vie, prononcé une conférence, mais je n'étais pas inquiet. Dès que je me suis assis derrière la petite table, que j'ai regardé la salle et que j'ai vu tous ces visages, ces yeux tournés vers moi, que j'ai senti ce courant – vraiment je le sentais physiquement comme une étreinte amicale, quand quelqu'un, en vous prenant aux épaules, en vous pressant contre lui, veut vous faire comprendre qu'il vous comprend et vous soutient, qu'il partage vos soucis –, j'ai su, parce que je mesurais aussi le silence, que même si je prononçais mal le français, je serais compris. Voilà ce dont j'avais besoin : de cette communication directe, de cette vraie présence d'hommes et de femmes simples rassemblés avec moi. Je n'interprétais pas leur présence dans cette salle, ce soir-là, comme un signe d'admiration à mon égard, et pour moi ils étaient là parce que j'avais dit, à voix haute, dans mon livre, des vérités essentielles de notre temps. Ils étaient là au même titre que moi. Nous étions, même si je me trouvais sur l'estrade, même si l'organisateur me présentait avec des mots trop élogieux, nous étions, eux et moi, égaux, remplissant le même devoir : rendre hommage à ceux qui eurent du courage, témoigner de notre solidarité avec les victimes et honorer la vie, le courage, l'espoir.

Oui, nous étions tous ensemble pour célébrer le bonheur possible et la grandeur de l'homme malgré la barbarie et la mort.

Dina et mes enfants, je le savais ce soir-là en écoutant les derniers mots de celui qui me présentait, ne seraient pas oubliés. Grâce à eux, par eux, tant de vies renaissaient de l'oubli noir où les avaient plongés les bourreaux. Grâce à eux, par eux, la Fondation allait se construire, plus forte. Grâce à eux, par eux, j'allais peut-être aider des hommes et des femmes à reprendre confiance, à refuser d'abdiquer devant un destin difficile.

Merci à mes enfants, merci à ma femme.

Je me souviens que je serrais mes mains croisées sur la table quand l'organisateur s'est penché vers moi :

– Martin Gray, a-t-il dit, d'une voix solennelle, Martin Gray, vous avez la parole.

Ils se sont tous mis à applaudir. Ce n'était pas le vacarme des salles politiques. Et ce n'était pas non plus le salut poli des réunions mondaines. Ce long, déterminant salut, ces mains qui se heurtaient j'en mesurais le sens : « Ami, nous sommes avec toi, avec les tiens, autour de toi. Que tu vives, c'est la preuve qu'on doit survivre malgré tout. »

Ces applaudissements ce fut leur première façon de s'adresser à moi. Merci à vous qui parliez ainsi, qui m'aidiez de votre amitié.

– *Je ne suis pas un orateur,* ai-je commencé...

Maintenant, après sept ans, je ne suis pas encore un

orateur, mais j'ai prononcé des dizaines de conférences un peu partout dans le monde, dans une petite ville au bord de la forêt canadienne ou bien dans une salle où brillaient les lustres de cristal, salle royale d'une capitale.

J'ai parlé dans des églises et des hangars, dans des salles de classe et dans des caves mal aménagées, je me suis plusieurs fois adressé aux téléspectateurs, en allemand, en anglais, en français. Maintenant, après sept ans, même si je ne suis pas devenu un orateur, j'ai une expérience.

Mais, ce premier soir, à Genève, je m'avançais, ignorant tout de ce que j'allais dire, de ce qu'il me faudrait dire. Je parlais et au fur et à mesure que les paroles sortaient de moi, je les oubliais, curieuse sensation : les mots venaient comme s'ils ne m'avaient pas appartenu, comme si je n'avais pas besoin de les chercher au fond de moi. Ils étaient comme l'eau d'un fleuve qui sourd et l'on ignore tout de l'origine de la source. Je ne sentais qu'une chose : la qualité du silence.

Le silence : j'ai appris depuis que c'est à cela qu'on sait si ce qu'un orateur dit est entendu. Il y a tant de manières de se taire et d'écouter. Dans cette salle, j'étais porté par le silence des présents. Je ne les entendais même plus respirer. Ce que je disais était leur souffle.

J'écris cela sans orgueil. Comme je l'ai senti. Pourquoi dissimuler que j'ai vu des femmes, devant moi, dans la salle, pleurer à ce que je disais ? Pourquoi ne pas dire que quand je me suis assis, il y eut comme un trou profond de silence et que nous restâmes ainsi tous, immobiles.

Max près de moi, le présentateur qui aurait dû se lever assis à ma gauche, nous nous regardions. Il me semblait que tous ces visages dans la salle ne formaient qu'un seul visage et que deux yeux immenses me fixaient avec émotion.

Ce silence-là, après mon discours maladroit, je le porte en moi, comme un des grands souvenirs de ma vie.

Merci, hommes et femmes qui le vécurent avec moi, un soir d'automne à Genève. Il y a sept ans.

Puis les applaudissements éclatèrent. Je voyais battre les mains : j'imaginais les ailes des oiseaux, j'entendais le bruissement des feuilles, je revoyais mes enfants essayant de courir derrière une mouette sur la plage. Elle ne se pressait pas, elle attendait que Suzanne soit près d'elle tendant les mains, ouvrant les bras pour la saisir, et la mouette donnait deux battements d'ailes, si loin déjà, et Suzanne recommençait à courir vers l'oiseau.

Battement d'ailes, battement de mains.

Max me prit le poignet.

– Bravo, Martin, dit-il, bravo.

Je le regardais. Il connaissait tout de ma vie, nous l'avions ensemble écrite, mais son visage était marqué par l'émotion. Qu'avais-je dit, de quelle manière ? Je l'ignorais. Je l'ignore encore.

– Je voudrais qu'ils parlent, eux, qu'ils me disent, ai-je murmuré.

– Je suis sûr qu'ils vont le faire, a dit Max.

Ils ont parlé.

Une vieille femme s'est levée et ce qu'elle a dit, d'abord, je ne l'ai pas compris. J'ai simplement vu qu'elle avait mon livre à la main, qu'elle le montrait à la salle, qu'ils applaudissaient encore. Je n'entendais pas. Quelle langue employait-elle que je ne saisissais pas ? Je me suis penché vers Max. J'ai secoué la tête.

– Vous n'avez pas à répondre, a chuchoté Max.

– Je ne comprends pas.

Plus tard, quand nous nous sommes retrouvés avec une dizaine de personnes dans un petit café de Genève, plus tard, je me suis fait expliquer ce que je n'avais pas compris. Plusieurs personnes après cette femme avaient parlé. Toutes avec une ferveur qui m'impressionnait. Elles parlaient de leur vie et j'étais, en les écoutant, en paix pour la première fois depuis des mois. Depuis que dans les fumées de l'incendie j'avais cherché les miens. En paix puisqu'elles disaient, ces voix, que mes mots les aidaient à vivre. Elles parlaient simplement, sans formules brillantes, mais leur poitrine était pleine parce que de vrais sentiments y battaient.

– Que disait-elle, la première, celle qui s'est levée d'abord, cette vieille femme ?

Max haussait les épaules.

– Vous avez bien entendu ?

Je répondais d'un signe négatif.

– Vous voulez que je vous répète ? De la vanité d'auteur, déjà ?

A la manière dont je le regardais, Max comprit que je disais vrai. Et moi je sus, puisque mon ami le plus proche, celui qui savait ce que j'avais pensé, doutait de moi, que d'autres, étrangers à ma vie, à mes sentiments, se tromperaient sur moi.

– Excusez-moi, Martin, dit Max. Elle parlait distinctement.

– Je n'ai pas entendu. Je la voyais remuer les lèvres, montrer mon livre, mais je n'ai rien entendu, vous me croyez ?

C'était sans doute un phénomène étrange, mais c'était ainsi. Max penché vers moi m'expliquait maintenant. La vieille femme avait un frère qui avait déjà, à plusieurs reprises, essayé de se suicider. Le pasteur avait en vain tenté de le raisonner. L'homme était pourtant croyant mais il refusait de puiser dans la Bible des enseignements de vie. Un soir, par hasard, ils avaient l'un et l'autre vu une émission de télévision à laquelle je participais. La vieille femme avait remarqué que son frère, habituellement indifférent, suivait l'émission avec passion. Quand on avait présenté la couverture du livre, elle avait retenu le titre. Elle avait acheté *Au nom de tous les miens* le lendemain, l'avait laissé sur la table, sans rien dire à son frère. Il avait lu le livre en deux jours. Puis relu. Et il était devenu différent. Est-ce que cela durerait ? La vieille femme ne pouvait le dire. Mais il y avait un mieux, et c'était la première fois depuis des mois.

– Mieux que la Bible, n'est-ce pas, monsieur Gray, c'est une bonne formule !

Je levai la tête. J'avais en face de moi un homme jeune aux yeux vifs et rieurs, à l'expression ironique. Je le dévisageai surpris.

– Je suis journaliste, ici, à Genève.

Il sortait un mince cigare de la poche de sa veste, l'allumait en m'observant. Quelqu'un à l'autre bout de la table m'interpella et j'oubliai le journaliste un moment. Quand je le regardai à nouveau, il avait la même expression.

– En somme, dit-il, vous allez être un nouveau prophète, non ? Une sorte de Billy Graham ? Votre livre c'est une bible et maintenant vous allez vous promener un petit peu partout pour le – il hésita, sourit –, si j'étais méchant je dirais pour le vendre, disons pour le faire connaître.

Il se rejetait en arrière, le cigare entre les lèvres.

– Je vous ai écouté parler, continuait-il. Je connais bien les Etats-Unis ; vous cherchez à fonder ici, en Europe, une secte. Vous savez, vous avez un grand talent pour la publicité. Je vous vois bien dans quelques années en prophète. Vous êtes un bon vendeur d'idées toutes simples, non ?

Je ne répondais pas. J'écoutais avec surprise et sans colère. Cet homme jeune ne m'était pas antipathique. Se voulait-il même malveillant ? Je n'en suis pas sûr. Je sentais même qu'il voulait établir entre nous une sorte de complicité. Son regard, son sourire voulaient dire : « Vous et moi, monsieur Gray, nous sommes des malins. J'ai très bien compris votre jeu, avec les autres, les gens simples et bêtes, ceux qui sont dans la salle ; continuez à faire votre théâtre, mais pas avec moi, hein, monsieur Gray ? Nous sommes deux compères. Vous voyez, j'ai percé votre projet. Vous voulez vendre votre livre. Moi, je n'y vois aucun mal. Ça m'amuse même que tous ces braves gens vous prennent pour un grand auteur. Moi, je suis un professionnel. Je ne suis pas dupe. »

Il continuait de m'observer. Il se penchait vers moi.

– Ça ne vous choque pas ce que je vous dis ? D'ailleurs votre livre, moi, je le trouve intéressant et ce que vous dites, ça ne peut pas faire de mal.

Il voulut me donner un cigare. Je secouai la tête.

– Ah ! pas de défaut, dit-il. Et vous, monsieur l'écrivain, un cigare ? Vous devez bien vous amuser, à assister à tout ça, parce que, entre nous...

Je le plaignais, ce jeune journaliste, je plaignais, ce sceptique, cet homme qui croyait comprendre, dévoiler les secrets et qui finalement ne comprenait rien à ce qui passait entre moi et Max, entre mon livre et mes lecteurs, entre ce que je disais et ceux qui, dans la salle, m'écoutaient.

Une fois de plus je me persuadais qu'il n'y a qu'une seule intelligence, celle du cœur. Que la vraie perspicacité c'est d'admettre que les choses sont simples et claires. Prophète, vente de livres, publicité, secte ! J'aurais pu relever chaque mot, le prendre au collet, le souffleter. A quoi bon tout cela ?

– Vous savez, ai-je dit, vous êtes journaliste ? Eh bien, j'ai peur pour vous. Je ne sais pas si vous allez voir ce qui est important. Peut-être est-ce que vous portez déjà des...

Je faisais un geste, le mot me manquait. Je me tournai vers Max.

– Donnez-moi le mot, pour que ce monsieur sache bien que vous me soufflez mes idées.

– Des œillères, dit Max en riant.

– Oui, de chaque côté de vos yeux, il y a cela, ou pire. Vous – c'est moi qui le regardais ironiquement maintenant –, vous allez voir sur les côtés, vous portez des lunettes toutes noires, et devant vous, vous ne verrez rien. Vous ne découvrirez que le côté des choses. Voilà ce que je crois, monsieur. Pour le reste, vous pensez et vous écrivez ce que vous voulez ! Vous êtes intelligent, vous êtes malin, alors faites vos commentaires.

Je me suis levé. Je lui ai tendu la main.

– A une prochaine fois, monsieur le malin !

Ce qu'il m'avait dit, je ne l'oubliais pas, pourtant : piqûre d'épingle qui me rappelait que j'aurais à me défendre contre l'incompréhension et peut-être la calomnie. Mais, après tout, quelle importance que les réflexions de ces quelques professionnels de l'information qui ne savaient plus croire qu'existent des hommes qui sont ce qu'ils disent et font ce qu'ils promettent ?

Tant pis pour eux et tant pis pour moi aussi si j'avais à souffrir de ces gens-là.

Qui se lève reçoit des coups.

Cela je le savais depuis les temps de la guerre. Et je m'étais levé.

J'expliquais cela à Max alors que nous roulions vers Lausanne, le lendemain matin, par la route qui borde le lac. Il m'avait dit qu'il avait eu envie de répondre brutalement au journaliste, que la prétention agressive et ironique de ce jeune homme qui n'avait connu ni la guerre, ni les camps, ni peut-être le bonheur extrême précédant le malheur, l'avait mis hors de lui.

– Cette fermeture aux autres, à la vie des autres, tout cela me révolte, disait-il.

Je n'étais pas plus indulgent mais ma peau sans doute s'était-elle habituée.

– Je me souviens, ai-je raconté, quand la Pologne a été libérée, certains de ceux, mes compagnons, qui avaient échappé à l'extermination dans les camps ou à l'insurrection du ghetto, sont retournés chez eux. Ils ont trouvé leur appartement occupé par leurs voisins et ces gens-là n'étaient pas du tout disposés à abandonner la place. Un de mes amis m'a dit que, autour de lui, les Polonais répétaient : « On vous connaît, les juifs, vous savez vous débrouiller. Pour quelqu'un qui sort d'un camp, vous n'avez pas tellement l'air mal en point ! Vous avez dû exagérer, comme d'habitude, non ? »

Et on lui clignait de l'œil.

– Eux non plus, ai-je conclu, ils ne voulaient pas être dupes !

– Et votre ami ? a demandé Max.

– Il s'est engagé dans l'armée, avec moi. C'est là que je l'ai rencontré. Et il a été tué, un peu avant notre entrée dans Berlin.

J'ai regardé le lac, cette douceur des paysages suisses, ces propriétés encloses, ces arbres que froissait à peine le vent. Que les destins étaient différents, les vies inégales. Ici la paix avait régné et l'abondance. Des enfants avaient dû continuer durant toute la guerre à lancer aux cygnes et aux canards des morceaux de pain. Et moi, j'avais vu des gosses qui se battaient à mort pour quelques miettes.

– Injuste, ai-je murmuré, injuste cette inégalité qui fait des uns des victimes, des autres des êtres protégés. Un jour, il faudra que sur cette terre tous les enfants aient les mêmes possibilités, les mêmes chances.

Ces phrases, je les ai répétées le soir dans un des salons d'un grand hôtel de Lausanne. Conférence improvisée et que j'ai racontée dans l'un de mes livres. Quand les assistants se levaient parce que l'un d'eux leur avait demandé d'observer une minute de silence en souvenir de tous ceux qui avaient disparu, c'était ma revanche sur le journaliste ironique, l'assurance que même parmi ceux qui avaient toutes les raisons de ne pas partager mes sentiments, la solidarité, l'émotion trouvaient leur route, fleurs qui percent la neige. Et je reconnaissais, parmi ces personnes réunies par hasard, la vieille dame venue dans l'après-midi d'un village près de Lausanne pour que je lui signe le livre. C'était elle qui avait dit : « Pourquoi vous ne nous parlez pas à nous, monsieur Gray ? Je reviendrai ce soir en ville si vous parlez. »

Et j'avais confectionné un petit écriteau, je l'avais placé au-dessus des livres. *Ce soir...* Et tant de personnes à nouveau rassemblées... Et j'avais envie de les laisser entre elles après avoir parlé, parce que je les sentais différentes après cette soirée.

Elles étaient entrées l'une après l'autre dans le salon de l'hôtel, intimidées, ne se saluant pas, s'asseyant sans se regarder. Puis, nous avions commencé à dialoguer et maintenant que la soirée était terminée, elles paraissaient se connaître. J'avais servi de lien. Intermédiaire qui osait dire tout haut des paroles simples. Et ainsi, elles se rencontraient, et peut-être, je l'espérais, continueraient-elles à ne plus s'ignorer.

Ce soir-là à Lausanne, deuxième jour de la présentation de mon livre, je commençais vraiment à percevoir tout ce qu'il m'était possible de faire. Pour le souvenir des miens, pour la Fondation mais aussi pour chacune de ces personnes. Je ne l'avais pas imaginé jusqu'à ce que j'entende ces voix timides qui s'élevaient pour raconter leur solitude et leur besoin d'espoir. Leurs drames aussi, leurs rêves qui ne s'étaient pas réalisés. Je découvrais que mon histoire liée à tant de tragédies historiques et personnelles faisait qu'elles se sentaient enfin le droit de se confier.

– Avec vous, monsieur Gray, me disait l'une de ces femmes après la réunion de Lausanne, je n'ai pas honte de parler de moi, de ce qui ne va pas. Vous, quand on a lu votre livre, on sait ce que vous avez souffert. Vous devez comprendre.

Je mesurais quelle responsabilité je portais. Max, lui, souriait, il me disait :

– Vous savez, pendant que vous signiez vos livres, j'ai interrogé quelques personnes, vous voulez connaître leurs réponses ?

Nous étions assis dans l'avion qui nous ramenait à Paris. Je regardais Max en face.

– Vous n'allez pas parler comme le journaliste, vous ?

Je le sentais un peu ironique, un peu irrité peut-être. Après tout, il avait écrit ce livre et maintenant, tout naturellement, il en était dépossédé. Il me semblait qu'il avait eu, dans la deuxième conférence, un mouvement d'humeur. Curieusement, malgré la présence de son nom sur la couverture, de sa préface, personne ne l'interrogeait. Je lui ai souri.

– Monsieur l'écrivain, vous n'êtes pas très satisfait ?

Max haussa les épaules comme il en avait souvent l'habitude, se mettant à rire franchement.

– Sacré Martin, dit-il, vous connaissez aussi la psychologie des auteurs. C'est vrai, je n'y peux rien, mais j'aimerais que quelqu'un dise : « le metteur en scène », parce que c'est cela que je suis, le metteur en scène est excellent. Mais non, ils ne disent pas un mot. Je sais, je sais, c'est votre vie, votre ton, mais j'y ai un peu ma part.

– Vous croyez que c'est mon livre ou votre livre ? Que nous devons discuter de cela ?

J'avais ouvert *Au nom de tous les miens* sur mes genoux.

– Il y a mon nom, là – je montrais la couverture –, le vôtre, ici. Mais ce livre voilà à qui il appartient : il n'est ni à vous ni à moi.

Je montrais les photos des enfants enveloppés de haillons et que recouvraient les flocons de neige, je montrais ma fille, la plus âgée qui, sur la pelouse, esquissait un pas de danse. Je montrais Dina.

– Ni à vous ni à moi. A eux et à ceux qui le liront.

Nous nous tûmes longtemps. Ce fut lui qui parla le premier.

– Voyez-vous, Martin, sans le vouloir, je crois que vous avez rappelé quelque chose de très important pour moi, pour l'auteur que je suis, parce qu'on oublie toujours l'essentiel.

Il me parla de ce monde des auteurs, des journalistes littéraires où trop souvent l'on s'épiait, l'on se jalousait, où le commérage était de règle.

– Nous ne sommes pas pires, disait-il. Mais nous vivons en un cercle très fermé, cent ou deux cents personnes qui se rencontrent chez les uns et les autres, dans les cocktails, qui écrivent dans les journaux, qui publient des livres, un village déchiré de passions bien sûr. On sait qui est qui et ce qu'il fait. Même ce qu'il gagne. L'argent, Martin...

– Partout..., ai-je dit.

– On pourrait croire, dans notre monde intellectuel... mais non. Alors vous venez de me rappeler ce qui est important : ce n'est pas l'auteur, c'est ce dont il parle et la manière dont ceux qui le lisent reçoivent cela. Ce qui existe ce n'est pas l'écrivain, mais le livre. Homère, après tout, ce n'est qu'un nom, mais Ulysse, mais l'*Odyssée,* voilà ce qui vit encore. A la fin, Martin, les mots, les idées et les livres gagnent, je crois.

– Mon père, ai-je ajouté, d'une autre manière, il me semble qu'il me disait des phrases comme les vôtres.

Nous étions trop graves, trop émus. Max se mit à rire.

– Martin, dit-il, je suis plus jeune que vous, ne l'oubliez pas. Je ne suis pas votre père.

Et je ris aussi. Après des mois, fragile comme une pousse renaissait en moi un peu de joie. Merci à l'amitié.

Seulement, ces instants étaient brefs. Plus grave encore : l'amitié avec Max, la chaleureuse présence de mes lecteurs quand je les rencontrais soit à des séances de dédicace de mes livres soit lors de conférences me rendaient encore plus dures les heures glacées de la solitude. Une porte d'hôtel se fermait et j'étais en proie à l'angoisse. Je ne savais plus qui j'étais, ni où j'étais. Genève, Bruxelles, Lausanne, Paris, ou bien encore Varsovie quand je me cachais ou bien New York ? Je plaçais sur la table de nuit la photo des miens. Je fermais les yeux.

A nouveau, j'oscillais entre la conscience et le sommeil sans pouvoir passer durant toute la nuit dans l'un ou l'autre état franchement. Le matin me retrouvait le visage gonflé de fatigue et seul un contact avec Max ou les témoignages d'amitié des lecteurs réussissaient à me donner pour les quelques heures du jour l'équilibre.

Ce furent, qu'on me croie, des nuits d'enfer que je voyais venir la gorge nouée, les mains moites. Mais il fallait bien s'y résoudre, se retrouver le dos à la porte et affronter.

Sans doute est-ce durant ces nuits que j'ai commencé à réfléchir au contrôle nécessaire de soi. Que je me suis souvenu des moments où, caché, il me fallait retenir ma peur pour que la patrouille des bourreaux ne me découvre pas. J'étais habité par une autre peur. La tragédie n'était plus l'Histoire mais mon histoire. Il fallait pourtant que je réussisse comme j'avais réussi là-bas à survivre, avec un but.

Je me mis à lire, conseillé par Max. Je lus avec une avidité d'homme qui cherche une drogue. Je lus pour comprendre ce qui m'arrivait et ce qui était arrivé aux hommes.

Je lus, découvrant, comme me l'avait dit Max, le pouvoir des mots. Je lus pour ralentir dans ma tête les images qui tournaient trop vite, les pensées qui devenaient folles, hagardes, hurlantes. Je lus, histoire, psychologie, philosophie. Je devins un peu historien de mon peuple, un peu psychologue, un peu philosophe. Bien sûr, je ne saisissais pas tout ce que je dévorais. J'avalais comme un assoiffé. J'avalais comme un souffrant. Je broyais ces mots à ma manière et quand je parlais à mes lecteurs, ils devenaient les miens.

– Vous faites un drôle de bricoleur, disait Max. Mais le bricolage, c'est à la mode. Au fond, vous êtes en avance en mélangeant un petit peu tout. Vous pouvez le faire parce que vous êtes libre avec les idées. Vous n'avez pas de préjugés.

Ce que je cherchais c'était des solutions, pas de grands principes.

J'avais vu, subi, je souffrais. J'entendais des hommes et des femmes de tous les milieux, dans toutes les villes me dire que « ça n'allait pas », et qu'ils trouvaient dans mon livre, dans ce que je leur disais, une leçon de courage. Alors, je « bricolais » à ma manière. J'étais, comme disait Max, un « autodidacte ». Bon, mais j'étais aussi un homme qui savait ce dont il avait besoin. Avec les mots et les idées je me conduisais comme jadis dans le ghetto ou bien plus tard aux Etats-Unis, quand j'étais devenu antiquaire.

A chaque fois les « spécialistes » m'avaient répété : c'est impossible. Impossible de passer de l'autre côté du mur et d'en revenir plusieurs fois par jour. Impossible de rentrer autant de ravitaillement sous les yeux des policiers. Moi le gamin, moi qui ne savais rien du commerce, j'avais réussi. Je le voulais.

Aux Etats-Unis, les antiquaires de la Troisième Avenue avaient ri quand ils m'avaient vu ouvrir ma boutique. « Trop d'antiquaires, trop d'objets et pas de clients. » Moi, j'avais plusieurs fois par mois fait le voyage d'Europe. J'avais des objets plein mon magasin et je vendais plus que je ne pouvais importer ! J'avais réussi.

Maintenant, je prenais aux livres ce qui me manquait, tant pis pour les spécialistes. Je mettais ensemble dans le désordre des idées qui se trouvaient chez des philosophes ennemis entre eux. Que m'importaient les contradictions des savants ! Moi, je désirais dire à ceux qui m'écoutaient comment vivre mieux. Comment espérer... Et pourquoi vivre malgré le malheur. De cela, j'avais besoin pour mieux survivre. Et au fur et à mesure que je lisais, que je faisais mon miel avec ces pensées, je sentais que je prenais de l'assurance, que je comprenais mieux, que j'apportais davantage à mes lecteurs.

Bricoleur? autodidacte? Peut-être, mais d'abord homme qui essayait de rester debout et d'avancer vers les autres.

7

C'est moi, Miétek

Miétek : c'était mon nom de guerre, mon nom du ghetto et des forêts, celui de Treblinka. Miétek, Micha, mes noms de l'autre vie, avant, dans Varsovie rasée ou bien quand j'entrais avec les soldats dans Berlin détruit. Ces noms, je ne les avais plus fait surgir de ma mémoire depuis des dizaines d'années. Dina seule les connaissait et il avait fallu que je me confie à Max, que je reprenne ces pages remplies dans ma pièce secrète aux Barons, pour qu'ils résonnent à nouveau en moi, autour de moi. Mais quand le téléphone a sonné, dans la chambre de mon hôtel parisien, que j'ai entendu une voix de femme dire : « C'est moi, Miétek », voix grave qui semblait avoir traversé les années, tout a tremblé autour de moi. Du fond du passé, voici que s'avançait un visage. Et je répondis parlant immédiatement en polonais, tutoyant :

– Qui toi ?

– C'est moi, Miétek, Marysia – et la voix riait – Marysia Sebrien.

Oui, je revoyais ce visage de jeune fille, ces cheveux noirs, ces yeux trop grands dans les joues creusées par la faim. Je savais maintenant. Je répétais :

– Marysia.

Elle riait encore et je devinais aussi qu'elle avait des larmes.

– Les bottes, disait-elle, les bottes. Il ne faut jamais dire que les destins ne se croisent qu'une fois.

Mon livre était comme une clé magique qui ouvrait le passé, le meilleur et le pire revenaient vers moi, depuis les temps barbares. J'avais lancé les mots, Miétek,

Micha, Treblinka, et les mots ne résonnent jamais en vain. Ils paraissaient disparaître – qu'est-ce que des mots, des pages, un livre ? Quelques signes noirs sur une page, quelques centaines de grammes de papier ? – et brusquement, comme un boomerang, ils étaient face à moi.

– Les bottes que tu m'as données, répétait Marysia. Je voudrais te voir.

Elle était dans le hall de l'hôtel. Je lui ai dit de m'attendre quelques minutes, un court intervalle de temps pour que je franchisse d'un bond ce fossé qui me séparait des ruines de Skierniewice.

C'était, qu'importe la date précise, c'était la guerre et j'étais un soldat. Nous arrivions avec nos armes battant sur la poitrine, notre rage de trouver devant nous les signes noirs de la cruauté et j'avais toujours devant moi le souvenir des grandes fosses de sable jaune de Treblinka. Skierniewice était une petite ville non loin de Varsovie. Les rues étaient encombrées par les ruines, la ville presque tout entière était un champ de pierres et au milieu des gravats, leur visage couvert de poussière, vivaient les rescapés. Nous restâmes quelques jours à Skierniewice. Nous attendions de donner l'assaut aux troupes ennemies. Je me promenais dans les rues. Je cherchais des témoignages de vie.

Celui qui n'a jamais parcouru les labyrinthes d'une cité ravagée ne sait pas quel silence couvre les pierres. Ce n'est pas celui qui s'étend sur les champs et les forêts. C'est le silence funèbre et angoissant. Et un jour, je me souviens, le soleil n'avait pas paru, le gris de la brume masquait les amoncellements de ruines, j'ai vu une jeune fille, jambes nues malgré le froid. Elle portait à deux mains une bassine remplie d'eau. Une vieille femme, la tête enveloppée d'un fichu noir, l'attendait, assise à l'entrée d'une cave. Sans doute vivaient-elles là ?

Je me suis approché. J'aurais pu faire un geste pour l'aider à porter cette bassine, mais il y avait tant de fierté et de peur aussi sur le visage de la jeune fille, que je suis resté loin d'elle, attendant pour me diriger vers l'entrée de la cave qu'elle y soit entrée. Je me suis assis près de la vieille femme. C'était pour moi ma mère et cette grand-mère jamais vue qui habitait les Etats-Unis, c'était toutes les vieilles mammas qui étaient parties, la terreur dans les yeux, vers les baraques du camp, toutes celles qui ne comprenaient pas et regardaient leurs enfants qu'on rassemblait. J'ai commencé à parler avec elle, puis la jeune fille est venue.

– C'est Marysia, a dit sa mère.

Elle mettait sa main sur mon épaule, loin de mon arme comme si elle avait eu peur de toucher cet acier de mort.

– Miétek, disait-elle, Miétek, il habitait Varsovie.

Je n'étais qu'un jeune soldat que la solitude étranglait. J'ai sorti une photo de moi, prise dans les forêts, avec les partisans, je l'ai tendue à la jeune fille. Elle la regarda avec gravité, la passa à la mère.

– Donne-la-nous, dit-elle. J'avais un fils, comme toi.

Il commençait à faire froid. La jeune fille a forcé sa mère à se lever et l'a entraînée dans la cave.

Je suis revenu le lendemain et tous les jours.

J'apportais un de nos grands pains ronds, à la croûte dure et à la mie brune, des galettes et des oignons. Je restais là, à les observer manger, la mère et la fille. La mère souriante, la fille toujours grave. Elles m'avaient invité à entrer dans leur cave. La mère d'abord, la fille approuvant d'un signe de tête. Quelques chiffons servaient de lit, d'autres lambeaux de tissu étaient utilisés par la jeune fille comme chaussures. Et je la vis qui s'enveloppait les pieds. Je me suis agenouillé devant elle. J'ai voulu prendre dans ma main son talon mais la jeune fille a replié les jambes, la terreur sur elle. Alors, lentement, à voix basse, j'ai dit :

– Tu ne peux pas rester comme ça, fais voir.

Elle se laissait faire, je dénouais les chiffons qui entouraient ses pieds, je voyais de petites plaies, des crevasses provoquées par les pierres et le froid. J'ai posé le pied sur ma paume, et j'ai ri.

– Tu as le pied long, bien long.

Puis je suis parti parcourant la ville. J'avais sur moi des cigarettes et deux paquets de tabac. J'avais l'intuition des lieux de trafic, un don pour savoir où, parmi les décombres l'une vieille place, les gens échangeaient des manteaux contre du pain, des casseroles contre une cigarette. J'ai vu les ombres des marchands, les groupes qui chuchotaient, se passant de main en main les objets du trafic. Je suis allé d'un groupe à l'autre.

– Des bottes, ai-je dit, je veux des bottes.

Dans ma main, je montrais – en le tenant bien serré – un paquet de cigarettes. A la fin, un homme trapu, la tête couverte d'une casquette enfoncée jusqu'aux sourcils, me prit par le bras.

– Viens, j'ai ça.

Il m'entraîna dans les ruines, souleva une couverture qui servait de porte, et j'entrai dans une vraie caverne de brigands. Il y avait des casseroles et des bouteilles de vin, des caisses remplies de livres et des vêtements entassés les uns sur les autres. Il s'était penché, il fouillait au-dessous des manteaux et tout à coup il agita devant moi une paire de bottes. Elles étaient hautes, de cuir foncé, elles devaient couvrir toute la jambe jusqu'aux genoux. Mais la semelle était en bois.

J'ai posé les semelles sur ma paume. C'était le pied de Marysia. L'homme a fait un signe avec les doigts : deux. J'ai donné les deux paquets de cigarettes et je suis parti en courant, les bottes sous ma vareuse, riant seul alors que la neige tombait, légère.

La jeune fille était recroquevillée dans la cave, sa mère couchée sous les chiffons. Elles se tenaient la main. J'avais dans ma poche une bouteille de vodka, de l'alcool brutal qui râpait la gorge. J'ai posé la bouteille sur le sol et j'ai sorti les bottes de sous ma vareuse.

– Pour toi, Marysia, ai-je dit.

Je riais. C'est bon de donner, de voir Marysia qui caresse le cuir de ses mains, qui me regarde, qui jette un coup d'œil à sa mère. Elle hésite et puis d'un mouvement rapide elle passe la première et je sais que le pied est à son aise. Parce qu'il le faut, que ce serait trop injuste si elles n'allaient pas. L'autre ? Elle se lève, fait quelques pas, et tout à coup, elle tourne sur elle-même comme une danseuse, elle saute, elle rit. Et c'est la première fois que je la vois rire.

Je prends la bouteille, je la tends à la vieille femme.

– Vous aussi, il faut boire.

Elle sourit, boit une gorgée. Je passe la bouteille à Marysia et je bois enfin. Et nous rions tous trois avec cette chaleur qui court sous notre peau. Et Marysia fait sonner sur la terre les semelles de bois.

Elle était à nouveau devant moi, Marysia Sebrien, avec les mêmes cheveux noirs. Et comme je m'avançais vers elle lentement, elle courut, me prenant aux épaules :

– Miétek, disait-elle, Miétek, je savais que c'était toi.

Et elle s'appuyait sur ma poitrine, et elle avait le poids des années. Nous sommes allés nous asseoir sous la grande tapisserie dans le hall. Elle gardait ma main dans la sienne.

– Par hasard, expliqua-t-elle, je suis entrée dans une librairie ; je lis peu en ce moment, mais, ce jour-là, j'avais envie d'un livre. J'ai vu la couverture. Le nom, ton nom de maintenant ne me disait rien, Martin Gray, c'est les Américains qui t'ont donné ça ? Mais je ne sais pas pourquoi, je voulais ce livre-là. Je l'ai pris. Je ne voulais pas attendre pour le commencer d'être chez moi. Je me suis installée dans un café. Je l'ai ouvert à la page des photos. Et c'était toi, Miétek, toi.

Nous sommes restés sans parler. Nous étions frère et sœur. Nous nous étions quittés hier et je la revoyais au milieu des gravats, ses bottes bien plantées au milieu des pierres.

Qu'était-ce le temps ?

– J'ai lu ton livre, murmurait-elle. J'ai lu, Miétek, et je sais parce que j'ai des enfants, des petits-enfants. Je suis grand-mère, Miétek.

– Le temps, ai-je dit, le temps quand il donne la vie, c'est bien, alors, le temps qui passe.

– Il te la redonnera, j'en suis sûre, sûre.

Marysia me serrait la main, fort.

– La vie, disait-elle, tout est possible. Regarde, après presque trente ans, tous ces chemins que nous avons pris, et nous sommes là.

Elle se penchait sur un sac de toile, l'un de ces cabas élégants qu'ont les femmes.

Elle levait la tête vers moi.

– Tu devines ?

Elle sortait la paire de bottes, le cuir entaillé par les années, mais je reconnaissais la forme curieuse, la semelle et la peau. Marysia riait.

– J'ai traversé la Pologne, l'Allemagne, avec. Et quand je suis arrivée en France, j'ai dit à maman : « Ces bottes-là, je les garde jusqu'à ma mort. » Tu sais – elle s'interrompait, le sourire effacé –, tu sais, maman est encore avec moi, bien vieille, mais elle se souvient, bien vieille. Et puis – elle recommençait à sourire – j'ai raconté à mes enfants l'histoire des bottes. Et maintenant, ils veulent te voir.

J'ai secoué la tête, j'ai dit :

– Pas encore, Marysia, pas encore...

Je n'étais pas assez fort.

– Quand tu voudras.

Nous nous sommes levés, nous avons marché dans les rues paisibles qui entourent l'hôtel, bras dessus, bras dessous.

– Pour toi, Miétek, tout recommencera, il le faut, disait Marysia. Je sens en toi la même force, tu sais. C'est cela qui m'avait frappée, là-bas, ta force. Quand tu m'as apporté ces bottes, moi qui avais peur, je me suis dit, ces bottes-là, c'est un peu de la force de Miétek. Je ne voulais pas partir. Eh bien, avec elles – elle secouait le cabas – j'ai eu du courage. Et maman aussi. Nous nous sommes dit : C'est un signe, nous allons partir. Et dès que nous avons pu, nous nous sommes mises à marcher. C'est comme ça, Miétek, tu aides les autres à avancer.

Longtemps après avoir quitté Marysia, j'étais encore assis immobile, les mains sur les yeux. Je pensais à tout ce qu'il avait fallu de hasards et de coïncidences pour que nos chemins se croisent une nouvelle fois après des dizaines d'années. Je mesurais combien les mots d'*Au nom de tous les miens* avaient de puissance. Avec Max, nous leur avions donné naissance. Maintenant ils allaient seuls, libres, et c'est en eux que j'allais trouver la force de continuer. Eux qui avaient conduit Marysia vers moi, cette amie lointaine, cette sœur qui tout à coup peuplait ma solitude, faisait le lien vivant avec mon passé. Et j'ignorais que d'autres encore allaient venir.

Le lendemain, je prenais le train pour Bruxelles où je prononçais une conférence au centre culturel. Salle comble. Ce soir-là, ma voix tremblait. Je n'étais plus à Bruxelles mais à Skierniewice avec Marysia. Les années étaient effacées. Je portais encore l'uniforme, je venais à peine de m'évader de Treblinka. A peine de fuir du ghetto détruit. J'étais gluant de la boue des égouts par où j'avais rampé, et j'étais là devant ces hommes et ces femmes avec sur moi l'odeur de la bataille et le désir de venger nos morts. Ma voix racontait. Et à la fin, quand je me suis tu, quelqu'un avant même que le silence ne soit rompu par les applaudissements s'est levé.

– Nous autres, a-t-il dit, nous autres qui avons connu les camps, voilà vingt ans que nous attendions un livre comme ça, merci.

Qu'étais-je pour qu'on me remercie ? Un survivant seulement. Merci aux autres. Merci à ceux qui m'avaient donné la force de continuer. Merci à ceux qui s'étaient sacrifiés. Je ne méritais rien. Je n'étais que leur voix.

On m'a posé de nombreuses questions. Je répondais tout en regardant un groupe de personnes qui, debout au fond de la salle, semblaient ricaner. Je les sentais ennemies.

– Des preuves, a lancé tout à coup l'une d'elles, des preuves que tout ce que vous dites est vrai.

Il y eut des cris dans la salle, quelques hommes se levèrent pour expulser les contradicteurs. Je les ai arrêtés.

– Pas de preuves, ai-je dit. Pas de corps. Les morts dans les camps on les brûlait. Il ne reste que des cendres.

– Dehors, dehors, criait la salle.

– On ne peut convaincre le chacal qui a tort, ai-je dit. A lui de décider s'il est heureux d'être un chacal.

Je suis descendu de l'estrade dans la salle. Les gens me serraient les mains. Trop d'émotion aujourd'hui, comme une fatigue qui s'infiltrait dans tout mon corps. Je n'ai pas voulu qu'on me raccompagne.

Je suis rentré à pied, lentement, laissant mon regard glisser sur les pavés de ces rues bruxelloises qui ressemblaient aux vieilles ruelles de Varsovie, avant, quand la guerre n'était pas encore venue. Où étais-je ?

J'avais envie de me recroqueviller contre une porte, d'attendre que le jour se lève, envie d'avoir à lutter contre le froid, car le froid, souvent, était moins inhumain que certains hommes.

J'ai marché une partie de la nuit, recherchant la

fatigue, l'épuisement même, pour que ma tête ne se désagrège pas, questions en moi, noms en moi, visages en moi, comme autant de figures. A la fin, je me suis trouvé devant l'hôtel. Le portier était dehors, parlant avec un chauffeur de taxi. Il m'a vu, s'est avancé.

– Vous n'êtes pas bien, monsieur Gray ?

J'ai hoché la tête.

– Attendez, attendez.

Il me prenait par le bras, me faisait entrer dans la petite pièce près de la réception.

– Chauffez-vous un peu, disait-il, je vous fais apporter du thé. Vous voulez ?

Il téléphonait, s'asseyait en face de moi.

– Ma femme a lu votre livre, disait-il. Maintenant, pour elle, vous êtes un peu de la famille, vous savez ! Oh ! j'oubliais.

Il s'éloigna, revint avec un paquet de lettres.

– Il y a tout ça pour vous. Ce livre, monsieur Gray, c'est quelque chose, je l'ai commencé, des livres comme ça, il en faudrait.

Je suis monté dans ma chambre. J'ai commencé à ouvrir les enveloppes. Des hommes, des femmes venaient vers moi, frères, sœurs.

Nous avions besoin les uns des autres. Je m'en voulais d'avoir cédé au pessimisme et au désespoir un instant. Chacune de ces lettres m'offrait par ces temps de grand froid une paire de bottes avec des semelles de bois.

8

Pourquoi ?

Je commençais à croire que tout le monde peut comprendre. J'imaginais qu'il suffit de dire vrai, d'avancer sans bouclier, pour que l'homme vous tende la main. Je croyais, puisque la guerre n'était plus qu'un souvenir, que je n'avais pas d'ennemis. Parfois, bien sûr, je l'ai dit, un chacal, sa silhouette, sa question, son ironie, mais qu'était-ce après des centaines de témoignages d'amitié ?

Mon livre était devenu un best-seller. Journaux, radios, télévision, conférences. J'avais des centaines de milliers de lecteurs. Je recevais leurs lettres et presque tous écrivaient : « Martin, nous te tutoyons, parce que pour nous, après t'avoir lu et écouté, tu es de la famille. » Et souvent, ces inconnus me racontaient, comme à un parent proche, les difficultés de leur vie. Et j'essayais de trouver les mots pour les aider. Parfois, quand je lisais les questions que me posaient par écrit, à la fin d'une conférence, certains auditeurs, je ne pouvais m'empêcher de sourire. Où s'arrêtait donc l'imagination ? On me prenait pour James Bond, on croyait que j'étais un « espion qui venait du froid ». On me demandait ainsi :

« *Comment, dans quelles conditions réelles, au prix de quelles concessions véritables M. Gray a-t-il pu quitter si aisément son haut poste dans l'armée soviétique pour partir aux U.S.A. ? L'armée soviétique (ou un organisme parallèle) l'y a-t-elle aidé ? L'a-t-elle chargé de missions aux U.S.A. ? Cela expliquerait en partie :*

1°) *La réussite fulgurante de M. Gray aux U.S.A.*

2°) *Les contacts continus avec Berlin où se trouve apparemment le seul ami, rencontré dans l'armée soviétique, qu'il ait gardé de ses années de guerre.*

3°) *Le décès de sa famille a-t-il été un accident ou une pression exercée sur un homme voulant se retirer d'activités parallèles?*

Agent double ou triple : C.I.A. ? K.G.B. ? Pourquoi pas un extra-terrestre ?

Mais cela, c'était la rançon que je devais payer puisque j'étais maintenant un auteur connu, un homme sur qui on se retournait dans la rue. Je faisais l'expérience de la notoriété : j'étais moi et je n'étais plus moi. Je voyais dans le regard des autres un Martin Gray qui était celui qu'ils avaient découvert dans mes conférences et dans mon livre. Un Martin Gray surhomme, toujours vainqueur, jamais désespéré, triomphant de chaque difficulté comme un magicien. Un Martin Gray de bandes dessinées. Je savais bien que je n'étais pas cela. Que j'essayais, bien sûr, mais qui connaissait mes nuits ?

Plus la presse me consacrait d'articles et plus j'apparaissais comme ce héros simple et toujours victorieux, sorte de superman qui s'était battu à un contre mille dans le ghetto. Et quand je vis ma photographie sur la couverture de l'un des grands hebdomadaires anglais, l'*Observer,* je restai longtemps avec ce portrait en couleurs en face de moi : était-ce bien moi cette vedette qui ressemblait un peu à Richard Burton ? – c'était l'éditeur qui m'avait dit cela en voyant la couverture. Il y avait tant de distance entre ce que je ressentais, ce que j'étais demeuré et cette image, figée une fois pour toutes sur ce magazine.

Une fois de plus, je comprenais combien notre société de spectacle où tout devient éclat, lumière, décor, star, où tout événement, même une mort ou un crime, est transformé en théâtre par les mass media, combien cette grande machine à fabriquer les événements était dure avec les hommes publics. Et j'étais l'un d'eux.

Elle me prenait, cette machine, elle me couchait sur son papier glacé, elle m'imprimait à des millions d'exemplaires qui allaient se répandre de l'Australie au Canada, de l'Irlande au pays de Galles, elle me vidait de ma vérité d'homme, pour me peindre aux couleurs d'une star. Et ceux, les lecteurs, qui regardaient ce visage, qui lisaient ces titres, ce résumé de ma vie, que pouvaient-ils imaginer de moi, des miens ?

La guerre devenait un western et j'étais le vengeur sur son cheval blanc.

Heureusement le magazine publiait des extraits de mon livre, et là on ne pouvait déformer mes phrases. Mais je m'interrogeais aussi : ce découpage d'un livre en morceaux plus courts, n'était-ce pas comme la transformation d'un grand tableau en petites séquences de bandes dessinées ? Je m'inquiétais et en même temps j'étais heureux que le plus large public prenne connaissance d'extraits de mon livre. Mais j'aurais voulu échapper au destin des stars ! Seulement l'un allait avec l'autre.

Il fallait donc essayer de corriger cela.

J'ai accepté avec enthousiasme de me rendre en Angleterre pour y donner des conférences, participer à des débats. J'allais sortir de ma photographie, redevenir moi-même, avec ma sueur et mes larmes. Je ne serais plus un superman, mais un homme simple qui cherche à mériter le nom d'homme.

Dans l'avion qui me conduisait à Londres, je réfléchissais qu'il fallait qu'il en soit toujours ainsi : dans chaque pays qui publierait mon livre – et il y avait déjà dix-huit éditeurs étrangers à avoir demandé à le traduire –, je ferais une tournée de conférences. J'irais aux Etats-Unis et en Suède, en Finlande et en Italie. Surtout, je me rendrais en Allemagne. J'avais insisté pour que mon éditeur trouve un éditeur allemand. Ce n'avait pas été facile. Mais je m'obstinais. Mon livre devait être lu là, dans ce pays dont j'avais affronté les soldats. Ce n'était pas pour moi revanche, mais moyen d'aider à faire connaître au cœur même de l'Etat qui avait vu naître la barbarie ce qu'avaient pu en être les conséquences. A la fin, mon éditeur avait pu m'annoncer qu'il avait trouvé un acquéreur. Un grand éditeur. Le livre serait donc traduit et publié outre-Rhin. Je parlais allemand. J'imaginais déjà ma tournée de conférences, mes confrontations. Je savais que mon livre n'était pas un livre de revanche mais un récit de vérité. Les jeunes l'accueilleraient. Je le savais. Les autres, ceux qui avaient su et s'étaient tus, avaient laissé faire, eh bien, il faudrait qu'ils regardent en face leur passé.

Tout homme doit avoir le courage de se souvenir de ce qu'il a fait. A cette condition seule, il peut changer.

A Londres, alors que je m'avançais ainsi, pensant à ce qu'il me faudrait dire et faire en Allemagne, ce pays qui, durant six années de guerre, avait été l'ennemi des miens, à Londres qui représentait pour moi la citadelle de la liberté, de ceux qui nous avaient aidés, à Londres l'invincible – sur les toits du ghetto avec Rivka nous rêvions à ces bombardiers anglais qui viendraient raser notre ville et châtier les bourreaux –, à Londres que j'avais toujours cru être mon refuge, voilà que je trouvais mes premiers ennemis. Durs, violents. Et j'ai mis quelques heures à comprendre que j'allais devoir me battre dans le pays où je croyais ne compter que des amis. Quelques heures pour me décider à faire face. Mais après ces années, aujourd'hui, quand je repense à mon séjour à Londres, et que je m'interroge sur les raisons de ces attaques lancées contre moi, je ne comprends pas. Je me répète toujours : Pourquoi ? J'ai cent réponses. Toutes plus dures les unes que les autres pour l'équipe de journalistes du *Sunday Times,* le grand hebdomadaire rival de l'*Observer* qui écrivit trois ou quatre articles pour convaincre ses lecteurs que la star de l'*Observer* racontait n'importe quoi. Et la star c'était moi. Et le n'importe quoi c'était les miens et leur destin. Cent réponses. Et des amis m'ont, pour quelques-unes d'entre elles, les plus dures, fourni des commencements de preuves.

Mais pourquoi accuser ?

Je ne suis pas comme eux. Bien sûr, je n'appartiens pas à la généreuse catégorie d'hommes qui, quand on les frappe sur la joue gauche, tendent la joue droite. J'ai pris l'habitude de me défendre. Et je me suis défendu et je me défendrai. Mais accuser, pourquoi ?

Les journalistes de l'*Observer* étaient venus vers moi. Le *Sunday Times* m'attaquait. Leur équipe d'enquêteurs célèbres avait, en interrogeant d'autres survivants de Treblinka, écrit un article soulevant un grand nombre de problèmes à propos de mon livre : le camp de Treblinka n'était pas tel que je le décrivais ou plutôt, il était bien comme je le décrivais, mais à une date différente de celle à laquelle je déclarais m'y trouver. Les chambres à gaz, leurs portes, les pentes en ciment qui permettaient de faire glisser les corps des martyrs n'étaient pas exactement conformes à ma description, d'après certains témoignages. Dans l'insurrection du ghetto, j'avais vécu et raconté trop de choses. Etait-il possible que j'aie vraiment participé à tout cela ? Les survivants interrogés ne se souvenaient pas de moi. Et pour cause ! Les journalistes demandaient : « Connaissez-vous Martin Gray ? » Jamais ils ne parlaient de Miétek, mon nom de guerre.

Une grande fatigue s'est abattue sur moi quand j'ai lu cet article. Et celui où l'on disait que finalement, mon livre était immoral car j'y racontais comment, aux Etats-Unis, j'avais fait fortune en vendant des copies de pièces d'antiquités. On disait que je l'avouais sans aucun scrupule. J'étais donc un faussaire et non un antiquaire. Et, n'est-ce pas, puisque j'étais ce faussaire, pourquoi ne le serais-je pas aussi avec la période précédente ? On mettait aussi en cause ma collaboration avec Max. On disait que mon texte était « trop professionnel, construit, roman policier ».

J'étais las. J'avais envie de disparaître. Ces attaques, elles faisaient douter des hommes, de leur valeur. Je redescendais au plus noir de ma vie quand au milieu des bourreaux je me disais parfois que l'homme, tous les hommes étaient des bêtes féroces, des chacals impitoyables, des cannibales. Qu'il fallait être avec eux comme ils étaient avec nous. Des sauvages. Mais si l'homme était vraiment cela, pourquoi vivre ?

J'étais comme un homme sali par le comportement d'autres hommes. Car l'homme est toujours un miroir pour l'homme. Et ces questions insidieuses, ces interrogations habiles (car bien sûr il ne s'agissait que de questions : on n'allait pas jusqu'à dire que j'étais un faux survivant, des avocats avaient dû lire les articles pour que seules les insinuations demeurent, jamais des affirmations) c'était comme si moi j'avais été capable de les prononcer, de les formuler. J'étais las, déçu. Mais j'avais aussi des devoirs. Je recevais des coups de téléphone à l'hôtel où j'étais descendu, d'hommes et de femmes qui avaient lu mon livre et qui étaient scandalisés. L'une d'elles, une journaliste, m'attendait dans le hall de l'hôtel, fumant cigarette sur cigarette.

– Vous savez, disait-elle, c'est la guerre toujours entre l'*Observer* et le *Sunday Times,* une guerre terrible, chaque semaine. Alors voilà, vous êtes le ballon, c'est tout simple. Ils se servent de vous.

J'avais la nausée. Si cela était vrai, que devenait

l'homme, moi ? Qui avait pensé à moi ? Qui avait imaginé ce que pouvait me faire au plus profond une telle guerre ? Je découvrais la loi implacable, une loi de la jungle, qui fait que l'homme qui est devenu une « vedette » n'est plus rien qu'un objet qu'on vend et déchire.

– Mais ne vous laissez pas faire, disait la journaliste.

Machinalement, elle me tendait une cigarette, je refusai.

– Excusez-moi – elle riait –, moi, à votre place, cette petite bataille m'exciterait. Vous savez, on n'attaque que ceux qui sont en haut.

J'hésitais encore. Mon tempérament me pousse à répondre coup pour coup. Mais là, la désolation était plus forte en moi que la révolte. S'ils n'ont pas voulu comprendre ce que j'ai dit, s'ils ont préféré leurs raisons, leurs petites raisons à mon témoignage, que puis-je dire ? Je l'avais répondu déjà à ce contradicteur de Bruxelles, comment convaincre un chacal qu'il a tort d'être un chacal ?

Et puis, un journaliste de l'*Observer* posa devant moi un nouvel article du *Sunday Times*. Je l'ai gardé dans mes dossiers. Je n'ai qu'à le recopier aujourd'hui. Le voici :

> *La triomphale ascension de l'autobiographie discutée de Martin Gray* – Au nom de tous les miens – *a subi aujourd'hui son premier et plus important coup de frein. La semaine dernière, alors que le livre avait grimpé au sommet de la liste des best-sellers, en Angleterre, Marion Von Schroeder a annoncé qu'il arrêtait la préparation de publication du livre – en Allemagne – jusqu'à ce que les doutes sur la description de Treblinka telle qu'elle est faite dans le livre soient levés.*

Cet article me replongeait dans la guerre une fois encore. Treblinka : un million de victimes au moins et parfois jusqu'à dix mille par jour, et les trains arrivaient chargés de cinq mille personnes qui allaient courir sous les coups jusqu'aux chambres à gaz. Treblinka où j'avais vu les miens disparaître, Treblinka effacé pour le public allemand.

Il fallait donc se battre.

Je me suis battu. Spontanément, j'ai répondu point par point à toutes les insinuations; des témoignages de survivants sont venus, pour me soutenir. Citer les noms de Sam Goldberg de New York, de Taigman d'Israël, de Rochman de Montevideo, Strawczynski de Montréal, dire que mon livre était en Israël un best-seller, que j'étais reçu dans le kibboutz des survivants !

Je pourrais, je devrais à nouveau dire tout cela.

Ajouter les lettres aux lettres.

Montrer comment l'enquête du *Sunday Times* a été faite.

Avancer mes hypothèses. Et moi aussi peut-être faire des insinuations ?

Mais je ne plongerai pas mes mains dans la boue. Même si je le jetais au visage de mes contradicteurs, même si je montrais qu'ils en étaient couverts, mes mains resteraient sales. Et je ne le veux pas.

Après ces années, je veux dire que quelque chose était vrai dans ces accusations.

Mon livre n'était pas un journal tenu au jour le jour à Treblinka, dans les forêts de Pologne et dans le ghetto insurgé. Je n'étais alors qu'un gosse d'à peine seize ans. Mais mes souvenirs, ils sont inscrits dans la chair, pas dans le papier des archives. C'est vrai donc que j'ai pu confondre des lieux et des dates. Vrai aussi que j'ai raconté cela à Max et comme il l'avait dit dans sa préface, il a recomposé le livre. Pour qu'il soit lu. Sans changer la vérité mais parfois en modifiant l'ordre des mots. Je ne le regrette pas. Je ne voulais pas faire œuvre d'historien – il en est, par exemple le docteur Ringelbaum qui laissa d'admirables archives du ghetto –, je ne voulais que témoigner, faire connaître. Et mon témoignage existe maintenant dans des millions de cœurs. Parce que mon livre, porteur de vérité et d'émotion, des millions de lecteurs l'ont compris. Ils n'ont pas, eux, la poitrine vide.

Depuis, aussi, je sais bien plus de choses. Que, par exemple, même les historiens de la déportation ne sont pas d'accord entre eux. Comme si cet enfer des camps devait rester une zone floue, incertaine. Et comment n'en serait-il pas ainsi alors que la mort à chaque seconde marquait chaque témoin dans une atmosphère de folie ? Telle grande survivante française – Germaine Tillion, déportée à Ravensbrück, professeur – raconte qu'il y avait dans ce camp une chambre à gaz. Et un distingué professeur, auteur d'une thèse sur l'univers concentrationnaire, déportée elle-même, nie que cette chambre à gaz ait existé ! Y a-t-il mensonge ? Déformation de la vérité ?

En fait, Treblinka et les autres camps n'étaient pas des mondes comme les autres. Et la mémoire humaine, celle des déportés même, a pu ne pas tout enregistrer.

Treblinka n'était pas une université où l'on pouvait mesurer les distances et compter les baraques. Treblinka c'était les cercles de la mort. La folie au pouvoir. 10 000 victimes tuées chaque jour. Dix mille. La population d'une ville.

Imaginez cela, messieurs les enquêteurs distingués, imaginez.

Je ne veux dire encore que deux choses.

Cette année, aux Etats-Unis, dans un avion qui me conduisait avec Virginia, ma jeune femme, en Floride, je somnolais. Nous venions d'Europe et après escale à New York, nous continuions notre route. J'étais fatigué. Virginia m'a secoué violemment. J'ai sursauté comme réveillé par un cauchemar. Qu'y avait-il ? Mais l'avion continuait régulièrement sa route. Virginia, sans un mot, me tendit un journal. Elle paraissait hors d'elle, secouant la tête comme pour refuser de croire ce qu'elle avait lu, dont je reproduis ici les titres et les premières lignes. L'article est signé Bob Greene.

> *Un auteur proclame que les juifs n'ont pas été exterminés.*
>
> *Un professeur de l'université de Northwestern a écrit un livre dans lequel il proclame que les nazis n'ont pas exterminé les juifs durant la Deuxième Guerre mondiale.*
>
> *L'auteur – Arthur Butz, quarante-trois ans, associate professor of electrical engineering – dit qu'il a écrit ce livre « parce qu'il n'y a pas eu de programme d'extermination et que quiconque dit qu'il y a eu un programme d'extermination est un menteur ».*

Voilà.

Nous étions un million à Treblinka. Et j'y ai vu mourir ma mère, mes frères et Rivka.

Cela est la première chose.

La seconde la voici : mon livre n'a jamais été publié en Allemagne.

Il y a quelques mois, il a été traduit en langue allemande par un éditeur de Suisse allemande. J'ai été interviewé par le magazine *Quick* qui a plusieurs millions de lecteurs. Rares sont les libraires allemands qui ont passé commande de mon livre.

J'ai reçu deux lettres.

L'une d'un survivant juif. L'autre d'un Allemand antinazi.

Le passé, le lointain passé est-il donc si difficile à regarder ?

Pourquoi [1] ?

1. Trois faits qui font réfléchir, n'est-ce pas, se sont produits depuis que j'ai terminé ce chapitre.

– Le *Sunday Times* a affirmé que les Israéliens torturaient les prisonniers arabes. Une enquête a prouvé le contraire.

– Pour le *Sunday Times*, il semble que l'écrivain noir américain Alex Haley ait, dans son livre *Roots* (Racines), déformé la réalité. Des millions de lecteurs (Américains noirs, ethnologues et le Président de la République du Sénégal – le poète Senghor) sont d'un avis différent. Décidément, les journalistes du *Sunday Times* sont de formidables enquêteurs ! ! !

– L'auteur anglais David Irving vient d'écrire un gros ouvrage sur le troisième Reich. Il y démontre qu'Hitler n'a jamais ordonné le massacre des Juifs. Le livre est un best-seller. Cela dérange-t-il le *Sunday Times* ?

9

Notre faiblesse

Je suis rentré de Londres différent. J'avais beaucoup appris en quelques jours. Moi qui ne savais rien des habitudes des journalistes, qui imaginais que le respect de la vérité est le premier devoir de celui qui écrit, moi, l'autodidacte qui croyait aux mots, je m'interrogeais sur ces procédés étranges que j'avais subis. Mais je n'étais pas de l'espèce d'homme qui se laisse abattre. Au contraire, le combat me stimule.

Il y avait eu à Londres une conférence où le président de séance avait posé avant que je commence à parler une question. « Y a-t-il des journalistes dans la salle ? »

C'était semble-t-il une question rituelle de cette association dont j'étais l'invité. Pas une main ne s'était levée. J'avais parlé. A la fin était venu le temps des questions. Et le premier à se dresser, au dernier rang, était précisément l'un des journalistes qui m'avaient accusé d'erreurs. Comme il croyait que j'allais revenir sur ce que j'avais dit, il ouvrait son veston, montrait un petit magnétophone habilement dissimulé.

– Monsieur Martin Gray, j'ai tout enregistré.

J'avais réagi avec force, violence peut-être. Que m'importait qu'on m'enregistrât. On m'avait même dans une cour du ghetto collé au mur et les fusils du peloton d'exécution étaient dirigés vers moi et je n'avais dû mon salut qu'à ma présence d'esprit, j'avais bondi dans le soupirail d'une cave. Croyait-on, vraiment, que j'allais me laisser impressionner par un monsieur de Londres qui avait fixé ma voix sur une bande !

– Je ne suis pas un accusé, monsieur, avais-je dit. Je vous accuse.

Et je tendais le doigt vers lui. Se battre ne me déplaisait pas, c'est vrai. Et je sentais monter mon énergie et ma révolte parce que j'avais le sentiment d'avoir la justice avec moi. Je n'étais pas le défenseur de ma parole mais de leurs voix, à eux tous. Et à cause des insinuations, voilà que ces voix étaient étouffées en Allemagne. Là où elles auraient dû retentir avec une puissance inégalée.

Cela, je n'étais pas prêt à l'admettre.

Ce qui m'affectait cependant le plus, c'était dans cette lutte de quelques jours de m'être mutilé d'une partie, la plus chère, de ma vie. C'est comme si j'étais revenu à avant Dina et mes enfants. Personne ne m'avait dit un mot, un seul, de mes enfants, de Dina. Du deuil que je portais.

Qu'importait à ces messieurs.

Sans doute ne voulaient-ils pas parler de l'incendie de la Côte d'Azur parce que c'était un événement récent que tout le monde avait dans la mémoire et que c'était, n'est-ce pas, un événement impossible. Des victimes d'un incendie sur la côte la plus célèbre du monde ! Allons donc, M. Martin Gray raconte des histoires, diront peut-être un jour des hebdomadaires ! N'ai-je pas lu récemment dans l'un d'eux qui me consacrait un article élogieux, par un journaliste bienveillant qui m'avait interviewé longuement, dans un hebdomadaire français qui est publié à plus de trois millions d'exemplaires, que j'étais aux Etats-Unis pour affaires durant l'incendie du Tanneron ? Et pourtant tout le monde m'avait vu, des photos en témoignent. Il ne s'est passé que sept ans !

J'avais cru que ceux qui écrivent veillaient aux mots qu'ils employaient. Qu'ils se rendaient compte de l'immense pouvoir qu'ils détenaient. Mais non, ils jetaient les mots comme s'il s'agissait de pierres tombant au fond de l'eau. Mais l'eau, ici, c'était la conscience et le cœur des hommes, des jeunes, des femmes. Et qui peut dire quel est l'effet d'un mot dans la conscience et le cœur d'un lecteur ?

De cela, je parlais à Max. Je lui montrais les lettres que je recevais, toujours plus nombreuses. Les témoignages d'affection. Je disais :

– Seulement pour ces lettres-là, pour ce peu de force que nous avons pu donner à quelques personnes, seulement pour ça, je suis fier d'avoir écrit ce livre avec vous. Vous saviez que les mots avaient tant de puissance ?

Il secouait la tête.

– Ce sont toujours les cordonniers, dit-on ici, qui sont les plus mal chaussés. Je n'imaginais pas ces réactions de vos lecteurs.

Il était assis dans le petit appartement que je venais de louer à Paris. Il me fallait résider près des ministères où je me rendais souvent. J'avais quelque temps bénéficié pour ma Fondation de vastes bureaux dans un immeuble désert des Champs-Elysées. Un grand propriétaire de presse possédait ce bâtiment. Il avait été touché, disait-il, par ma tragédie, mon effort pour la protection de la nature. Il me prêtait des locaux pour le temps que je voulais. Puis, je lui avais envoyé mon livre. Et son aide, brusquement, s'était interrompue. Il avait besoin des bureaux, presque immédiatement.

Qui sait ? Il ignorait peut-être que j'avais porté le brassard des juifs. Et de la nature, il aimait peut-être tout sauf les juifs.

Je ne porte pas de jugement ou d'accusation. L'homme est mort et ce n'est qu'une hypothèse.

J'avais donc loué un appartement et Max était assis en face de moi, les mains croisées derrière la nuque. Je le sentais distrait. Il avait écouté mon récit des événements de Londres avec une sorte d'indifférence qui m'étonnait. Quand je l'interrogeais sur ses projets, il faisait une grimace.

– Des livres, disait-il, un livre encore, des mots comme vous dites, Martin.

Je sentais qu'il était pris dans une sorte d'inquiétude que je n'arrivais pas à nommer. Quand je l'interrogeais, il se dérobait. Je l'invitais à venir avec moi en Israël où je me rendais parce que mon livre était là-bas un immense succès et qu'après la boue qu'on m'avait forcé à remuer j'avais hâte de trouver des frères.

– Venez, venez, répétais-je, vous verrez, ce soleil, un pays... Il était agressif

– Ne me dites pas que c'est le paradis, Martin, je vous en prie, ne soyez pas fanatique, vous.

Il était injuste et il le savait bien. Mais celui qui a mal souvent crie dans tous les mots qu'il lance. Je le laissais crier. Je lui répétais que j'étais lié à Israël par toutes les fibres de ma vie, de mon histoire. Que j'avais trop souffert de notre dénuement pendant la guerre pour accepter qu'on nous privât à nouveau d'un lieu. Nous avions construit une patrie. Elle était nôtre. Et nous la défendrions comme nous avions défendu, les mains nues, notre ghetto. Mais je savais aussi que pour construire cette patrie, nous avions peut-être bouleversé la vie d'autres hommes. Je savais que nous ne pouvions clamer la justice si nous étions injustes. Que la guerre n'était jamais la solution. Je parlais.

– Vous savez bien ce que je pense de cela, qu'il y a place pour tous. Qu'il faut laisser parler les femmes et les enfants. Les soldats doivent se taire. Là-bas, pour moi, il ne devrait y avoir que des peuples vivant dans la paix. Bien sûr, c'est une utopie encore, et les grandes puissances se mêlent de tout déranger souvent. Si juifs et Arabes étaient seuls... Bien sûr, je ne laisserai jamais mourir ma patrie. Je suis aussi pour que chaque homme puisse, quelle que soit son origine, y vieillir. Voilà ce qu'il faudrait.

Lointain Max ; enfermé dans sa rêverie. Il se levait pour partir.

– C'est décidé, vous restez ?

Avant de sortir, il me tendit un télégramme.

– J'ai oublié de vous remettre cela.

Quand j'ai lu le télégramme, moi, j'ai oublié les inquiétudes si visibles de Max. J'ai oublié cet ami parce que le hasard une fois encore faisait surgir du passé l'un des compagnons de guerre. Hier, Marysia. Aujourd'hui, Joseph Rochman. Merci, messieurs les enquêteurs anglais, merci d'avoir écrit en si grosses lettres mon nom.

« Joziek » Rochman . un seul mot. « J'arrive. »

Il avait lu qu'on mettait en doute mon témoignage. Il cherchait à me joindre depuis que mon livre était sorti. Semaine après semaine, il m'avait manqué. Sa propre vie l'avait entraîné loin de mon itinéraire, mais puisqu'il lisait dans l'*Observer* et le *Sunday Times* qu'on polémiquait avec moi, Rochman mon vieux camarade du ghetto arrivait. J'oubliais donc Max, repris par ces camarades d'avant, ceux de mon autre vie, Rochman qui m'embrassait, qui me disait : « Miétek, Miétek », et il pleurait.

Je lui racontais l'histoire de Marysia. Il riait. Nous retrouvions les mots, les gestes. Il disait :

– Tu te souviens ?

Nous restions un moment silencieux l'un et l'autre et puis, oui, nous riions de la tragédie passée avant de redevenir tout à coup sombres, désespérés.

Rochman dans le ghetto, je le voyais presque chaque jour. Il distribuait les marchandises que je passais en fraude. Il me disait : « Demain si tu as dix sacs de pommes de terre, je te les prends. » Il était l'importateur en chef, le grossiste. Et moi, je lui livrais en gros. Après, lui courait les rues avec ses hommes, de détaillant en détaillant. « Tu as de la viande, demain ? » Et je me débrouillais pour trouver de la viande ou du blé, ou même, quelquefois, des bananes. Puis était venue la grande tempête, j'étais parti pour Treblinka. Lui avait vu sa femme et sa fille emportées vers le camp. Sa femme, l'une des plus belles de Varsovie.

Et nous restions les coudes posés sur les genoux, dans mon appartement, à évoquer son souvenir.

– Bien sûr, je suis remarié, disait-il.

Il me mettait la main sur la nuque, comme autrefois.

– Toi, toi aussi, Miétek, c'est trop tôt maintenant. Mais la vie te redonnera, sûr, Miétek.

Nous avions ensemble participé à l'insurrection du ghetto et plus tard quand les rues n'étaient plus que des vallées de flammes, nous nous étions perdus à nouveau, nous retrouvant encore dans le faubourg de Praga, quand j'arrivais des mois après avec les soldats. Rochman, comme moi, l'un de ceux qui avaient dans les yeux toute l'histoire violente de ces années. Lui aussi vivant malgré tout. Et le revoir me donnait encore plus forte l'envie de retourner en Israël, pour retrouver tous les anciens, ceux qui connaissaient les caves et le nom des rues de Varsovie, ceux qui avaient encore l'odeur de pierres chaudes sur eux, et les mains noircies par la bataille.

Il m'accompagnait à l'aéroport. Peu avant de partir, je voulus téléphoner à Max, une intuition, un besoin. Mais le téléphone sonnait en vain. Je donnai l'adresse de Max à Rochman.

– Va le voir, ai-je dit à Rochman, va le voir et s'il y a quelque chose, télégraphie-moi là-bas.

Rochman c'était un frère à qui je pouvais tout

demander. Nous nous comprenions d'un regard parce que des mois durant avec la mort au-dessus de nos têtes, nous avions joué nos vies, plusieurs fois par jour. La confiance entre nous était aussi nécessaire que le cœur dans le corps d'un homme. Au milieu des trahisons, notre clin d'œil, notre poignée de main, nos mains qui s'appuyaient sur nos nuques, c'était la connaissance de notre pacte que seule la disparition de l'un d'entre nous deux pouvait briser.

– Il ne va pas, Max, ai-je dit encore.

– Tu le connais bien ? a demandé Rochman.

– Fais comme si c'était moi.

Cela suffisait. Nous n'avions pas l'habitude des longues phrases avec Rochman, pas le temps jamais de mettre en mots ce que nous ressentions. Nous étions économes de temps, toujours. Une seconde suffisait à tout changer : le soir, jusque-là favorable, pouvait tourner contre nous. Une patrouille surgir au coin d'une rue ou un mouchard. Et c'en était fini de nous, de l'alimentation du ghetto.

L'avion a décollé et durant tout le vol, j'ai pensé à Max. Je suis intuitif, la vie m'y a contraint. J'ai, dès lors que j'ai commencé à réfléchir, immédiatement su que ses problèmes venaient de son enfant. Par là, il était faible.

Chacun porte en soi, comme le sol du monde, des lignes de fracture. Là, quand vient la secousse de la terre, s'ouvre le gouffre. Mais il peut aussi, si rien ne vient, si le tremblement des profondeurs est faible, ne pas s'ouvrir, ou au contraire, l'homme peut se briser, s'enfoncer comme un continent qui disparaît. Cela tient à la chance ou au destin. Ligne de faiblesse, elle existe en chacun de nous et pour Max, je la connaissais. Je souffrais pour lui, avec lui, comme il avait souffert avec moi. Je ne savais rien de précis. Je pressentais.

Je m'en veux aujourd'hui de ces quelques jours où je me suis laissé prendre par le soleil et les pierres sèches, les vergers et les hommes vigoureux d'Israël. Il me semble parfois que si j'étais rentré, j'aurais peut-être pu éviter ce qui se produisit.

Mais cela faisait trop de mois que j'étais seul malgré les témoignages de fraternité de mes lecteurs. Marysia, les souvenirs qu'il m'avait fallu préciser à Londres, Rochman, et d'abord ce qu'il m'avait fallu sortir de moi pour que le livre naisse, avaient rendu si présentes les années de guerre, que j'avais le besoin vital de retrouver des hommes de ce temps-là. De m'appuyer sur eux pour m'élancer à nouveau. Je reprenais âme dans mes racines profondes. Je n'oubliais ni Dina ni mes enfants, j'allais à notre source commune. Celle qui m'avait donné le courage, après la guerre, de partir aux Etats-Unis, qui m'avait toujours donné espoir qu'un jour, je rencontrerais une femme, et qu'avec elle et les enfants qu'elle me donnerait nous construirions la forteresse.

Maintenant, la forteresse était vide. Il fallait que je retourne à ma source.

J'ai rencontré Itchak Zuckerman. L'homme fort. Celui qui avant et pendant l'insurrection du ghetto allait par les égouts chercher des armes de l'autre côté du mur, pour qu'un jour nous cessions de nous laisser égorger. Zuckerman qui m'invitait à visiter son kibboutz Lochamet Haghetot, qui me montrait la maquette du ghetto qu'il avait construite et quand il appuyait sur un bouton, les tramways se mettaient en marche. Les tramways que j'avais tant de fois empruntés malgré Frankenstein le bourreau qui traquait les fugitifs et les abattait.

Zuckerman. Je ne l'avais jamais rencontré dans le ghetto, mais je l'avais toujours connu. Mon père, si souvent, m'avait parlé de lui.

Il me montrait la bibliothèque de son musée. Il sortait l'édition en hébreu de mon livre. Il disait :

– Tu m'enverras toutes les éditions, et je les mettrai là.

De son bras, il montrait les rayons.

Je me sentais frêle près de lui. J'étais redevenu un gamin du ghetto, admiratif. Et nous parlions des rues Gesia et Zamenhofa, de la rue Mila et de la rue Leszno, des rues Walova et Swietojerska, de mon oncle Julek Feld, l'un des chefs de l'Organisation juive de combat, de ces « bunkers, camarades, ils sont comme notre cœur et notre vie ». Nous parlions de notre chef, Mordekhai Anielewicz dont Zuckerman était l'adjoint direct.

Nous parlions.

Nous étions attablés dans un restaurant et nous avons commencé à boire, une vodka fraîche et âpre. A boire comme je ne l'avais plus fait depuis ces années-là. Dehors, il faisait si chaud sur notre terre d'Israël et nous, nous étions venus jusqu'à elle de si loin, rampant dans nos bunkers, nos égouts et nos caves. De si loin. Et nous levions nos verres à ce souvenir de la longue route cruelle qui conduisait pourtant à ce soleil vivant.

J'ai vécu plusieurs jours en Israël comme un temps d'éclaircie entre deux orages. Je roulais souvent seul sur les routes pierreuses, je visitais les kibboutzim et parfois je me demandais si je n'avais pas eu tort jadis, avant, avant Dina, de préférer les États-Unis à cette terre neuve. Ce qui m'avait retenu, alors, c'était le besoin de rejoindre ma dernière famille, ma grand-mère, mon oncle, et puis, la vie, après, Dina, les enfants, la décision de m'installer en France, parce que c'était l'Europe, la terre de mes origines, et que j'avais besoin de cela aussi.

L'homme est comme l'eau d'un grand fleuve, il n'est pas fait que d'un affluent mais de mille rivières qui se mêlent et parfois l'eau de l'une coule à la surface, et quelques centaines de mètres plus loin, c'est l'eau d'une autre qui donne sa couleur au grand courant. J'étais ainsi, comme tous, ainsi quand je visitais les quartiers arabes de certaines villes d'Israël, quand je traversais certains villages, je comprenais à la fois ceux des miens qui voulaient toujours garder l'arme au poing, prêts non seulement à se défendre, mais aussi, quelquefois, à conquérir. Mais je partageais, je devinais les sentiments de ces enfants bruns, de ces vieux la tête couverte d'un burnous, qui regardaient passer les patrouilles des soldats israéliens, de ces soldats qui lisaient mon livre, je le savais. Un journaliste n'avait-il pas déclaré qu'il fallait que chaque famille envoie à un soldat ce livre parce qu'il était celui de la mémoire, et qu'il faisait comprendre ?

Mais ces soldats vus par d'autres yeux, ces jeunes hommes vigoureux, leurs manches relevées, leur mitraillette sur la poitrine, pour ces enfants bruns et ces vieux, ils devaient apparaître comme des occupants. Je comprenais. J'étais divisé. J'aurais voulu pouvoir servir de trait d'union, mais mon pouvoir était faible. Et j'appartenais à l'une des deux communautés. J'étais lié à elle par le sang versé. Définitivement.

Mais comment faire comprendre aussi que les faibles, les plus faibles, n'ont jamais complètement tort, même quand ils se trompent ? Qu'au fond de leur folle révolte, et souvent elle conduit à des actes criminels, il y a l'étincelle, l'exigence de la justice. Et moi, je ne pouvais pas ignorer cela sans me renier.

Un soir, j'avais été invité par un couple dans la banlieue de Tel-Aviv. Ils avaient lu mon livre. Ils étaient originaires de Pologne. Ils connaissaient tous les quartiers, les villes dont je parlais, et leur fils, d'une vingtaine d'années, avait été enthousiasmé. J'avais accepté, et tout à coup, au milieu du repas, peut-être la fatigue, quelques images qui me revenaient, des visages de jeunes Arabes, je dis :

– Vous ne pouvez plus vivre comme ça ici, en ennemis avec eux. Même s'ils s'obstinent à ne pas comprendre. Il faut discuter, discuter, et c'est moi qui vous dis cela.

Il y eut un silence. Ils me regardèrent. L'homme me dit :

– Vous écrivez, Martin Gray, vous écrivez mais vous avez oublié, sinon vous seriez venu ici, avec nous, comme d'autres, comme Zuckerman.

Et il se leva :

– C'est parce que je n'ai pas oublié, ai-je répondu.

Plus personne ne parla. Et je compris que j'avais brisé une amitié naissante.

Mais comment masquer ce que l'on pense ?

– C'est bien, ai-je dit. Vous n'aimez pas voir la vérité. Tout commence pourtant par là.

Et je suis parti, rentrant à pied. Au bout de quelques dizaines de mètres je sentis qu'on me suivait. Le fils était derrière moi, me rejoignant bientôt.

– Moi, dit-il.

Et j'aimais qu'il mette sa jeune main sur mon épaule en signe de fraternité.

– Moi, qui suis un combattant, je vous comprends.

– Entre combattants – je me suis mis à rire –, un ancien combattant, et toi, le jeune, on ne peut que s'entendre.

Nous nous sommes assis au bord du trottoir, et nous avons parlé toute la nuit. Une nuit d'Orient, le ciel profond et clair. A la fin nous nous sommes embrassés.

Le matin, je repartais pour Paris. Durant tout le vol je songeais à ce jeune d'Israël, à ses cheveux courts qui bouclaient sur son front, à la vigueur de sa démarche, à sa générosité et j'étais fier, heureux. Puis au fur et à mesure que nous nous rapprochions du moment de l'atterrissage, une inquiétude naissait, je pensais à Max, à l'absence de nouvelles de Rochman. Une fois encore, j'avais un pressentiment : tous les jeunes n'ont pas la vigueur saine de celui qui, à Tel-Aviv, m'avait écouté. Il est des jeunes qui ont la fragilité des premières fleurs : un coup de vent suffit à disperser leurs pétales. Et ils ne restent d'elles que le souvenir amer de ce qu'elles auraient pu être, plus tard, quand les couleurs prennent de la force et que la plante s'épanouit.

Rochman m'attendait. Nous nous embrassions.

– Tu l'as vu ? ai-je demandé.

Je n'avais pas besoin de préciser qui je voulais qu'il ait vu. Nous connaissions déjà les questions et les réponses, de l'un et de l'autre, sans avoir parlé. Nous étions de trop vieux complices. Mais il fallait aller jusqu'au bout.

– Je l'ai cherché, a dit Rochman. Personne, même pas l'éditeur, ne savait où il avait disparu.

– Tu l'as vu ? Il est revenu ?

Rochman faisait oui de la tête.

– Grave ?

Nouveau silence de Rochman.

– Et comment va-t-il, lui ?

Pourquoi demander ce qui s'était passé ? Pourquoi le dire ? Même à l'autre bout du monde on sait quand celui qui vous est cher connaît le malheur. Ou alors que veulent dire les mots amitié et fraternité ?

– Il a recommencé à travailler, dit Rochman.

– Il lutte comme ça, dis-je, c'est sa manière.

– Il est comme toi, maintenant, murmura Rochman.

Nous ne nous sommes rien dit de plus et je n'écrirai pas davantage.

10

Cette nuit-là, j'ai attendu un signe

De Max, je l'ai dit, je ne parlerai plus. Son histoire est à lui et la douleur est le plus intime de soi. A chacun de décider s'il veut la proclamer ou la taire.

Je dirai encore un mot, parce que cela nous est commun. Quand nous nous sommes revus des semaines plus tard, sur la pelouse de ma propriété des Barons, nous avons gardé nos mains serrées l'une dans l'autre longtemps. Le ciel était d'une insolence insupportable : bleu, découpant les reliefs au loin, durement. Joyeusement. L'air était vif. Nous avons marché sur la route en silence.

Je voulais conduire Max jusqu'à la stèle que les élèves de Tanneron avaient élevée, au-dessus du tournant, là où la voiture des miens avait quitté la chaussée. Ils avaient aussi planté des arbres. Un enfant un arbre. Je montrais à Max cette fragile forêt, ces pousses que le vent courbait. Il avait les mains derrière le dos, il était face au vent.

– Votre Fondation, a-t-il demandé, ça va ?

J'ai expliqué. Ce concours que j'organisais entre les différents établissements scolaires de France, les gagnants partiraient aux Etats-Unis, toute la classe ; je sollicitais l'appui des organismes officiels, du Crédit agricole, j'allais d'un bureau à l'autre. On m'offrait des affiches, un artiste, des sculptures que l'on allait vendre aux enchères à Saint-Tropez, au cours d'un grand dîner.

– Venez, ai-je dit, allons, venez avec moi. Sinon, au milieu de ces gens, que vais-je dire ? je n'aurai pas d'ami parmi eux.

Max secouait la tête.

– Et votre travail, il avance? ai-je alors demandé.

– Commencé un nouveau livre. Ce sont mes arbres à moi. Je plante aussi.

– Il faut, ai-je dit, il faut vivre.

– Il faut.

Nous n'allions pas pleurer l'un sur la peine de l'autre. Nous nous connaissions. Nous savions ce qu'est une plaie ouverte.

Nous sommes retournés vers les Barons, restant à regarder, depuis la route, devant chez moi, la mer et les îles, ce paysage lointain que la clarté de l'air semblait rapprocher.

– J'ai cherché à vous joindre, ai-je dit. Je me doutais. Et puis, je me suis souvenu.

Une vraie peine, c'est seul d'abord qu'il faut l'affronter. Après, quand on a lutté contre elle, pour qu'elle ne vous terrasse pas, après, on peut rencontrer les autres. Pas avant. Pour tous c'est ainsi.

Je me suis souvenu. Peu après que nous avions acheté nos chiens, Lady avait mis bas trois chiots, des animaux d'une beauté émouvante, et nos enfants étaient fous de ces bêtes qui paraissaient tituber sur leurs pattes, et qui restaient le plus souvent couchées contre le ventre de leur mère. Puis deux d'entre eux étaient morts. Une herbe avalée, une maladie intestinale, le vétérinaire ne comprenait pas. Lady soignait le troisième, le léchait avec une attention douloureuse, ne bougeant plus. Et lui aussi pourtant était parti.

La tristesse avait envahi notre maison. J'avais fait faire un long voyage aux enfants pour essayer de leur faciliter l'oubli de cette cruauté qu'a parfois la vie.

Comment comprendre que la beauté et la jeunesse soient ainsi frappées sans raison?

Et j'avais observé Lady, et tous nous souffrions avec elle de sa recherche vaine de ses petits. Elle courait dans la maison, allait jusqu'à la porte, venait renifler la couverture et le panier où ils avaient été couchés. Nous la caressions. Elle s'allongeait alors un instant, nous regardant chacun à tour de rôle, quêtant une réponse, semblait-il.

Sans doute a-t-elle compris quand ma fille aînée, Nicole, s'est précipitée dans les bras de Dina, posant sa tête sur les genoux de sa mère, sanglotant, répétant :

« Maman, maman, elle est malheureuse, tu vois, elle est malheureuse. »

Dina berçait Nicole et pendant que je cherchais des yeux à rassurer mes autres enfants, que je cherchais à inventer une explication à ce qui n'en a pas, Lady s'était levée. Elle avait couru jusqu'à la porte entrebâillée, l'écartant de son museau et de sa patte et avant que nous l'ayons rejointe elle était déjà dans les taillis, s'enfonçant dans les ronces, seule, et Yellow le chien ne la suivait pas, restant allongé devant la façade, la suivant seulement des yeux.

Nous avions vainement cherché Lady, les enfants l'avaient appelée toute la journée.

– Elle ne reviendra peut-être pas, murmura Dina, tout bas pour que les enfants ne l'entendent pas.

– Elle reviendra.

Je n'avais pas d'inquiétude. Lady reviendrait. Disant cela, je voulais me persuader aussi mais au fond de moi, je comprenais. Lady, loin de nous, voulait se donner la force de reprendre le chemin de la vie.

Et je me souvenais d'elle maintenant alors que Max me quittait, qu'il me disait :

– J'ai préféré m'éloigner quelque temps, en effet. Vous êtes le premier ami que je revois.

Nos mains encore l'une dans l'autre. Et sa voiture qui partait vite sur la route en pente, longeant le paysage lointain.

Puisqu'il lira ce livre, Max saura ce que je ne lui ai jamais dit, mais qu'il a peut-être compris dès ce temps-là. Que sa douleur multipliait la mienne. Que j'avais comme jamais depuis la nuit de l'incendie le désespoir en moi. J'avais cru revenir plein de force d'Israël. J'ai cru que toutes ces lectures que je faisais depuis des mois, cette tentative pour me comprendre et situer mon destin, l'expliquer, m'aideraient. Mais l'épreuve qui frappait Max me conduisait à nouveau à m'interroger sur les liens mystérieux qui dans la vie rapprochent les êtres, les conduisent à se lier d'amitié.

Est-ce qu'il y a un hasard ?

– Qu'étais-je, moi ?

Je me souvenais des conversations que nous avions

eues avec Max. Je me souvenais des lettres reçues. Tant de plaintes en elles, comme si j'étais une sorte de puits sans fond où les lecteurs jetaient leurs souffrances, ou bien criaient pour que leur voix leur revienne, transformée par l'écho.

Ils hurlaient : « J'ai peur, je ne comprends rien à ma vie. »

Et ils voulaient entendre : « Tout cela n'est que le sort commun, moi qui ai connu tant de tragédies, je vous dis : continuez. »

Tel était souvent notre dialogue. Je l'acceptais. Mais en regardant s'éloigner Max me revenaient des phrases, quelques-unes, pas plus d'une poignée sur tant de brassées, des lettres-épines, cruelles. « Vous portez malheur, Martin Gray, vous sentez la mort, Martin Gray. »

J'avais sans doute, au cœur de moi, le sentiment d'être coupable. Qui ne l'est pas s'il survit à ceux qu'il aime ?

Je croyais avoir surmonté ce sentiment pour l'avoir analysé, encerclé de raison, enchaîné de logique. Mais il se libérait, puissant, rageur.

Et ce que venait de connaître Max me faisait m'interroger. Il était venu vers moi et voilà qu'il était frappé à son tour. Alors, hasard ? destin ?

Et Dina s'était liée à moi. Et elle avait succombé.

Etais-je vigoureux comme un maléfice qui détruit ceux qui le touchent ?

J'avais après le départ de Max envie d'enfoncer ma tête dans la terre : ne plus regarder un homme, ne plus toucher ce qui vit.

Sait-on vraiment ce que cela signifie que de se dire, ne fût-ce qu'un instant : « Je suis maudit » ?

Je crois que revenaient en moi toutes les malédictions qu'on avait jetées sur mon peuple. Comment avais-je pu les connaître ? Je venais à peine de les découvrir en lisant ces récits où l'on nous accusait au XIXe siècle de conspiration contre le monde, où, plus grave encore, durant plus de mille ans on nous avait rendus coupables de la mort du Christ !

Oui, cela vivait en moi cette nuit-là.

J'ai tout à coup su quel sens avait le propos d'une secrétaire, une jeune femme brune et sympathique qui travaillait chez mon éditeur. J'étais entré dans son bureau sans qu'elle m'aperçoive. Elle téléphonait, tout entière prise par sa conversation passionnée.

– Tu comprends, disait-elle, il y a des gens comme ça qui portent la guigne. Si tu t'approches d'eux, tu es perdu. C'est comme s'ils étaient contagieux. Tiens, moi depuis que nous publions, tu sais je t'ai parlé de cette histoire, cet Américain, sa femme, ses quatre enfants...

Quelqu'un avait poussé la porte derrière moi, me heurtant, la secrétaire avait levé la tête, m'avait aperçu, avait rougi.

– Ah, Martin Gray, avait-elle dit, vous avez besoin de quelque chose ? Je te laisse, avait-elle ajouté à mi-voix à son amie.

Elle avait raccroché. Je n'avais pas prêté beaucoup d'attention à ces propos. L'action me tenait dans son poing : organiser, organiser, conférence à Brest, à Lille, au Mans, affiches à expédier, travail, travail, la campagne de la Fondation, vaincre l'indifférence de ceux que j'appelais « les assis ». Et la secrétaire, d'habitude si lente à se décider à m'aider, multipliait ce jour-là les prévenances, téléphonait pour moi aux organisateurs, préparait l'envoi des livres. Que voulait-elle me faire oublier ?

Sur le moment je n'avais aucune conscience des raisons de son comportement. Mais il m'atteignait après des semaines, il me forçait à lutter pour ne pas me laisser moi aussi envelopper par cette folie de la culpabilité magique. Il me fallait refuser cette solution de facilité que sont finalement ces gestes si simples : se frapper la poitrine et dire avec l'orgueil de la fausse humilité : « Je suis coupable, je suis le mal, je suis un sorcier noir, qu'on me tue, il faut que je disparaisse. »

Cette voix, elle était la tentation.

Elle est souvent l'habile déguisement derrière lequel la lâcheté se cache. On est atteint dans ce qu'on a de plus cher. On se dit : C'est ma faute. Je n'ai plus le droit de vivre, il faut que je me punisse. On se croit courageux d'accepter ainsi cette punition.

Et ce que l'on cherche c'est à se délivrer du devoir de vivre avec sa douleur. En la regardant en face. En acceptant d'être à la fois innocent et coupable, d'être seulement un homme qui ne porte ni tout le bien ni tout le mal du monde inscrit dans son destin.

Mais pour parvenir à cette sagesse il fallait le temps, la réflexion, le détachement. Et cette nuit-là, celle qui suivait la rencontre avec Max, je n'avais rien de cela.

J'étais pris par la tempête. Une fois encore je me reprochais d'avoir survécu, d'être comme le symbole vivant de la mort.

Cette nuit-là j'ai attendu un signe. J'étais assis le dos appuyé à la face de ma maison et les pierres chauffées par le soleil de la journée étaient la seule chaleur qui entrait en moi. Ma tête allait de part et d'autre, j'avais envie de crier. J'essayais de réciter à haute voix ces passages que j'avais appris par cœur, au cours de mes nuits de lecture et de solitude, et tout à coup des mots me sont venus qui n'étaient pas des mots lus, mais des mots du centre de moi, des mots qui me rendaient une respiration plus calme. Phrases lentes, douces, questions que je m'adressais et réponses que j'écoutais. Je parlais seul dans la nuit et je me sentais mieux, je disais :

> *Il faut découvrir sa source, trouver le sens du courant qui nous porte, accepter, se reconnaître, devenir ce que l'on doit être, porter à la lumière le moi qui gît au fond de soi.*

Je parlais, puis j'ai commencé à écrire ce que ma voix intérieure me dictait.

Mon écriture est maladroite : je forme mal les lettres, j'écris tous les mots en majuscules. J'écrivais mélangeant l'anglais et le polonais. Je me calmais en écrivant. Je chassais hors de moi cette tempête, je me hissais hors du gouffre. Je m'avouais que le temps était peut-être venu pour moi de m'adresser à nouveau aux autres par un livre. J'en avais besoin. Mais je savais aussi que je ne pourrais plus compter sur Max pour m'aider. Il avait sa propre route à parcourir. Et puisqu'il était lui aussi frappé, il faudrait qu'il marche longtemps seul.

Moi, saurai-je ?

Ce désir, cette manière que j'avais de me parler en parlant et en écrivant, était-ce le signe que j'attendais ? Ou bien cette nuit difficile ne l'était-elle que parce que je mûrissais en moi depuis longtemps ce désir d'écrire, que j'en avais déjà parlé à Max qui avait souri quelques mois auparavant ?

– Vous savez, Martin, écrire, cela vient presque malgré soi, si vous ne pouvez pas faire autrement que de dire des mots, s'ils sont assez nombreux pour vous forcer à vous asseoir pendant des heures, seul avec eux, alors vous écrirez. Et vous voulez ?

Je ne savais pas encore à ce moment-là. Je lui montrai des lettres de lecteurs qui m'invitaient à publier d'autres livres. Et une phrase revenait : « Nous avons besoin de lire des livres comme celui que vous avez écrit. »

– Ce n'est pas d'eux que viendra le besoin, Martin, disait Max, mais de vous. Si vous n'avez pas de besoin, vous, il n'y aura pas de livre.

Maintenant j'avais besoin. Je notais. Je parlais devant le magnétophone. Je répondais à toutes ces questions que me posaient les lecteurs. Et je disais :

La vie c'est partager. Ne pas rester enfermé en soi. C'est ouvrir son existence au monde.

Je ne savais pas encore comment rassembler toutes ces pensées. Aurai-je l'audace de faire de ces grands mots, de ces questions de toujours, un livre qui porterait mon nom, moi qui n'étais ni philosophe ni écrivain ? Cela je ne pouvais en décider encore. Mais les mots venaient et avec eux la nuit passa.

Le lendemain l'action me reprit. Des eucalyptus à planter là où étaient les pêchers détruits par l'incendie. Nous creusions avec le paysan, nous parlions. J'aimais cet homme de l'effort, qui connaissait le poids d'une pioche et la manière de dégager les racines d'un arbre.

Dans ce milieu que j'avais traversé et que je croyais connaître depuis que j'avais publié mon livre, les hommes n'avaient pas, il me semblait, cette vérité un peu rugueuse, de qui transforme les choses matérielles. Je suis peut-être injuste mais je trouvais que le maçon qui travaillait pour moi, le jardinier, Mme Lorenzelli, le paysan ou ces kibboutznikim qui fertilisaient le désert étaient des hommes plus vrais.

Je trouvais qu'il était fou de séparer les hommes en groupes si différents : les uns pour l'écriture et la pensée, les autres pour le travail des muscles. Un homme était un tout.

A midi nous nous sommes assis devant ma maison, face à face avec le paysan de part et d'autre de la table de pierre. Je regardais ces rides profondes comme des cicatrices sur le visage du paysan, cette lenteur dans les gestes.

– Comment ça va ? ai-je demandé.

Le paysan m'a regardé, avec surprise. Il mangeait lentement, comme moi.

Je l'avais étonné en lui montrant la grosse vasque de bois que j'avais remplie de salade seulement assaisonnée de levure et de citron Mais il n'avait pas ri, et ne m'avait pas interrogé. Maintenant, je sentais qu'il ne comprenait pas ma question.

– On aura fini de les planter demain ou après-demain, disait-il, en montrant le champ.

– Ce n'est pas ça, ai-je dit, comment ça va vous ?

– Moi ?

Il se touchait la poitrine, répétait : « Moi ? »

– Vous.

– Je peux travailler, je suis encore solide. Mes enfants – il s'interrompit, gêné brusquement, mais je faisais un geste. Ce mot ne me faisait pas peur –, mes enfants, reprenait-il, vont bien. Alors ça va.

Plus tard, vers la fin de notre repas, quand nous nous connaissions mieux, il m'a dit qu'il voulait que son fils soit ingénieur agronome, connaisse ce que lui n'avait pas pu apprendre. Mais seulement il gagnait peu. Pas de terre à lui, pas de maison à lui. Des enfants encore jeunes. Le manque d'argent.

– Ça ne va pas, disait-il. – Il me fixait. – Je peux vous parler franchement, monsieur Martin Gray ?

Je ne répondais pas.

– Oui, je vais vous parler avec ça.

Et il touchait sa poitrine.

– Je vais souvent dans des propriétés où la haie de cyprès qui entoure le parc coûte plus cher que ce que je gagne en une année de travail. Ça, vous voyez, monsieur Martin Gray, ça, je trouve que ça ne va pas. Des différences, d'accord. On n'est pas tous pareils, mais quand les uns ont trop et les autres...

Il s'arrêta, me sourit.

– Vous faites un peu partie des autres, non ?

C'était vrai. Je n'étais pas parmi les pauvres. Au contraire. Je possédais, j'étais riche. Et peut-être fallait-il que je m'explique là-dessus. J'étais devenu riche à la façon d'un inventeur, d'un découvreur de trésors. Car je n'avais jamais vécu du travail des autres. Mon bénéfice ne me venait pas de l'exploitation de l'homme. J'inventais, je découvrais que les Américains allaient avoir une passion pour les objets anciens. Et j'allais là où se trouvaient ces objets, j'en fabriquais même.

Un jour où je discutais de cela avec Max, il m'expliqua que même sans exploiter directement des hommes, je pouvais à ma place être un rouage d'une grande machine qui vivait de l'injustice sociale. Sans doute avait-il raison. Je ne veux pas me défendre. Mais je dois dire que j'avais travaillé des années comme une bête, si épuisé certains soirs d'avoir déchargé mes camions remplis d'objets anciens que j'en étais ivre. Et qu'il m'arrivait de trouver le sommeil comme on s'évanouit.

Je n'aimais pas la richesse. Elle était pour moi un gouffre. A trente-cinq ans je m'étais retiré en France pour ne pas m'enfoncer dans cette poursuite sans fin de plus d'argent, de plus de possession. Je sais – qu'on ne me croie pas, que m'importe puisque je sais – que si je n'avais pas été un enfant du ghetto lancé dans le trafic pour survivre et aider les siens, j'aurais aimé être un homme qui construit : un architecte qui voit peu à peu sa pensée sortir de terre. Et j'avais rêvé que mes fils choisiraient cette profession. Pour cela j'avais préparé leur route, acheté des terrains.

Et puis, étant un enfant persécuté de la guerre, j'avais, c'est vrai, peur aussi de ne pas être libre de mes gestes. Pouvoir changer de lieu, d'activités, de maison, ne dépendre de personne. Voilà aussi pourquoi je m'étais battu aux Etats-Unis.

Liberté, indépendance, c'étaient mes buts. Je les avais conquis.

Egoïste ? Animal solitaire qui cherche sa proie ?

Peut-être. Je ne défends pas mon passé. Il est ce qu'il est. Je n'en ai pas honte, je n'ai jamais trahi. On m'a souvent trahi. J'exigeais beaucoup de ceux qui travaillaient avec moi. Je suis ainsi : une machine qui a besoin d'agir. Mais je crois que je donnais autant et plus qu'on me donnait.

Assis en face du paysan je comprenais que sur ce plan-là, au moins, la vie ne m'avait pas été hostile. Mais je savais aussi que j'étais resté moi-même. Que je n'aimais ni le luxe ni le pouvoir sur les hommes. J'étais comme le paysan. Avec lui j'étais bien, j'étais du même troupeau. Celui du travail et non celui de l'exploitation des autres.

Et cela je le compris encore mieux le soir suivant quand je me suis retrouvé avec ma veste blanche, celle que je portais quand avec Dina nous descendions parfois à Cannes assister à des représentations du Festival du film. Moi maintenant, assis à la grande table dans le patio de l'une des plus belles villas de Saint-Tropez, pour le gala que l'on donnait en mon honneur. Et j'avais voulu cela, ou au moins je l'avais laissé faire.

Il y avait là l'artiste qui allait vendre ses œuvres aux enchères au profit de la Fondation Dina Gray. Il y avait là la star aux yeux verts, au visage lisse et au sourire fixe. Il y avait là la vedette de music-hall au corsage couvert de paillettes. Et il y avait ces hommes en smoking dont les briquets d'or brillaient dans la lueur changeante des bougies.

J'étais là et pourtant j'étais encore avec le paysan. Cela me rappelait ma visite au Marchand qui avait voulu s'emparer de ma Fondation. Je n'avais pas vendu les miens et leur souvenir. Au gala de Saint-Tropez, avec le Tout-Paris autour de moi, indifférent ou ironique, j'étais au centre de la table. Je voyais les lueurs jouer sur les remous de la piscine, j'entendais les voix chuchoter autour de moi. Ma voisine se penchait, j'écoutais sans comprendre. Puis l'organisateur du gala me demanda de dire quelques mots. Je me levai. Je regardai ces visages. A quelques exceptions près, je ne reconnaissais dans ces regards que peu de sympathie. Une curiosité amusée souvent. Le plus souvent du sarcasme à peine masqué.

Où étaient les visages des auditeurs de mes conférences ? Où étaient ces hommes et ces femmes qui se recueillaient pour honorer la mémoire de tous les disparus ?

Je dis seulement quelques mots. Et l'on commença les enchères.

La générosité de l'argent, c'est la plus facile. On pose un billet dans un plat d'argent que fait circuler le maître d'hôtel. On se cambre en lançant un chiffre. Oh, je ne veux pas critiquer ceux qui donnent. Il est des gens que l'or étouffe et qui sont incapables d'un geste. Ils continuent, gavés, d'être avides. Ils sont morts et continuent de se croire vivants. Mais je dois dire, et si l'on me traite d'ingrat j'en assume le risque, que je voyais ce soir-là à Saint-Tropez trop de satisfaction orgueilleuse à montrer sa générosité.

Facile de lancer un chiffre. Un chiffre, c'est un son, abstrait, ça ne pèse pas et, qui sait, l'on peut faire une bonne affaire puisque l'on achète une œuvre d'art. Et l'on s'achète aussi une bonne action.

« *Allons, mesdames et messieurs, encore un petit effort, soyez généreux, cette sculpture, une pièce unique pour... qui dit mieux ?* »

Il y avait un frisson, un mouvement de curiosité. Qui allait lancer le chiffre, qui ?...

Et l'on voyait une femme se pencher vers son voisin. Ils riaient, ils chuchotaient. Et la femme, si belle, le dos nu, les seins à peine masqués, levait son bras et à chacun des doigts de sa main je distinguais les lourdes torsades de bagues en forme de serpents.

Elle disait le chiffre. Déjà les « oh » flatteurs, l'émotion dans les voix la payaient de son audace. Bravo, madame, merci, madame, merci pour la Fondation Dina Gray.

Je dis cela sans hargne, sans colère, comme je l'ai senti alors et comme je le ressens aujourd'hui.

On peut m'accuser de m'être prêté à cette comédie. Pour améliorer les recettes de la Fondation. On en a le droit. Mais j'avais en tête de grands projets. Et je voulais aussi que mon action soit connue. Quand la star aux yeux verts et la vedette au corsage étoilé sont à la même table, les échotiers remplissent les colonnes des journaux. Le monde est ainsi fait. On parla de la Fondation comme on n'en avait pas encore parlé. Qui utilisait l'un pour servir l'autre ? Eux, ceux du Tout-Paris pour se distraire et accroître leur gloire, ou moi, pour les mettre au service de mon action ?

Chacun jugera comme il voudra.

J'ai quitté le gala en me souvenant du paysan. A sa manière lente de soulever la pioche, à ce qu'il m'avait dit de ses espoirs. Un fils agronome.

Je pensais à ces enfants condamnés à mourir de faim dont me parlait un écrivain revenu de l'Inde. Massacre des innocents. Et à ces victuailles gaspillées sous la lumière tremblante des chandeliers.

Et cela, malgré le succès remporté par le gala, qu'on me pardonne, me donnait la nausée.

Je ne suis pas resté au bord de la piscine au-delà du nécessaire. J'ai laissé le gala et ses participants élégants et célèbres parler entre eux de ce qui les passionnait : les riens importants qui font leur vie : *La dernière boîte ouverte par... à... Ce restaurant, mais oui, le chef est un élève de... et les boudins de rouget qu'il fait comme entrée sont...*

Ce monde m'était étranger. Riches, heureux, Dina et moi nous n'avions jamais pactisé avec lui. Nous étions restés à l'écart entre nous. Nos enfants et notre amour nous suffisaient.

A quoi servait cette parade perpétuelle où se complaisaient tant de couples ? Quel vide en eux voulaient-ils remplir ? Chaque fois que je m'étais mêlé à eux, serrant leurs mains, écoutant leurs propos, observant leurs sourires et leurs éclats de rire, la tête légèrement rejetée en arrière, j'avais eu le sentiment de me trouver au milieu de masques, d'automates. Je pensais à ces deux poupées mécaniques, des chefs-d'œuvre de l'art du XVIIIe siècle, que j'avais achetées à Munich et qui, quand on les remontait, faisaient quelques pas, esquissaient une rotation comme si elles s'apprêtaient à danser, levaient le bras.

Leurs corps cachés derrière la soie de leurs robes du soir ou le drap de leurs smoking, leurs cœurs dissimulés sous le rimmel, leurs expressions déformées par l'habitude mondaine des politesses, étaient-ils encore des hommes, des femmes, ces « grands » personnages dont on voyait les noms et les sourires sur les affiches des spectacles ou de la politique ? Vidés d'eux-mêmes pour la plupart.

Je marchais dans les rues bruyantes de Saint-Tropez. Ma voiture était garée loin, sur un terre-plein au-delà du port. Je savais que je ne deviendrais pas comme eux.

Trop lourde en moi, la vie. Trop nombreuses, mes racines. Mes rides étaient trop profondes pour que je puisse, même si je le désirais, les effacer avec le maquillage des beaux usages.

Souvent, Max m'avait dit :
– Martin, d'une certaine manière vous êtes un primitif, vous en avez la force.
Malgré l'amicale ironie du propos, son exagération, je comprenais qu'il y avait quelque chose de vrai dans son jugement.
J'y retrouvais ce que me disait Dina qui, durant des années, avait, aux Etats-Unis, été mêlée à la vie mondaine. Mannequin, elle y avait été contrainte.
– Toi, me disait-elle, ce qui m'a plu, c'est que tu ne leur ressembles pas.
Je ne voulais, je ne pouvais pas leur ressembler.
Si être primitif, c'est avancer sans masque, avec ses désirs et ses colères sur le visage, parler avec des phrases directes, brutales parfois comme peut l'être un coup d'épaule, alors, j'étais un primitif.
Mais dans les propos de Max il y avait autre chose aussi. Il voulait dire que je n'avais pas été *arrondi* par la culture, et peut-être aussi affaibli par elle.
On va dire : « Martin Gray est l'adversaire de la culture, l'ennemi de l'intelligence. » On m'en a accusé.
Un soir, dans l'une de mes conférences, à Paris, un jeune homme dont le visage reflétait la douceur, les yeux noirs, l'intelligence, s'était levé.
– Martin Gray, disait-il, vous parlez toujours de force, de courage, vous dites : Il faut faire face, j'ai refusé de mourir. Vous dites : Il faut résister. Il y a une chose que vous ne semblez pas comprendre, c'est qu'il faut aussi savoir ne pas agir, qu'il faut apprendre à méditer. Et je sais que durant la guerre dont vous parlez un peu trop souvent, des hommes saints se sont laissés mourir pour être fidèles à leur serment de ne pas tuer. Mais cette culture-là vous ne l'évoquez jamais.
Ces hommes saints, ces hommes de culture, je les connaissais. J'avais encore dans la mémoire leurs chants. Je les voyais rassemblés, vêtus de noir, de longues tresses tombant sur leurs épaules, récitant. Et le murmure qui s'élevait au-dessus d'eux dans la petite pièce où ils étaient serrés l'un contre l'autre me faisait trembler d'émotion.
Mon père, tant de fois me les avait donnés en exemple. Ils étaient les témoins, les Justes, ceux qui, par le sacrifice de leur vie, disent que l'homme, pour une idée de l'homme, peut accepter de mourir.

Leur culture était leur manière de résister à la barbarie. Leur refus de se battre était façon de lutter pour l'homme. Cette culture-là, je la respectais même si j'avais choisi une autre voie.

Mais il était une autre forme de la culture et je l'avais rencontrée chez certains auteurs que je croisais dans certaines réceptions ou en attendant sur les plateaux de télévision.

Une culture du bord des lèvres. Ils échangeaient des titres de livres et des citations. Ils riaient de jeux de mots que je ne comprenais pas sans doute mais qui, même si j'en saisissais le sens, me paraissaient futiles.

Culture ? Je donnais trop d'importance à la culture pour qu'elle devienne ainsi un jeu.

Si être primitif, c'était croire qu'écrire était une chose importante, qu'un livre devait toujours être chargé de sens – sinon, à quoi bon ? – alors, j'étais un primitif.

Pour moi, l'homme qui avait le privilège de la culture devait être deux fois homme.

Et je voyais souvent parmi ceux que l'on disait gens de culture – écrivains, journalistes – des mondains, des hommes au masque semblable à ceux du gala de Saint-Tropez.

Cette culture-là, elle diminuait l'homme. Elle lui arrachait même sa vitalité. Elle n'était pas pour moi.

Je marchais sur les quais du port, me dirigeant vers ma voiture, et une jeune femme, tout à coup, s'est mise à marcher près de moi.

Il devait être 2 heures du matin. La terrasse du grand café de Saint-Tropez était vide, seules les enseignes des boîtes de nuit clignotaient, bleues et rouges. Je me suis arrêté pour la regarder. Jeune fille plutôt que jeune femme, des cheveux blonds mi-longs encadrant un visage rond, avec deux rides précoces de part et d'autre de la bouche, des yeux vifs et provocants. Pas de maquillage, un mélange dans l'allure générale – un pull-over, ces pantalons serrés – d'extrême jeunesse, de grâce et déjà d'artifice, de simplicité vraie et de calcul.

Nous nous regardions.

– Oh, dit-elle, n'imaginez pas que je suis une professionnelle.

Elle secouait la tête, elle riait, ses cheveux tournant autour d'elle.

– Mais j'aime pas finir la nuit toute seule. Ils m'emmerdent là-bas.

D'un mouvement du menton, elle montrait l'entrée d'une boîte de nuit.

– Dans un moment, ils vont sortir et ça va leur en boucher un coin de me voir avec vous.

Elle me prenait le bras.

– Vous voulez bien que je reste un moment avec vous, comme ça ? Vous habitez ici ?

Depuis, depuis la disparition de Dina, aucune femme ainsi, aucune femme n'avait pris mon bras de cette manière tendre et équivoque aussi. Et peut-être n'en avais-je jamais regardé une avec autant d'attention. J'avais la voix grave, je me sentais gêné et maladroit.

– Je partais, ai-je dit, je rentre chez moi.

– Vous habitez où ?

Il y eut des bruits de voix devant la boîte de nuit. Des appels : « Sylvia, Sylvia... »

Sylvia serra mon bras, m'entraîna pour que nous nous mettions à marcher. Elle cria.

– Salut, je m'en vais.

Elle chuchota :

– Vous n'habitez pas avec votre femme, j'espère ? Vous avez une allure de célibataire, je me trompe ?

Je ne répondis pas. Quand nous fûmes assez loin de la boîte de nuit, elle abandonna mon bras, s'assit sur une borne, les pieds sur l'amarre d'un yacht.

– Vous n'avez pas un yacht comme ça, non ?

Je la regardais, la découvrant dans la lumière d'un lampadaire, plus jeune encore, plus frêle que je ne l'avais d'abord cru.

– Mais vous avez quel âge ? lui ai-je demandé.

Elle était trop désinvolte, riant fort.

– Vous voulez ma carte d'identité ? Je suis majeure, allez, ne vous inquiétez pas. Vous voulez même que je vous avoue quelque chose ? J'ai un enfant, oui un petit garçon de trois ans, Nicolas, vous ne me croyez pas ?

Tout est possible toujours.

– Je vais rentrer, a-t-elle dit.

Elle se levait, grave.

– Vous habitez où ?

Elle reprenait son air léger, ironique.

– Je trouve toujours quelqu'un, vous savez, pour me prêter un lit, toujours. Vous ne me croyez pas?

Provocante aussi.

– Et votre fils?

Je m'en voulais de continuer à rester ainsi à parler avec elle et je savais que mes questions n'avaient peut-être pas d'autre but que cela, parler avec cette jeune femme au milieu de la nuit.

– Ça vous choque, hein? continuait-elle.

Son visage s'était fermé.

– C'est un homme qui me l'a fait, Nicolas, vous savez, je suis même mariée. Ce sont mes parents qui le gardent.

– Et votre...

J'hésitais, je pensais qu'il valait mieux que je parte.

– Mon mari, pas intéressant, mon mari. Gentil. Mais qu'est-ce que vous vouliez que je fasse avec un type avec qui je m'ennuie? Il est ennuyeux.

Elle sautait de la borne. Elle se tenait en équilibre sur le bord du quai, penchée au-dessus de l'eau, une jambe levée, les bras écartés.

– Vous non plus vous n'êtes pas marrant. Vous habitez où?

– Loin, dans la campagne, une maison isolée. Le Tanneron.

Elle se retournait.

– Vous n'êtes pas le type...

Elle s'interrompait, s'approchait de moi.

– Celui dont la femme et les enfants...

Elle mettait sa main sur sa bouche, comme une petite fille qui avait commis une faute et que l'instituteur surprenait.

– Excusez-moi, disait-elle.

– Pourquoi?

Elle m'observait un instant, curieuse.

– Après tout, oui, pourquoi? Vous êtes un type comme les autres, non? Vous voulez m'emmener chez vous, maintenant? Ça vous gêne? Je suis majeure, je vous le jure. Ça vous rassure?

Je la regardais. Je devinais, sous la violence des phrases et l'agressivité de son attitude, la faiblesse et, encore plus dissimulés, un désarroi et un désespoir qui me touchaient. Je pensais à Max et à ce qu'il venait de subir. J'imaginais la vie de cette jeune femme, à ce que pouvait être son avenir. Et pourquoi me faire plus pur que je ne suis ? J'étais sûrement aussi attiré par Sylvia, par sa beauté gracile, la manière même dont elle m'avait pris le bras, ce premier contact équivoque que j'avais avec une jeune femme depuis...

Il y a eu un cri, et mes pensées ont été interrompues. Sylvia était tombée à l'eau, entre les coques de deux yachts. Elle savait nager, elle criait et riait, j'apercevais sa tête dans la lumière du lampadaire qui faisait un rectangle dans l'eau noirâtre. Je me suis accroupi sur le quai, me tenant d'une main aux amarres, tendant mon bras que Sylvia saisissait. « Merde, merde », répétait-elle.

Je la hissai difficilement. Elle était plus lourde qu'elle ne paraissait. Enfin, elle fut sur le quai, près de moi, toute trempée, ses cheveux collés au visage accusant encore la jeunesse de son visage mais me faisant découvrir aussi ce que je n'avais pas senti d'abord, la détresse. Les deux rides que j'avais vues, de part et d'autre de la bouche, d'autres déjà, les accompagnaient, rides creusant le front, prenant le coin des yeux. Le visage était rond, celui d'une petite fille, mais la peau avait déjà les signes de l'âge. Pire, un âge plus avancé que celui de Sylvia. Parce que je crois, chaque expérience ratée, cette manière que devait avoir Sylvia de s'offrir, par curiosité ou par lassitude et ennui et sans doute par défi, et peut-être par besoin, s'était gravée en elle. Les rides du visage, comme des cicatrices, fines, imperceptibles au premier regard mais qui se révélaient après.

Elle se frottait la tête avec les deux mains, ébouriffant ses cheveux, disant d'une voix tendue :

– Quelle idiote je suis, et je n'ai que cela à me mettre.

Elle était redevenue une petite fille qui a perdu son orgueil et son masque.

– J'ai une couverture dans la voiture, ai-je dit. Et si vous n'avez pas mieux, j'ai beaucoup de chambres vides dans ma maison. Vous pourrez dormir et vous sécher.

Je me suis mis à marcher devant elle sans me retourner, ne cherchant pas à savoir si elle me suivait. Je me suis installé dans ma voiture, et à ce moment-là, Sylvia s'est penchée vers moi. Elle avait un visage bougon :

– Où est votre couverture ? m'a-t-elle demandé.

J'ai ouvert la portière arrière, elle est entrée dans la voiture, commençant à se frictionner avec la couverture.

– Qu'est-ce que vous voulez faire ? ai-je dit sans me retourner.

– Je m'en fous.

Elle toussotait, grognait. Elle était une petite fille égarée dans la vie. J'ai démarré sans penser plus avant et jusqu'à ce que nous arrivions devant les Barons elle ne parla plus. Je me suis garé devant la chaîne qui ferme l'entrée du parc. La maison était une masse sombre pareille à un rocher. Au loin, les lueurs des lampadaires paraissaient être des guirlandes balancées par le vent. Elles signalaient les routes qui traversaient la plaine. Le silence autour de nous, mon silence que j'aimais, nous enveloppait.

– Mais c'est un désert ici, m'a dit Sylvia.

Elle grelottait.

– C'est le château de Barbe-Bleue, a-t-elle dit en riant.

Mais je la sentais craintive, désorientée. Elle était une enfant du bruit et des rues, elle était perdue dans la nature.

Je l'ai fait entrer dans la maison et avant de lui montrer sa chambre, j'ai allumé un grand feu dans la cheminée.

– Si vous voulez rester là, ai-je dit, vous pourrez dormir ici.

J'ai montré le divan, les coussins, les couvertures.

– Vous aurez chaud et il y a la lumière des flammes.

J'avais posé sur le divan des vêtements secs. Elle me regardait.

– Je vais me changer, a-t-elle dit.

Je suis monté au premier étage sur la terrasse. Je ne voulais pas qu'il y ait entre cette jeune femme et moi la moindre situation équivoque. Elle était là parce que dans cette nuit nous avions besoin l'un et l'autre d'une présence humaine. Et sans doute si je l'avais écoutée est-ce parce qu'elle était une femme attirante. Mais maintenant, chez moi, chez nous, là où j'avais vécu avec Dina et mes enfants, elle n'était qu'une amie qui avait besoin d'un toit.

Je restai longuement accoudé au muret qui entoure la terrasse. Le ciel déjà commençait à s'éclairer à l'est, dévoilant la mer et les montagnes. Je n'avais pas sommeil. Je revivais cette soirée qui avait commencé par le gala, puis la rencontre avec Sylvia, ces jeunes gens sur le pas de la porte, devant la boîte de nuit, qui l'interpellaient, je repensais à ce qu'elle m'avait dit : « J'ai même un fils, Nicolas. » Je songeais à Max, à ces parents qui m'écrivaient pour me parler des difficultés qu'ils rencontraient avec leurs enfants et à ces jeunes gens qui m'expliquaient après mes conférences : « J'essaie de parler avec mon père ou ma mère, mais... »

Ils faisaient un mouvement de la tête : « Ils n'ont jamais le temps ; si on nous expliquait comme vous nous expliquez... »

Il n'était pas nécessaire d'être un expert en civilisation ou bien un lecteur de statistiques pour découvrir que les jeunes, dans notre monde, souffraient. Pas nécessaire de répéter après tant d'autres : violence des jeunes, drogues pour les jeunes, chômage pour les jeunes, incompréhension des problèmes de la jeunesse.

Je n'avais qu'à regarder Sylvia.

Elle s'était endormie sur le divan. Elle avait étendu ses vêtements sur le sol devant la cheminée, plaçant son pull-over sur le dossier d'une chaise, et ce pull-over trempé, des manches courtes, ce vêtement, pauvre et délavé, me faisait mesurer, mieux que tout ce qu'elle aurait pu me dire, sa faiblesse. Elle dormait, la couverture tirée jusqu'au menton, le bras sur les yeux. J'ai fermé le rideau devant la baie vitrée sans qu'elle se réveille et je suis sorti, marchant dans les herbes couvertes de rosée.

Pas de fatigue en moi, comme si le matin en se levant, peu à peu, me redonnait aussi la vigueur du jour nouveau. Une joie aussi, celle de l'effort physique, reprendre contact avec la terre par la marche, se baisser, sentir l'herbe humide et l'odeur du sol mouillé, savoir par le corps, avant même de raisonner, que j'étais une partie vivante de l'univers, respirer, faire entrer en soi cet air neuf et purifié de l'aube.

Peut-être le désespoir de tant de jeunes venait-il de là, de ce qu'ils avaient oublié qu'ils étaient aussi des plantes qui avaient besoin de la nature.

Maintenant que, depuis ma tragédie, des mois s'étaient écoulés, je découvrais combien j'avais eu raison de donner à la fondation le but de protéger l'homme dans son cadre de vie. L'homme et la nature étaient liés comme la peau au corps. Impossible de séparer l'une de l'autre sous peine de créer des plaies. Quand les brûlures détruisaient la peau, le corps mourait et bien sûr l'intelligence, l'esprit. Il fallait que la peau respire pour que le corps se développe.

Dire tout cela à toutes les Sylvia d'aujourd'hui, les avertir, leur réapprendre à trouver le contact avec l'univers. A se savoir, à se sentir partie vivante de lui. Voilà aussi quelle était ma tâche.

J'ai marché jusqu'à ce que le soleil fasse naître au-dessus de la terre une couche cotonneuse de brume puis je me suis dirigé vers ma maison.

Devant la porte, Sylvia me faisait signe. Elle portait la chemise que je lui avais prêtée. Les manches retroussées, les cheveux rejetés en arrière, elle paraissait plus jeune encore. Elle m'appelait, se dirigeant vers moi en courant.

– C'est le paradis ici, monsieur Gray, disait-elle.

Elle était essoufflée, elle se mettait la main sur la poitrine.

– Vous fumez? ai-je demandé.

Elle s'arrêta en face de moi, me regardant avec ironie.

– Vous, dit-elle, vous êtes du genre emmerdeur, non? Moral, pas fumer, pas boire, pas...

Elle s'arrêta, hésitant devant le mot que je devinais.

– Chacun suit la route qu'il choisit, ai-je dit. Mais je crois qu'il faut savoir où la route conduit, non? Les routes que vous avez prises, vous avez toujours su où elles vous menaient? Les risques que vous alliez courir?

Elle haussait les épaules.

– Alors, Sylvia, si vous ne saviez pas, vous n'étiez pas libre. Etre libre, c'est savoir ce que l'on risque et choisir clairement, quand même, cette route-là. Sinon, vous êtes comme une aveugle qui s'avance vers un précipice en croyant aller vers la forêt.

– Ouais, dit-elle, ouais je vois, vous êtes vraiment un emmerdeur.

Je me suis installé au soleil.

Sans que je sache exactement à quoi je le devais, il me semblait que j'avais franchi une frontière. Que je quittais les zones les plus pourries de ma vie pour des pays où les éclaircies deviendraient plus nombreuses.

Peut-être le drame que Max avait connu, ce coup que le destin me donnait par ricochet, en frappant un ami, était-il une dernière épreuve ? Et je l'avais traversée, trouvant, cette nuit-là, les mots en moi, commençant à écrire.

Maintenant il me semblait que mon corps lui-même se dénouait, le soleil entrant en lui, clameur bienfaisante, douce, qui m'apportait une sorte de paix physique que déjà la marche dans le matin m'avait donnée.

Sylvia me regardait m'asseoir, ouvrir mes dossiers sur la table de pierre, en plein soleil, installer mon magnétophone. Je parlais à voix basse :

> *L'homme et la nature forment un tout qui vit mais qui peut mourir. Séparés l'un de l'autre, chacun devient pierre infertile. Et si l'homme ignore la nature ou la détruit, il s'ignore et se détruit lui-même.*

Sylvia s'était approchée. Elle riait ironiquement.

– Oh là là, je comprends mal l'anglais, mais je sais que vous faites dans le prêchi-prêcha. Ah non, vraiment, moi je suis pas faite pour votre genre de discours, brr – elle faisait mine de frissonner – brr, vous n'avez pas du café ou un paquet de cigarettes ?

Je faisais non de la tête.

– Pas de ce genre d'excitant, hein ?

C'est moi qui riais.

– Moi, c'est la vie qui est mon excitant. Elle suffit, non ?

– Vous êtes un drôle de type, dit Sylvia, mais vraiment...

Elle entra dans la maison et je continuais à travailler. Elle ressortit après s'être changée.

– Vos vêtements sont sur le divan, dit-elle. Vous voulez bien me raccompagner jusqu'à une route où je puisse faire du stop ?

Je me levai.

– Tout de suite, si vous le désirez.

– Oh, oui.

J'ai conduit très vite en descendant la route en lacet du Tanneron, mais, au lieu de m'arrêter à l'entrée de l'autoroute, j'ai continué vers Saint-Tropez.

– Ne vous dérangez pas, disait Sylvia.

– Je vous laisse là où on s'est rencontrés hier soir. Au même point.

– Je m'en veux de vous avoir...

– Mais non, c'était intéressant.

– Je suis un cobaye pour vous? Un cas? Vous allez me mettre dans un de vos livres?

– Vous êtes une personne, Sylvia, et une personne, c'est tout un univers, c'est unique, unique. Commencez par penser que vous êtes unique. Ayez l'orgueil de cela et la modestie de cela aussi. Car chaque personne est unique.

Nous nous sommes tus jusqu'à Saint-Tropez. Sur les quais, au milieu de la foule des touristes, de jolies femmes le corps presque nu, des hommes aux tenues excentriques.

Au cœur de cette joie qui me paraissait factice parce que trop affichée, j'ai laissé Sylvia.

– Mon numéro de téléphone est dans l'annuaire. Appelez-moi si vous avez un problème.

Elle souriait avec assurance.

– Vous êtes gentil, Martin Gray, mais, vraiment, vous êtes un remède. Je préfère le whisky et le tabac, OK?

Elle se pencha, m'embrassa sur la joue.

– Merci pour l'hospitalité et le transport jusqu'ici. Je vous ai fait perdre du temps. Et je vous ai rien donné en échange, ça, j'aime pas.

Elle clignait de l'œil. Un peu équivoque.

– C'est pas dans mes habitudes, continuait-elle. Mais il ne tenait qu'à vous.

– Vous m'avez beaucoup donné, Sylvia, votre vérité.

Elle parut interloquée.

– Oh là là, voilà qu'il recommence. Salut, Martin.

Elle fit joyeusement claquer la portière et je la vis qui s'éloignait dans la foule, en sautant, gamine.

J'ai beaucoup travaillé ces semaines-là. J'ai planté des arbres neufs, désherbé, écrit. J'ai aussi couru d'une ville à l'autre, pour prononcer des conférences que les associations les plus diverses ou bien un lecteur me demandaient.

Dans beaucoup de villes, en effet, quelques-uns de mes lecteurs se réunissaient. Mon livre leur servait de trait d'union. Un noyau se constituait et on m'invitait à venir.

J'avais besoin de ce contact. Je découvrais ce que je pressentais et que les lettres déjà me révélaient : que l'homme est toujours mieux qu'on ne dit, qu'on ne croit. Qu'il est prêt à la confiance, à la générosité. Qu'il ne cherche que l'occasion de parler. Mais qui la lui offre ?

Je mesurais quel potentiel de confiance et de force il y avait dans les villes de ce pays. Et dans toutes les contrées du monde. Qu'il était fou que continuent les violences, la guerre, les rivalités, alors que les gens vrais, ceux de la vie simple, ceux qui formaient les foules – et quand la guerre venait, les soldats, les victimes – ne désiraient que l'entente.

Je n'étais pas un homme politique. Américain habitant en France, je n'avais pas à choisir entre les mots en *isme* qui se partageaient l'opinion de ce pays. Mais je pouvais aider à la compréhension de bien des problèmes : dire la cruauté de la violence, la dureté de notre civilisation où le profit et l'argent sont rois, parler de la nécessaire liberté, crier que la nature est un bien vital, le sang de l'homme, et qu'on ne pouvait la laisser se vider sous peine de voir l'homme mourir.

A ma manière, je participais aux débats de ce temps. Et j'en avais le droit : le XXe siècle dans sa fureur barbare s'était inscrit en profondes cicatrices dans ma vie.

C'est en rentrant de l'une de ces conférences que j'ai trouvé un télégramme épinglé sur ma porte.

« *Téléphoner service urgences, hôpital de... chambre 27. Signé : P.* »

Je ne connaissais personne portant ce nom. Au Tanneron on me confirmait que le télégramme m'était bien adressé.

Je téléphonai donc à l'hôpital. « Patientez une minute. »

La sonnerie de la ligne occupée rythmait mes questions et tout à coup j'eus la certitude qu'il s'agissait de

Sylvia. Quand j'entendis la voix de la jeune femme, je n'avais plus aucun doute. Avant même qu'elle ne prononce son nom, je disais :

– Qu'est-ce qu'il y a, Sylvia, vous avez besoin de moi ?

Elle disait quelques mots d'une voix affaiblie, elle répétait : « Excusez-moi, je... »

Puis, elle éclatait en sanglots.

– Je viens, ai-je dit.

La semaine qui avait précédé, il avait fait un temps frais pour une fin d'été sur la Côte, avec des pluies fréquentes et même deux orages de grêle qui avaient laissé sur les bas-côtés de la route du Tanneron des plaques blanches de grêlons serrés les uns contre les autres. Un hiver précoce, disait-on. Mais alors que je descendais vers la mer en ce début de matinée, je reconnaissais les couleurs douces des belles journées. Le temps avait à nouveau changé. Il allait faire chaud encore, et le mauvais temps n'avait été qu'une grippe chassant par une courte fièvre toutes les toxines du corps. L'automne allait être sain, chaud, rouge.

Avant de quitter les Barons, j'avais demandé à Mme Lorenzelli de préparer l'une des chambres d'amis, et je l'avais prévenue :

– Une jeune femme va venir habiter ici quelques jours.

Je n'avais rien évoqué avec Sylvia, mais j'étais sûr qu'elle avait besoin d'aide et de repos.

Mme Lorenzelli avait croisé les bras ; elle répétait :

– Une femme.

Je la devinais hostile.

– Ici ?

Elle veillait sur moi, sur les souvenirs des miens. Je suis allé vers elle, je l'ai forcée à s'asseoir, la prenant par le bras.

– Une jeune femme, une petite fille, ai-je dit, une amie, simplement une amie, madame Lorenzelli ; si Dina était encore là, elle l'accueillerait aussi. Il n'y a pas autre chose.

Elle se levait.

– Moi, disait-elle, je ne dis rien. Vous êtes un homme, monsieur Gray, vous êtes encore jeune, moi je vous donnerais pas tort, mais il faut que je m'habitue et une femme comme Mme Dina, vous ne la trouverez plus jamais ; enfin, avec vous, est-ce qu'on sait ? Il vous arrive le pire et le meilleur.

Je repensais à cette conversation en garant ma voiture près de l'hôpital. Sylvia pour moi ce n'était qu'une personne en détresse, pareille à ces lecteurs qui m'écrivaient parfois me demandant que je leur téléphone, parce que, et cela m'étonnait chaque fois, ils voulaient se persuader que j'étais vivant. Cela les rassurait. Pareille aussi à ces touristes qui s'arrêtaient devant les Barons, qui s'avançaient vers moi : « Vous êtes bien M. Martin Gray ? demandaient-ils. On voulait simplement vous serrer la main. »

Une infirmière me guida jusqu'à la chambre de Sylvia.

– Vous êtes un parent ? avait-elle demandé.

– Son oncle.

Dans ce genre de situation, j'ai toujours une réponse. Une vieille habitude du temps de guerre quand il fallait inventer vite, pour sauver sa vie.

Sylvia était assise dans une petite chambre peinte en vert. La fenêtre donnait sur un palmier et des fleurs à la vive couleur orange. Sylvia lisait, et sans maquillage elle semblait encore plus jeune. Elle avait les poignets bandés. Elle a levé la tête quand je suis entré. A fait une grimace.

– Je ne sais pas pourquoi, ça m'a pris comme ça de vous téléphoner.

– Vous avez bien fait.

Je m'assis sur le lit.

– Une nièce, quand elle va mal, appelle toujours son oncle, non ?

Elle a paru un instant interloquée, puis elle a éclaté de rire. Et ce rire me faisait du bien, il était signe de vie.

– Vous voulez venir passer une semaine aux Barons, dans ma maison déserte ? Il n'y a pas de bureau de tabac à proximité, ai-je dit. Pas de boîte de nuit.

Elle me regardait. Elle faisait lentement oui d'un mouvement de tête.

– Si on me laisse sortir, murmurait-elle.

– On vous laissera.

De cela j'étais sûr. On peut toujours partir quand on le veut. Quand les portes sont fermées, il y a les fenêtres. Je me suis mis à lui raconter l'une de mes évasions. Quand j'eus fini, elle dit :

– Je sais tout cela, Martin. Les premiers jours ici, il y avait quelqu'un là dans le lit voisin – elle montrait le deuxième lit –, un malade grave. Il lisait votre livre. Il me l'a prêté. Comme ça, je l'ai lu, sans l'acheter – elle me faisait un clin d'œil ironique.

– Je vous l'aurais donné.

– Je l'aurais pas lu, à ce moment-là. Mais quand j'ai eu fini, je crois que c'est pour ça que j'ai eu envie de vous téléphoner.

Elle est restée aux Barons presque dix jours, se rétablissant peu à peu. Ce fut une douce et bonne semaine pour moi. Il y avait dans les grandes pièces, sur la pelouse devant la façade, une voix juvénile qui, parfois, chantonnait. Il y avait une personne à qui je pouvais montrer des photos, sans que la douleur me terrasse parce que je sentais que Sylvia partageait mon souvenir. Elle se mettait au piano dans notre salle de musique, austère, où personne n'était plus entré pour faire vibrer la vie, depuis le 3 octobre 1970.

Elle jouait lentement, avec tendresse et gravité, pour ne pas provoquer ce silence qui semblait, sous les voûtes grises de la pièce de musique, être là accumulé depuis des mois.

J'étais assis sur les marches, j'écoutais ces notes qu'elle séparait à dessein, je retrouvais l'enchantement de la musique que j'avais fui. J'avais eu peur de la musique, de sa puissance d'émotion, de tous les souvenirs qu'elle faisait naître en moi, tant de concerts partagés avec Dina, chaque note comme un frisson.

Mais Sylvia jouait et peu à peu je me réhabituais à cette forme de vie supérieure, aérienne qu'est la musique, je ne comprenais pas comment j'avais pu me priver d'elle.

Qu'apportait mon sacrifice? La musique était une partie essentielle de ma vie. J'écoutais et je regardais Sylvia, les poignets bandés de pansements blancs qui couraient sur le clavier du piano. Elle ne m'avait encore rien expliqué; mais en avait-elle besoin? Même si elle n'avait pas eu ces pansements, j'aurais deviné qu'une nuit la vie avait dû lui paraître trop noire, comme un tunnel sans fin où l'on marche sans croire qu'un jour le cercle clair va se découper devant soi.

Elle avait donc choisi de s'enfoncer davantage. Et la mort, n'est-ce pas un grand, un profond tunnel dont on peut, quand la fatigue est trop grande, croire qu'il va nous accueillir et qu'il comporte, lui, une issue ?

Durant les trois premiers jours, donc, Sylvia ne dit rien. Nous nous retrouvions le matin sur la pelouse. J'avais déjà arrosé. Je lisais ou j'écrivais ces phrases qui me venaient comme par saccades sans que je puisse interrompre le flot. Dès que Sylvia apparaissait, je mettais de la musique et nous restions ainsi jusqu'à l'heure du déjeuner sans échanger plus de quelques mots. Elle paraissait somnoler. Moi, j'écrivais, porté par ma voix intérieure qui me dictait et la musique qui m'entraînait.

Le quatrième jour, Sylvia s'est levée et a arrêté la musique. Le silence, un instant, puis les oiseaux et le vent.

– Je ne vous ai jamais raconté, Martin.

J'ai posé mon stylo. Le moment était venu.

– Il n'y a rien à raconter, ai-je dit.

– Moi, je dois vous raconter.

Elle commença par la fin. Ce journaliste de la télévision, brillant, fin, qu'elle avait rencontré chez des amis à Saint-Tropez. Qui la raccompagnait, qui restait avec elle toute la nuit.

– D'habitude, disait-elle, je ne me laisse pas prendre comme ça ; là, je ne sais pas. L'homme était tendre, une épouse plus vieille que lui, du charme et du talent. Le désir de passer quelques jours avec une jeune femme.

Ils étaient sortis ensemble. Il l'emmenait avec lui dans les réceptions. Il y avait eu une émission de télévision enregistrée à Saint-Tropez et Sylvia y avait participé. L'homme lui disait : « Toi et moi ensemble, ce pourrait être formidable, tu me redonnes du talent. »

– D'habitude, disait Sylvia, je me méfie. Mais là, il semblait croire ce qu'il disait. Il m'expliquait que nous allions vivre ensemble. Que nous ferions les reportages ensemble. Il y a eu une deuxième émission et vraiment, j'ai travaillé avec lui. Je lui parlais de mon fils et il voulait connaître Nicolas. Vraiment il était sincère.

– Il l'était, ai-je dit.

Elle répétait d'un air buté « non, non ».

Je n'ai pas cédé.

L'homme était sincère, de cette sincérité qui est comme le suprême des artifices que l'on se donne à soi pour que le plaisir d'une aventure soit plus grand. Car vivre avec une femme quand on sait qu'il ne s'agit que d'une courte rencontre cela ennuie vite.

Il faut que je le dise. Quand je suis arrivé aux Etats-Unis, jeune, violent, avide, quand, sortant de l'enfer, j'ai pénétré ce monde de la paix et de la liberté, j'avais les dents aiguës comme un jeune loup. Je voulais réussir. Je voulais prendre tous les plaisirs. Et j'ai aussi connu des femmes, changeant souvent, un visage, quelques mots, un corps, un instant de plaisir. Et très vite, j'ai mesuré que cela n'était rien qu'une fuite terne et sans joie.

Alors je comprenais le journaliste. Avec Sylvia, jeune femme qui se voulait sans principes, il avait joué, avec sincérité, la comédie de la grande passion.

– Il était sincère, ai-je repris, sincère comme un acteur de talent. Vous comprenez, Sylvia ? Chaque soir, il faut qu'il retrouve un peu de sincérité. Il faut qu'il croie à ce qu'il dit, sinon, comment jouerait-il ? Qui le croirait ?

– Je l'ai cru, m'a répondu Sylvia.

– Et vous, vous ne jouiez pas la comédie.

Elle m'approuvait avec un sourire las.

Un soir, le journaliste...

Mais pourquoi poursuivre ?

C'est une histoire si banale que celle de la jeune femme qui s'est imaginé que sa vie allait recommencer et qui découvre tout à coup que ce n'est, malgré la qualité de l'acteur, la beauté de ses tirades, que la même pièce qui recommence. Histoire de corps et de lits. Le tunnel sans fin. Et l'on choisit le tunnel de la mort.

Moi, ce qui m'intéressait, c'était avant. Comment Sylvia, intelligente, sensible, avait-elle pu, ainsi, se laisser porter par les événements, nuit après nuit, roulée sans réagir par la vague de la vie qu'on ne contrôle plus.

Je l'interrogeais et elle parla sans difficulté. Ainsi je découvris mieux ce monde des jeunes d'aujourd'hui qu'il m'arrivait d'entrevoir grâce à une lettre que l'un d'eux m'écrivait. Parents dévoués mais qui étaient pris par leur métier, par leur mode de vie. Ils donnaient à leur fille tout ce dont elle avait besoin. Sauf ce qui leur était précieux : le temps. Ils ne donnaient donc que le superflu de leur vie. Et entre l'enfant et les parents se creusait le silence.

– Et, continuait Sylvia, ils ne parlaient que de travail, travail.

Elle haussait les épaules.

– Je ne suis pas contre le travail, mais – elle se prenait la gorge – cette idée de toute une vie à travailler, à faire un boulot qui ne me tentait pas, et peut-être même ce boulot je ne l'aurais pas trouvé, pas facile de travailler, ça m'angoissait, ça me serrait là, la gorge. Vous comprenez, Martin, vivre, je ne sais pas, mais, à seize ans, on s'imagine que ce doit être important la façon dont on vit, les sentiments qu'on a. Et moi, ce que je voyais, Martin, je n'avais pas envie de vivre comme ça, comme eux.

J'écoutais.

Qu'offrait notre temps à toutes les Sylvia du monde ?

Moi, quand j'étais jeune, je vivais au milieu des barbares. Mon père m'avait enseigné le combat pour l'avenir. Ma vie, je lui donnais un sens. Mon père, mon oncle, tous les adultes que j'admirais avaient semé en moi l'idée que la vie est héroïque Qu'au centre de la mort, il y a encore l'espoir. Que la vie toujours renaît dans les pas de la nuit. J'avais une mission dont je m'étais acquitté. Et Rochman, et Zuckerman comme moi.

Puis, aux Etats-Unis, j'avais été pris par la grande machine de la réussite.

Plus tard, je l'ai contestée et maintenant je vois tous les gouffres qui s'ouvrent sous les pas de ceux qui y consacrent leur existence. Mais cette machine, elle me poussait encore à l'action, elle développait mon énergie psychique, énergie dévoyée, j'en conviens, maintenant. Mais énergie quand même.

Et je ne crois pas qu'on puisse vivre sans énergie. Cela, je ne l'admettrai jamais.

A deux ou trois reprises nous avons eu avec Sylvia de durs affrontements. Elle était pour le refus de l'effort. Elle disait encore : « Pourquoi, pourquoi s'agiter, courir ? » Elle me citait ces philosophies orientales que, précisément, je découvrais depuis quelques mois, m'imprégnant de ces sagesses mais lucidement, les regardant aussi d'un œil critique. Je « bricolais » à partir d'elles ma propre philosophie.

L'effort et l'énergie, la méditation en exigeait.

J'en avais fait l'expérience, moi, l'actif, m'obligeant à l'immobilité, au vide en moi, pour que viennent à la surface de la conscience les idées profondes. Et je savais quel effort, quelle tension cela avait exigé.

Mais les jeunes gens comme Sylvia imaginaient, parce qu'ils avaient feuilleté quelques livres de vulgarisation sur le zen, qu'il suffisait de s'asseoir et de rêvasser les yeux fermés, les jambes croisées en lotus !

Je connaissais ces illusions et parlant avec Sylvia, je mesurais combien elles étaient ancrées dans les têtes.

Mauvaises herbes de la facilité.

Rien n'était facile. Et surtout pas le refus des valeurs de notre société.

Il était trop simple de croire qu'en refusant les cheveux courts ou les chemises propres, on devenait un sage de l'Orient !

Ces refus-là, ils étaient encore le produit de notre civilisation de l'apparence, du factice, du paraître.

Et je m'emportais contre Sylvia, je criais même, puis je me reprochais mon attitude.

Je respirais profondément. Je savais que cela redonnait le calme, la maîtrise de soi. Je disais d'une voix calmée :

– Excusez-moi, Sylvia, vous voyez, l'ancien homme est encore là. Et vous croyez qu'il ne faut pas faire d'effort pour le contrôler ?

Je lui parlais d'un livre que je venais de recevoir par la poste. Une lectrice, j'avais eu du mal à déchiffrer son nom sur le paquet qui arrivait de Suisse, j'avais cru lire Helen C. Erikson, m'avait fait parvenir un ouvrage d'Arthur Koestler, *Le cheval dans la locomotive.* Je l'avais lu lentement. Je trouvais certains passages difficiles, mais j'avais retenu que nous portions en nous, héritage de notre évolution biologique, un « vieux cerveau », un cerveau archaïque, un archéocortex, disait Koestler, qui expliquait tous nos errements, les guerres, les folies. Nous avions entre nos mains un instrument complexe – notre nouveau cerveau, ordinateur, locomotive perfectionnée – et, à l'intérieur de nous, dans une zone obscure s'agitait, nous dirigeait un cheval emballé, un primitif.

Sylvia m'écoutait avec attention. Elle hochait la tête.

- Je n'ai pas fini mon histoire, disait-elle en souriant.

Je crois que je me suis vraiment conduite comme une jument aveugle.

Elle avait fui le domicile de ses parents pour trouver une « autre vie », la « vraie vie ». Et ce n'avait été qu'un mariage trop vite raté mais un enfant, Nicolas, dont elle ne s'occupait pas.

– J'ai peur, disait-elle. Je l'aime, mais j'ai peur de lui faire mal, je suis si instable. Je ne me connais pas, je ne sais pas où je vais et il faudrait que je guide quelqu'un, un petit homme ? Je ne peux pas.

Je l'ai prise par la main et nous avons marché.

Elle souffrait en fait de son manque de confiance en elle. Elle allait de plus en plus rapidement d'échec en échec pour se punir de ne pas élever elle-même son fils.

Puisqu'elle s'en disait incapable, moi, je l'en croyais capable.

Voir ses défauts n'était-ce pas la première condition pour les guérir ?

J'essayais de la convaincre de vivre avec son fils. De l'élever. De prendre son temps. Qu'elle était si jeune encore et que la vie donnerait ses fruits quand elle ne s'y attendrait pas. Mais qu'elle devait être prête à voir et à cueillir ces fruits. Elle avait peur de Nicolas. Peur de ne pas être à la hauteur de sa tâche. Et je parlais. Je m'apercevais que j'avais tant de mots à dire et qu'ils avaient du poids sur Sylvia. Ainsi se confirmait cette expérience curieuse pour moi : les gens m'écoutaient. Leur parlant, je trouvais quoi leur dire. Les mots venaient pour expliquer. Et pour aider les autres à se découvrir.

Je refusais le terme dont m'affublait parfois ironiquement tel ou tel journaliste : « Martin Gray le gourou », « Martin Gray joue au nouveau prophète ». Mots commodes pour ne pas entendre ce que je disais et ce dont avaient besoin ceux qui m'écoutaient.

– Vous croyez, Martin, m'interrogeait Sylvia, vous croyez que je peux, avec Nicolas ?

– Vous devez, ai-je dit, vous en avez besoin et il en a besoin. Vous et lui. Et cela, c'est une route.

Elle hésita encore quelques jours. Puis, elle téléphona à ses parents. Elle reprenait Nicolas avec elle. Elle allait louer un petit appartement. Et j'étais décidé à l'aider pour cela.

– Ça m'étonne, disait-elle, en raccrochant, ils sont d'accord ; ils trouvent que j'ai raison.

Elle s'essuyait les yeux.

– Nicolas m'a parlé, a-t-elle dit.

Je l'ai accompagnée jusqu'à l'aéroport. Elle semblait différente.

Avais-je eu raison ou tort ? Je n'avais pas de véritable inquiétude mais le cœur de l'homme n'est pas simple.

Maintenant je suis rassuré. A chaque début d'année, je reçois signée de Sylvia et de Nicolas une carte de vœux.

11

Helen, mon amie

Helen, mon amie, toi qui fus mon alliée, ma sœur ; Helen, toi qui apportas la douceur quand l'heure était venue ; Helen, toi qui sus trouver les mots, guider ma main encore maladroite pour que j'aie le courage d'entreprendre ce livre nouveau, pour que j'ose l'appeler *Le Livre de la Vie* ; Helen, qui ne voulais pas que je cite ton nom au début de ce livre alors que sans toi il ne serait pas né, Helen, pour toi je voudrais que les pages qui viennent soient pacifiques, comme tu le fus, tendre comme tu sus l'être.

Pour toi, Helen mon amie, j'écris maintenant, pour toi seule.

Et je sais que ceux qui m'aiment comprendront que ce soit vers toi seule que je me tourne maintenant.

Quand je t'ai rencontrée, Helen, j'allais mieux.

J'avais, il me semblait, triomphé des à-pics les plus glissants de ces mois d'après la tragédie. J'avais courbé la tête sous l'avalanche des pierres et quand j'avais manqué la prise, que j'avais cru que, comme l'alpiniste perdu, je dévissais, pantin que plus rien ne soutenait, une voix en moi, celle de mon père ou d'un combattant du ghetto, une voix ou une action à accomplir m'avait tout à coup laissé suspendu au-dessus du vide, en proie au vertige mais vivant.

J'avais survécu à la nuit des questions, quand je subissais le contrecoup de ce qui arrivait à Max. Et je crois que ç'avait été l'une des plus dures agressions du destin. Et enfin, il y avait eu ma rencontre avec Sylvia. L'aide que j'essayais de lui apporter et dont je pressentais qu'elle serait efficace.

Oui, j'allais mieux, Helen, quand ton livre est arrivé. Je l'ai lu et pourtant, pour moi ce n'était pas un livre facile. Ton écriture sur le paquet : *Expéditeur : Madame Helen C. Erikson,* ton adresse, tu vivais donc en Suisse.

Mais comment aurais-je prêté attention à toi, vraiment ?

Tant de lettres qui me parvenaient d'Oslo ou de Londres, de Tarbes, de Brest ou de Milan, de Montréal ou de Montevideo. Tant de lettres que je lisais lentement, auxquelles j'essayais de répondre, mais le temps, hélas ! me manquait souvent.

Elles m'étaient pourtant nécessaires, ces manifestations de l'amitié. Alors, ton paquet, ce nom d'Arthur Koestler.

Dina m'avait fait connaître cet auteur que j'ignorais bien sûr, trop dévorant de la vie pour prendre le temps de lire, ignorant que j'étais ! Je croyais dans cette période de mon existence que lire, c'est refuser de vivre, alors que là peut-être est une vraie vie.

Elle m'avait fait lire *Le Zéro et l'Infini, La Tour d'Ezra* et *Testament espagnol.* Et j'avais eu une grande émotion devant l'œuvre de cet homme courageux qui avait été emprisonné par les soldats de Franco, risquant d'être fusillé, qui avait dénoncé les crimes qui se commettaient dans la Russie de Staline et montré ce qu'avait été pour les juifs la bataille de la naissance d'Israël.

Koestler était devenu pour moi un homme qui comptait.

Puis je l'avais rangé dans mes souvenirs, vivant au Tanneron dans la joie, m'enivrant de bonheur et de musique, trop oublieux de lire.

Je n'avais redécouvert les livres qu'il y avait seulement quelques mois, conseillé par Max, poussé par le besoin de comprendre ma vie, et voilà que me parvenait un livre de Koestler et qu'il répondait à beaucoup de mes questions.

Pourquoi les hommes de bien et les animaux à visage d'homme ?

Pourquoi cette lutte de siècle en siècle entre la barbarie et la civilisation ?

La réponse de Koestler m'inquiétait et me fascinait. Un barbare en chacun de nous? Pourquoi pas?

Et comment le contraindre ce primitif que nous portions au cœur de notre cerveau à subir la loi de l'homme et non à nous imposer la sienne?

A la première page du livre que tu m'envoyais, tu avais écrit : *Pour Martin Gray qui m'aide à survivre, ce livre pour qu'il aille plus avant dans la connaissance de l'homme. Son amie, Helen.*

Tu avais ajouté au bas de cette page, d'une écriture plus petite : *Peut-être un jour nos routes se croiseront-elles?*

Il est un moment pour chaque rencontre. Rien ne sert de se hâter ou d'attendre. Elles se produisent quand on est prêt à recevoir.

J'étais prêt à t'accueillir, Helen. Et toi, quand tu as pris la route pour monter aux Barons, sans doute devinais-tu que le moment était venu.

Je ne crois qu'à ces rencontres-là, et c'est toi qui m'as appris que ce sont les seules vraies rencontres. Les autres, même si elles ont toutes les apparences de la reconnaissance entre deux êtres, aucun signe ne les distingue, et les êtres, même s'ils vivent ensemble, ne font que se côtoyer.

Tu vins donc.

Et je me souviens de ce moment de lumière tamisée, d'un bleu lavé par le crépuscule, quand ta voiture s'arrêta devant la maison des Barons.

J'étais seul depuis plusieurs jours. Je m'étais replongé dans la musique et elle envahissait la maison et l'espace, les frondaisons des arbres tout autour.

J'écrivais aussi, sans fièvre et sans projet précis.

J'étais en attente.

De temps à autre, je me levais, calant mes feuilles d'une pierre, et je faisais le tour de ma maison, réglant une lance d'arrosage, me baissant pour observer le travail d'une abeille au cœur orange d'une fleur. A un moment, en me redressant, j'ai levé la tête et je t'ai vue devant ta voiture. Et immédiatement, j'ai aperçu sur le capot mon chat, le chat de mon fils Richard que je n'avais plus revu aux Barons depuis la mort des miens.

Il vivait dans les champs et chez Mme Lorenzelli et quand je l'avais croisé sur la route, il avait toujours refusé de se laisser approcher.

Et maintenant, il était là, se frottant à ta joue, et sans doute devait-il ronronner.

Je me suis dit : Qui est cette femme ? Et je cherchais dans ma mémoire à me souvenir de toi car ta silhouette ne m'était pas étrangère : ce pull-over à col roulé, cette grosse écharpe rouge dont l'un des pans tombait dans ton dos, tes cheveux coupés court, très bruns, oui, il me semblait te connaître. Et pourtant, je ne me souvenais pas. Et le chat qui ne s'enfuyait pas quand je m'approchais de toi.

– C'est votre chat ?

Tu as parlé la première, et il a mieux valu car j'avais trop d'émotion. Elle me saisit encore. J'attribuais au retour du chat, au fait qu'il venait se glisser près de moi, cette impression, difficile à exprimer. Connaître quelqu'un, être sûr que depuis si longtemps on partage avec lui les secrets de sa vie et ne pas pouvoir mettre un nom sur son visage. Tu as encore dit, toi :

– Non, Martin.

Tu t'interrompais. Tu m'appelais tout de suite Martin.

– Vous permettez, pour moi vous êtes devenu Martin dès les premières pages de votre livre. Mais, Martin, ne cherchez pas, vous ne me connaissez pas.

Le chat avait bondi sur le capot de la voiture et tu le caressais. Je l'entendais qui ronronnait paisible, heureux.

– C'est Bach que vous écoutez.

Nous avons ensemble laissé finir la fugue et quand le silence s'est rétabli, nous avions déjà en commun ces minutes du miracle, la pensée, l'émotion d'un homme devenues ainsi ces notes suspendues au-dessus du monde jusqu'à la fin des temps.

– Je suis venue vous voir, as-tu dit, je vous ai lu et comme je suis libre de ma vie et que j'ai décidé de faire tout ce qui me paraît important, de ne plus me laisser enfermer dans les habitudes, j'ai décidé de vous rencontrer.

Le chat se dirigeait vers la maison des Barons où il n'avait plus été depuis longtemps.

– Je me suis installée dans un hôtel de Cannes, je suis

arrivée ce matin. Mais avant de monter j'ai voulu être sûre que j'avais vraiment envie de vous voir. Ce que vous écrivez c'est bien, mais comme personne, est-ce que j'avais envie vraiment de vous voir ?

Je t'écoutais mais je sais aussi que les mots que tu prononçais n'avaient pas beaucoup d'importance. Je cherchais toujours à te reconnaître. Je m'irritais de ne pas réussir à mettre un nom sur tes yeux que tu avais si sombres, avec des cernes bruns creusant tes joues. Je te disais pour me guider :

– Vous venez de loin ?

Quand tu répondais que tu étais partie la veille d'un village près de Lausanne, dans le Jura où tu séjournais parce que l'air est pur, je me suis mis à rire parce que je t'avais reconnue.

– Vous m'avez envoyé un livre, n'est-ce pas, Koestler, *Le Cheval dans la locomotive* ?

Sans surprise tu faisais oui, tu disais comme si cela était naturel que je t'aie identifiée, comme si tu étais la seule personne à m'écrire :

– Vous l'avez lu, j'aimerais que nous en parlions.

– Je l'ai lu.

Et je t'ai montré la maison pour que tu y entres avec moi. Nous avons marché dans l'allée. Je te faisais découvrir le panorama, les Alpes bleues fermant l'horizon de l'est, les îles et les caps. Nous écoutions ensemble le silence.

– Votre lieu, as-tu dit, je l'imaginais ainsi.

Tu t'arrêtais longuement devant l'arbre où mes enfants aimaient à jouer. Tu passais lentement devant la petite maison qui abritait les urnes des miens. Tu voulais voir la salle de musique, cette haute pièce dessinée par Dina et dont la cheminée s'élançait renflant le mur d'une spirale légère. Tu disais :

– Cette pièce, un jour, Martin, vous la transformerez. Ce n'est pas le moment et peut-être attendrez-vous des années mais je sais, je sens, ces murs sont durs, Martin. Cette pièce, je m'en veux de vous dire cela, mais il le faut, cette pièce est inachevée, voyez-vous.

Tu t'asseyais sur les marches où il m'arrivait si souvent de m'asseoir, tu choisissais la même place que moi, comme le font les sœurs quand elles connaissent si bien les habitudes de leurs frères que dans l'obscurité il est impossible de voir qui agit, des uns ou des autres.

– Voyez-vous, disais-tu, c'est une pièce trop austère, pour une vie que vous avez eue, qui était encore imprégnée de violence. Je crois beaucoup à l'atmosphère des pièces, des maisons. Cette pièce...

Tu te levais, tu passais ta main sur les parois de ciment brut, rugueux. Tu continuais :

– Un jour, cette pièce ne vous correspondra plus. Elle vous paraîtra trop sévère. Ce jour-là, il viendra, Martin, ce jour-là, vous la transformerez. Vous savez, l'hiver, les arbres, les cerisiers surtout ou les pommiers, ils sont nus, les branches comme des doigts vieillis, avec les ongles longs. Et il suffit de quelques heures au printemps pour qu'ils soient comme couverts d'une robe blanche à fleurs, gaie. Ce sera ainsi, ici.

Tu t'es mise à grelotter.

– Et puis il fait froid.

Nous nous sommes installés devant la cheminée dans la grande pièce. J'ai jeté dans le feu de lourdes souches. Et nous nous sommes tus, laissant seulement les flammes crépiter et nous éclairer.

Ne peuvent rester dans le silence, côte à côte, que ceux qui se parlent autrement qu'avec les mots, qui établissent entre eux cette communion profonde qui n'a pas besoin de l'écume des apparences et des conventions.

– Vous savez, Martin, votre livre est arrivé à un moment important pour moi. Je vous raconterai.

Tu t'es arrêtée. Je te voyais penchée en avant, les mains au-dessus du feu. Tu avais relevé les manches de ton pull-over, dénoué ton écharpe rouge et j'apercevais tes avant-bras trop maigres. Et, brusquement, j'ai été inquiet pour toi, comme si tout mon corps ressentait ta faiblesse, une fragilité qui était inscrite dans les cernes de tes yeux, tes doigts longs que les flammes éclairaient.

– Mais vous avez deviné, n'est-ce pas ?

Je secouai la tête. Je ne voulais pas savoir. J'avais envie de crier : « Mais non, ce n'est pas possible, cette amitié un jour ne sera pas interrompue. Tout est-il donc ainsi condamné dès l'origine ? Pourquoi êtes-vous venue si c'est pour me quitter ? Pourquoi cette intimité entre nous, dès le premier mot, cette complicité entre les lieux d'ici, le chat, les arbres, la musique, s'il faut que tout cela se brise ? »

– Ça ne m'inquiète pas, vous savez. Les médecins ont

cru qu'ils ne devaient pas m'avouer la vérité. Vous voyez bien, vous l'avez découverte vous-même et moi, moi qui sens ce qui se passe dans mon corps, je ne la découvrirais pas ? Les médecins...

Tu te levais, tu faisais quelques pas dans la pièce, tu laissais ta main glisser sur le petit banc d'école où s'asseyaient mes enfants.

– Trop souvent les médecins ne soignent que le corps. Ils ne se soucient pas de ce qui se passe dans la tête, c'est une autre spécialité. Tout est lié, n'est-ce pas, c'est l'évidence. J'ai été désespérée, longtemps. Et puis je ne sais pas, des lectures, la prière. J'ai commencé à penser que les mois qui me restaient à vivre il fallait que j'en use avec joie, pour des actes importants. J'ai pensé qu'après tout, par rapport à tant de gens que la guerre avait dévorés, je n'étais pas celle qui avait le plus triste sort. Et j'ai commencé à voyager, à voir tout ce que je désirais visiter depuis longtemps. J'ai vendu tout ce que je possédais. Je rencontre les êtres qui me paraissent intéressants. Après avoir lu votre livre, j'ai pensé que Koestler était quelqu'un qui vous passionnerait et j'ai eu aussi envie de vous voir. Et puis j'avais toujours eu le désir de découvrir la Côte d'Azur. Je suis une Nordique, j'aime donc le soleil.

Tu riais et j'en oubliais dans mon corps le mal qui couvait dans le tien.

Tu es restée encore quelques heures avec moi, ce premier soir. Le plus souvent nous nous taisions ou bien je me levais, je mettais en route le magnétophone et nous nous laissions porter vers des rives imaginaires. Tu as profité d'un instant de silence pour te lever, dire :

– Je rentre. Demain j'aimerais revenir, j'aimerais, avec vous, Martin, construire quelque chose qui demeure après moi, comme un signe de ma vie et de notre rencontre.

Je t'ai raccompagnée jusqu'à ta voiture.

Les nuits au Tanneron sont les moments de grand calme. Le vent est tombé, l'altitude donne l'impression d'être au-dessus de l'activité des hommes et de leurs bruits. Les éclairages des routes, les grappes régulières des lumières des hauts immeubles, des agglomérations sont lointains et semblent appartenir à un autre continent que l'on survolerait sans le comprendre. Au-dessus les étoiles qui ne paraissent pas plus éloignées que les lueurs humaines, et l'on a le sentiment d'être entre deux mondes, sur une plate-forme immobile.

– C'est beau, grandiose, as-tu dit, Helen.

– Revenez, Helen, revenez demain.

C'était la première fois que je t'appelais ainsi. Rien d'équivoque entre nous, je le savais. Mais une de ces amitiés soudaines, une fraternité totale, une vraie communion. J'étais sûr que tu avais tout appris de moi en ces quelques heures et même que tu le savais avant de me rencontrer. Moi, je n'ignorais rien de l'essentiel de toi. Non pas les détails de ta vie, ce n'est que plus tard que j'apprendrais, au fil de nos conversations, tout ce qui t'était advenu : ton mariage, ton divorce, la maladie qui te surprenait et dont, d'abord, tu ne mesurais pas la gravité, et puis la certitude qu'elle ne te laisserait plus vivre que quelques mois. Au mieux, disais-tu, un an ou deux. Le temps, expliquais-tu en souriant, de te mettre en règle avec le monde, de répondre aux questions que tu te posais, aux curiosités que tu voulais satisfaire. Le temps de laisser ta trace. Car c'était cela qui te manquait vraiment au moment de quitter ce navire terrestre. Tu voulais quelque part que ce que tu avais compris, vécu, demeurât. Non par orgueil. Ce mot tu en ignorais le sens. Que t'importait qu'on sache que tu avais vécu ou pas ? Qu'on te connaisse, Helen C. Erickson, tu haussais les épaules avec gaieté. Tu disais :

– Vous rendez-vous compte, Martin, du ridicule qui consiste à vouloir laisser son nom à la postérité ? Ses idées, je comprends, mais son nom ? Quel enfantillage !

Tu voulais te fondre avec le vert des feuilles du printemps, quand la couleur est si douce encore qu'elle donne aux yeux l'impression même de la jeunesse, qu'elle fait naître la tendresse.

Tu voulais te glisser dans l'eau de la rivière.

Tu voulais que ta vie soit comme un murmure dont on ignore jusqu'à l'origine et que pourtant on perçoit, si chargé de vérité qu'on suspend tout, qu'on fait taire l'inutile rumeur pour n'écouter que lui.

– Revenez, Helen, revenez demain, demain matin.

Nous nous tenions les mains.

Et j'aurais voulu que tu restes aux Barons, que tu n'ailles pas t'enfermer dans une chambre d'hôtel anonyme. Mais je n'osais pas encore te proposer de t'installer ici. C'est toi qui as parlé.

– Je viendrai avec mes bagages. Et demain soir, nous verrons si je dois rester, n'est-ce pas ?

Tu étais toujours ainsi, directe, droite, peut-être parce que ce qui restait devant toi ne te laissait pas le temps, l'espace des hésitations et des faux-semblants. Tu ne pouvais te perdre dans les détours.

Tu es partie.

J'ai suivi sur la route les deux lumières qui s'éloignaient, je suis resté là imaginant que je pouvais suivre ta trace dans la plaine alors que je savais parfaitement que je t'avais perdue, que les lacets te masquaient à ma vue.

Je suis rentré.

Le chat était couché à ta place, sur le divan devant la cheminée, paisible.

Quelque chose de mon passé, quelque chose de vivant et non pas seulement le souvenir, était revenu avec toi, ce chat, la douceur de sa fourrure, son calme, ce plaisir qu'il prenait – et c'était la première fois depuis le 3 octobre 1970 que dans cette maison des Barons un être vivant éprouvait de la joie – grâce à toi, puisqu'il était revenu avec toi.

Je crois aux signes, aux symboles.

Je n'ai pas besoin d'expliquer ce que je ressens mais il est dans ma vie toujours des coïncidences qui parlent d'elles-mêmes. Que les savants, que les sceptiques les nient. Ils le doivent peut-être au nom de la raison. Et il est sans doute utile que des êtres rationnels disent qu'il ne faut pas croire tout simplement à ce que l'on sent.

Mais si la vérité était dans la simplicité des émotions, si le vrai, les naïfs le vivaient ?

S'il était des forces que rien n'explique encore et qui dirigent nos pas vers des êtres et des lieux qui ne sont pas choisis au hasard mais parce qu'ils sont d'une certaine manière FAITS POUR NOUS ?

Si cela était le vrai ?

Croyances primitives, irrationnelles, vieilles sorcelleries ?

Qu'on les nomme comme on voudra et qu'on se moque de moi ! Il me semble que ma vie en est pleine. Je ne veux ni les expliquer ni les nier. Elles sont ainsi pour moi. Et je sais que d'autres hommes et femmes ont su lire dans leurs vies des signes, et je n'ai pas l'orgueil de croire être le seul choisi.

Si j'étais un savant rationaliste, je n'aurais pas la vanité d'imaginer avec tranquillité que je possède sûrement la vérité.

Les vérités sont aussi dans ce que l'on vit.

Et moi, je vivais ma rencontre avec Helen comme une série de coïncidences et de signes. C'est ainsi.

Tu es revenue, Helen.

Et c'était un signe que tu arrives au moment où je reprenais les pages que j'avais écrites depuis quelques semaines et dont je ne savais que faire.

Les publier ? Comment ? Pour qui ?

Max Gallo s'était éloigné de moi, pris par ses projets ; je savais que je ne travaillerais plus avec lui. Et j'en étais heureux : lui et moi nous avions œuvré ensemble. Pour chacun de nous restait ce souvenir, notre amitié. Nous nous étions apporté l'un à l'autre beaucoup il me semblait. Mais si je me décidais à publier de nouveaux livres, ce ne pouvait être avec l'assistance de Max. Il voulait avec des romans exprimer ce qu'il avait dans la tête et le cœur. Il lui fallait faire œuvre personnelle. Et moi j'avais encore besoin d'aide.

Dès que tu as vu ces feuilles écrites, tu t'es avancée vers la table de pierre au milieu de la pelouse. Tu m'as interrogé du regard d'abord, puis tu as dit :

– Vous écrivez, Martin ? Un nouveau livre ?

J'ai trop rapidement nié. Ce n'était pas un livre, des notes, des pensées, qui me venaient sur la vie. Je désirais faire le point, pour moi, parce que mes lecteurs m'interrogeaient, me forçaient à me questionner et souvent attendaient de moi que je leur dise ce qu'il fallait penser de telle ou telle circonstance de leur vie. Et parfois ils espéraient de moi des réponses aux grandes questions de toujours.

Tu t'es assise à la table, tu as pris les feuillets. Je t'ai dit :

– Vous n'arriverez pas à lire, c'est en anglais et en polonais aussi, quelquefois.

Mais tu ne m'écoutais plus. Tu faisais glisser les feuilles dans ta main, j'avais l'impression que sans comprendre les mots que j'avais tracés, tu saisissais le sens de ce qui était écrit. Je marchais d'un bout à l'autre de la pelouse. Et, de loin, je t'apercevais penchée, les coudes posés sur la table, dans le soleil. J'étais ému. A la fin tu as agité les feuilles pour que je revienne et tu m'as dit :

– Maintenant, Martin, vous allez me relire tout cela. Puis je vais aller prendre mes bagages.

Tu riais, tu paraissais joyeuse et forte, en pleine santé. Le soleil te colorait, te transformait.

– Je vais m'installer ici et nous allons travailler ensemble. Vous me dicterez, nous discuterons. Voilà ce que je cherchais peut-être en venant vers vous, voilà pourquoi je vous ai envoyé ce livre. Je me disais : Martin n'est pas allé jusqu'au bout de ce qu'il voulait dire. Vous avez raconté ce qui vous était arrivé. Bon, il le fallait, mais dans votre livre, il y a autre chose que vous ne soupçonnez peut-être même pas, mais que moi et bien d'autres lecteurs avons découvert. Ça, il faut le mettre au jour. Vous voulez bien que nous fassions cela ensemble, vous et moi ? Je ne voudrais pas qu'il ne reste rien. Il restera ce livre, avec vous. Et nous le ferons.

Déjà tu te levais, te dirigeant vers la voiture. Tu marchais vite et je riais près de toi. Tu semblais avoir trouvé en toi une force neuve, une jeunesse saine. Et je ne sentais plus en moi ta fatigue et ton mal.

Tu t'es installée aux Barons.

Tu as voulu d'abord lire les lettres de mes lecteurs. Parfois, au fur et à mesure que je te passais les enveloppes, que tu dépliais ces lettres maladroites, je te voyais tout à coup, le visage creusé. Tu paraissais dire non, refuser ce que tu lisais. Tu disais :

– Ce n'est pas possible, je n'imaginais pas tant de souffrances.

Tu savais lire derrière la pudeur de certaines lettres le désarroi, tu t'indignais si je n'avais pas encore répondu, tu ajoutais :

– Un devoir, Martin, vous avez fait naître toutes ces confessions, il faut que vous honoriez cette confiance qu'on vous a faite.

Puis tu recommençais à lire cependant que j'écrivais et tu m'interrompais :

– C'est cela que je retiens, Martin, cette sincérité, le

malheur aussi qu'on n'arrive jamais à mesurer et la dignité de tous ces gens, leurs espérances, leur courage, leur bonté, parce qu'ils parlent de toi d'abord, de ce que tu as éprouvé.

Tu commençais ainsi à me tutoyer naturellement. Et cette fraternité entre nous, après des mois de solitude, me rendait une part de moi-même. Car les amitiés, même celles de Marysia, de Rochman, de Max, de Zuckerman ou de Sylvia, n'avaient pas éteint au cœur de moi cette zone glacée et que j'imaginais définitivement morte.

Or, grâce à toi, Helen, à ta présence, à ce qui incompréhensiblement nous unissait, voilà que se brisait ce bloc dont les aspérités me faisaient souffrir au-dedans de moi.

Je n'oubliais rien, au contraire, je voyais mieux les miens, mon amour pour eux, ces années de bonheur désormais si lointaines, mais si distinctes, mais tu me faisais autre.

Avant, durant tous ces mois, j'avais été enfermé dans le souvenir, figé en lui malgré tout ce que je bousculais pour que naisse la Fondation. Maintenant, je pouvais prendre le souvenir, le tenir devant moi, comme la plus précieuse des parties de moi, mais je n'étais plus solidifié par lui.

Je vivais à nouveau.

Le premier soir, je t'expliquai cela, cette transformation qui se produisait en moi et qui m'angoissait aussi. Je m'en voulais d'être mieux avec moi-même, de ne plus être l'animal prisonnier qui tourne en rond comme une ombre autour du puits. Tu m'as pris la main.

– Cela, disais-tu, c'est la vie, la seule manière d'être fidèle, de se souvenir sans trêve mais de ne pas faire du souvenir une maladie mortelle. Et c'est ce qui te guettait. Mais tu as trop de force vitale, d'énergie biologique, pour succomber à cette maladie. Cela, vois-tu, je l'ai compris dès que j'ai lu ton livre. Tu agissais, tu transformais ton souvenir en action ; cela m'a choquée d'abord et sûrement beaucoup ne te l'ont pas pardonné. Mais tu es ainsi et je crois que c'est bien.

La musique, entre nous, comme un lien. Mais un lien franc sans aucune équivoque. Et je veux te dire à haute voix, Helen mon amie, je veux proclamer pour ceux qui imaginent, dès qu'ils voient un homme et une femme si proches que nous l'avons été, qu'il y avait entre nous l'amour.

Amour physique, amour passion ? Il n'y a pas eu d'amour entre nous, selon ces gens-là, mais pour moi il y a eu plus que cela. Un amour qui était né dès le premier instant et qui savait pourtant qu'il devait demeurer dans les limites de la fraternité. Un amour qui savait qu'il se briserait si nous allions au-delà de ces limites, et sa fin nous dévorerait l'un et l'autre.

Toi, Helen, qui mesurais ton temps de vie, moi que tu voulais tenir à distance pour que je ne sois pas à nouveau tout entier broyé par ta disparition que tu savais prochaine. Un amour ténu comme un fil de soie et pourtant qui résisterait aux épreuves et à ta mort. Et le voici encore en moi, vivant.

C'est à toi, Helen, que je dois de pouvoir aujourd'hui en parler à Virginia, ma femme, à toi que je dois de le regarder comme l'eau si claire d'une source. Nous nous sommes aimés, Helen, et tu voulais que cela demeure comme une amitié pour que ce qui allait naître de notre rencontre, je puisse le revendiquer toujours comme une œuvre dégagée de nos corps.

Tu disais, Helen :

– Entre nous, ce sont nos âmes qui s'unissent.

Ce mot d'âme, je ne l'employais jamais. Mot aussi fugitif qu'un souffle pour moi.

Quand je t'ai connue, Helen, qu'étais-je ?

A ma manière sans doute, je croyais en une force de vie qui entraînait l'univers dans une sorte de grand mouvement de croissance, mais je ne m'interrogeais pas sur la foi, sur Dieu, sur les religions. J'appartenais à un peuple qui s'était conservé vivant malgré les persécutions parce que la croyance était son principe d'unité.

Mais, moi-même, avais-je cette croyance ?

Je n'avais jamais vraiment été au-delà des simples questions : pourquoi le Bien, pourquoi le Mal ?

Toi, Helen, tu parlais d'âme.

Tu me faisais découvrir un principe supérieur que j'appelais la bonté. Tu disais bien mieux que je ne l'avais écrit que chaque être est unique, et que son principe c'est l'âme. Tu croyais à l'ordre de l'univers. Tu n'adhérais à aucune religion particulière, mais tu reconnaissais dans toutes l'empreinte du principe divin.

Tu m'expliquais clairement que tu avais été athée et puis que, bien avant qu'on ne te découvre malade, incurable, tu t'étais convertie, que tu avais désormais la foi. Tu disais :

– Martin, voyons, les choses sont si simples qu'on ne les voit plus. Ainsi personne, pas un seul homme n'accepte la mort de ceux qu'il aime. As-tu accepté vraiment la mort des tiens ?

Nous nous taisions alors. Puis, Helen, tu reprenais :

– Ce refus de la disparition des autres – je ne parle pas de notre propre mort, elle est si peu de chose – qu'est-il ? Je dis qu'il justifie toutes les croyances, l'existence même de Dieu ; sais-tu pourquoi, Martin ? Parce que notre amour pour les autres ne peut pas retomber comme cela en terre, sans rien féconder. Notre amour, il dit l'éternité de ceux que nous avons aimés ; il dit une autre vie. L'amour est la loi. Martin, voilà pourquoi le principe de haine, le mal ne sont rien que matière, ils ne portent en eux aucune éternité. Rien, ils sont de plomb.

Tu souriais.

J'aimais que tu aies ainsi trouvé la paix. J'acceptais ta force de conviction, ta vérité, je croyais à cette valeur éternelle de l'amour. Avais-je la même profondeur que toi dans la croyance ?

Aujourd'hui encore je ne peux répondre, Helen. Peut-être suis-je encore trop pris par le monde lourd de la réalité. Trop engagé dans une action qui veut peser sur les choses, pour vivre, autant que toi, la croyance. Mais elle est passée dans *Le Livre de la Vie,* ton livre, mon livre, notre livre. Les lecteurs l'y ont reconnue. Et ils y ont aussi rencontré ta sérénité. Elle leur a fait du bien, comme elle me pacifiait.

Le matin quand tu apparaissais sur le seuil de la porte de ma maison des Barons, je te faisais un signe auquel tu répondais par ce cri si joyeux de mon nom. J'étais levé depuis l'aube. J'avais marché d'abord longuement pour mettre mes pensées en ordre. Puis je notais, j'écrivais, tu étais là enfin et je te lisais lentement ce que j'avais écrit et tu m'aidais par ton écoute attentive. Ce que tu me disais, même si je ne le notais pas immédiatement, renaissait quelques jours plus tard. Je me souviens ainsi, un matin, de t'avoir lu :

Le passé peut être un mal pour l'homme. L'homme ne peut nier ou effacer le passé. Il le porte toujours en lui, gravé. C'est son histoire personnelle, unique. Mais il doit s'y adosser. Prendre appui sur cette expérience pour s'en éloigner sans trahir et sans oublier.

Et ayant terminé de lire, je reconnaissais les thèmes de l'une de nos conversations. Et tu enrichissais ma phrase d'une image.

– Ce livre, disais-tu, ce sera comme le fruit de ton premier livre. *Au nom de tous les miens* ce sont tes racines. D'autres viendront. Si tu as un enfant un jour...

Je me levais. C'était une fin d'après-midi. Nous avions travaillé toute la journée. Tu m'avais aidé à classer les pages que j'avais écrites, à mettre au point ces réflexions dont tu m'avais fait découvrir qu'elles seraient d'autant mieux comprises que le style en serait simple, poétique. Tu m'avais dit que la nature était un alphabet vivant et que je devais emprunter mes comparaisons aux éléments, évoquer la source, le gouffre, la pierre et le ciel. Et peu à peu, naturellement, les images surgissaient.

Mais quand tu as commencé ta phrase « si tu as un enfant un jour... », je n'ai pu que m'éloigner de toi. C'est comme si tu avais porté ton regard au plus intime de ma conscience, au plus dur de ma peur et de mon désir.

Oui, je pensais à un, à des enfants à venir et en même temps, je ne pouvais concevoir que des jeunes viennent dans mon cœur prendre la première place, devant celle brisée de mes enfants disparus.

Et je ne réussissais pas à échapper à cet étau : le souhait secret de donner à nouveau la vie et le remords comme si un de mes enfants m'eût crié : « Tu nous trahis. »

Tu as répété, Helen :

– Si tu as un enfant un jour.

Tu avais compris combien cette phrase pouvait semer de trouble en moi et parce que tu étais celle qui veut que la vérité soit mise au jour, tu ajoutais :

– Tu sais bien, Martin, que tu veux des enfants, tu sais bien que tu ne penses qu'à cela et tu sais aussi que tu auras des enfants.

Je refusais de savoir. Je refusais de t'entendre. Je devais me contenir pour ne pas te crier d'en finir avec ces mots scalpels qui entraient en moi et me faisaient apercevoir ce que je m'évertuais à refouler.

Tu t'es levée, tu m'as pris par le bras, me forçant à m'asseoir auprès de toi.

– Où est le mal? disais-tu. A moins que tu ne te sentes encore coupable? A moins que tu ne t'imagines qu'aimer, se souvenir, c'est s'interdire de vivre?

Je ne pouvais pas encore raisonner cela. Un étau, je l'ai dit, enserrait ma tête.

– Si tu as un enfant un jour, écris un livre pour lui. Je te vois bien faisant cela.

Je ne bougeais pas. J'étais pris dans un bloc de pierre.

– Mais ce n'est pas encore le moment, ni pour l'enfant ni pour le livre. Ce n'est pas celui-là que nous préparons, alors...

Tu essayais de me faire revenir dans le présent. Mais, immobile, je m'étais enfui. Tu es allée vers le magnétophone, tu as placé cette fugue de Bach que j'écoutais quand je t'avais vue devant la maison et tu as attendu que les notes agissent, ouvrent ma carapace. Peu à peu je me suis calmé. Et nous avons parlé.

Tu disais, Helen, que si la vie s'était prolongée devant toi, tu aurais aimé que notre fraternité devienne un amour complet. Tu disais que tu aurais aimé avoir un enfant de moi.

Tu me regardais, tu ajoutais :

– En même temps, Martin, je n'ai pas de regret car je sais que, même si j'avais été de pleine sève, d'avenir, ce n'est pas une femme comme moi qu'il t'aurait fallu. C'est ainsi.

Moi-même j'ignorais le visage de mon désir. Je n'osais songer ni à un enfant ni à une femme. J'avais peur, je l'ai dit, du sacrilège. Peur aussi des maléfices que je croyais parfois transmettre.

– Ce qu'il te faut, parce que tu as en toi trop de plaies, trop d'inquiétudes, c'est quelqu'un qui commence, qui soit à l'origine de sa vie. Une femme neuve, Martin; avec elle alors tu auras le courage d'avoir un enfant. Quelqu'un comme moi, cela te ferait peut-être peur.

Ton visage, Helen, n'était marqué ni de tristesse ni de regret. Tu avais atteint ce lieu de la sagesse où accepter son destin ce n'est pas le subir mais le reconnaître comme ce qui a été possible et qu'il faut choisir avec son âme pour en tirer le meilleur.

L'impossible tu le refusais comme ces drogues malsaines qui étouffent les questions au bénéfice du rêve et quand on reprend conscience l'univers est encore plus désolé. Alors on plonge à nouveau, on double les doses, on croit que l'impossible est réel. Et finalement on en meurt.

Helen, je t'aimais pour ta franchise, la simplicité nue de ce que tu disais de toi et de moi. Je me suis juré en t'écoutant d'essayer toujours d'aller au plus vrai, de réduire la part de comédie qui demeure en nous quand nous sommes devant les autres. Helen, je voudrais encore te remercier.

Nous avons ainsi travaillé, côte à côte, plusieurs mois. Ta présence me donnait la paix. J'avais trouvé le rythme régulier et tranquille qui dans cette période de ma vie me convenait.

J'animais depuis le Tanneron la Fondation. J'organisais des campagnes de sensibilisation de l'opinion aux problèmes de la nature. Des jeunes gens bénévoles distribuaient des tracts recommandant la protection de la forêt. J'achevais *Le Livre de la Vie* grâce à toi mais tu ne voulais pas que je mentionne ton nom. Tu disais :

– Mon nom, Martin, quelle importance ? Ce qui compte c'est que je sois dans le livre, que je m'y reconnaisse.

Je m'obstinais mais sur ce point tu étais plus têtue que moi. D'ailleurs, avec une hâte qui m'inquiétait parce que j'y voyais le signe du peu de temps dont tu pensais disposer encore, tu voulais commencer un autre ouvrage avant même que *Le Livre de la Vie* soit publié.

Tu disais, chaque fois que je te lisais une lettre de lecteur, que tu découvrais à nouveau la solitude de tant d'hommes et de femmes, le besoin qu'ils avaient de conseils.

Tu disais, Helen :

– C'est égoïste de ne pas les aider, de ne pas essayer de leur communiquer ce que je sais, ce que tu sais.

Tu te levais, tu marchais, les bras croisés sur la poitrine, la tête penchée en avant et j'étais ému de la fragilité de ta silhouette et de la force qui t'animait.

Je t'ai dit un jour :

– Helen, quand je te vois, je comprends ce que sont les forces de la vie bien mieux qu'à travers moi.

Tu as souri.

– Voilà le titre, as-tu dit, *Les Forces de la Vie.* Et si je ne suis plus là avec toi quand tu termineras le livre...

Je me révoltais, je refusais d'envisager cela. Tu t'approchais.

– Mais si, Martin, il faut apprendre à regarder l'avenir. Ta vie continue, Martin. La mort n'est qu'un changement de forme de l'énergie qui est en nous et de la vie. Je serai présente si je vis en toi dans ces livres.

Pour toi, Helen, pour que tu vives encore j'écris ces lignes et je rapporte tes propos. Tu voulais que ce nouveau livre terminé je le dédie à mes enfants à naître. Je l'ai fait.

Mais je vais trop vite, je suis déjà trop loin dans le fil de ma vie. Je ne veux pas perdre tes paroles. Je veux me souvenir de la manière dont tu insistais.

– Mais refuse, Martin, refuse de te faire juge des autres. Si tu écris encore, dis-leur simplement d'être eux-mêmes, de devenir eux-mêmes. Dans leur corps, par leur âme. Ecoute-moi.

Tu prenais une feuille de papier. Tu dressais un plan de ce livre. Tu me disais qu'il fallait que j'explique ce que j'avais voulu appliquer à mes enfants, ces principes de vie naturelle, cette hygiène corporelle et mentale dont je pensais que tout homme avait besoin.

Je t'avais fait rencontrer Jo, mon ancien maçon, et tu voulais que je parle de la façon dont il vivait, dont il avait peut-être la prescience de ce que chaque être portait en lui. J'étais d'abord hostile à ce livre. Je mesurais les ricanements de certains milieux, les intellectuels, les philosophes de profession. Qu'étais-je pour prendre ainsi la parole ?

– Tu as peur d'eux, disais-tu, Helen.

– Personne n'écoutera.

Tu allais jusqu'à la table où s'entassaient les lettres des lecteurs. Tu en prenais quelques-unes. Tu me les montrais.

– Ce que tu crains, Martin, c'est qu'on ne t'écoute trop.

Tu avais, une fois de plus, trouvé ma faiblesse.

Parfois quand je lisais les lettres qu'on m'adressait, il me semblait qu'elles étaient destinées à un autre, que je n'avais pas droit à cette confiance, que je n'en étais pas digne. Et pourtant elle s'exprimait. Mais fallait-il aller plus avant encore, conseiller, devenir peut-être pour des milliers de lecteurs une sorte de gourou, de sage qui dans le désarroi de notre époque serait le psychiatre des plus pauvres ? J'hésitais. Mais les lettres étaient là, l'engrenage tournait.

Je découvrais une fois de plus, non seulement le pouvoir des mots, mais aussi la puissance des grands moyens d'information. Emissions de télévision au cours desquelles j'avais raconté mon existence, où j'avais été affronté à des témoins, à des partisans et à des adversaires, articles qui avaient fait de moi un visage, un nom.

Comment me dérober ?

Et aussi – pourquoi ne pas l'avouer ? – ce rôle qui m'angoissait m'était devenu familier. J'avais pris l'habitude d'écrire, de penser en fonction d'un livre à faire. Je trouvais au fond de moi que rien n'était plus passionnant que de réfléchir, de rencontrer des lecteurs, d'échanger avec eux nos expériences.

Le monde des affaires que j'avais connu pendant des années me semblait, en comparaison, un univers sans vie, inutile. J'avais besoin de cet échange et cela aussi m'inquiétait. N'étais-je pas devenu seulement une vie personnelle, une sorte de pèlerin qui va de ville en ville dire ce qu'il croit vrai ? Etrange était mon destin et je me souviens, Helen, du dernier jour, quand le manuscrit du *Livre de la Vie* envoyé à l'éditeur, le plan et les notes pour le livre suivant placés dans un dossier sur lequel tu avais écrit au crayon bleu « *Les Forces de la Vie* », nous avons parlé de cela.

C'est moi qui me confiais et tu m'écoutais, souriante, le visage apaisé. Je te disais combien parfois me paraissait incroyable le parcours de ma vie. Le gamin du ghetto devenu un homme d'affaires américain, un père heureux retiré sur la Côte d'Azur et qui maintenant avait acquis la notoriété d'un auteur, dont le livre était traduit en japonais et en hollandais, en finnois et en hébreu.

Moi, l'autodidacte que des psychiatres bruxellois conviaient à leur congrès. La lecture de mon livre était, disaient-ils, utile à leurs malades ! Le destin paraissait m'avoir à nouveau joué un tour en me plaçant dans une situation inattendue. Et quand le président de l'Association des combattants du ghetto de Varsovie, mon ami Jack Eisner, devenu un important homme d'affaires à New York, avait appris que j'avais publié un livre, que j'en préparais un autre et encore un autre, que j'irais peut-être ainsi de livre en livre, il avait, de passage en France avec sa jeune femme, dit : « Avec toi, Martin, vraiment, tout est possible. »

Etait-ce ces années brutales, où la folie des hommes nous avait surpris dans l'adolescence, qui avaient fait de nous, les survivants, des hommes à part, que le destin n'abandonnait pas, mais guettait pour leur réserver des rôles qui les distinguaient ? Parfois, je le croyais.

Tu souriais, Helen, à mes paroles, tu me prenais la main.

– Mais non, Martin, disais-tu. Ne te crois pas unique. Tu l'es mais à la manière de chaque homme. Tu as écrit cela, alors pourquoi l'oublies-tu ? Ne te laisse jamais griser par ce que les autres t'écrivent ou te disent. En fait, si tu sais comprendre, tu découvriras que c'est à eux qu'ils parlent d'abord. Et tu dois favoriser cela. Non pas l'admiration pour toi, mais leur propre développement. C'est en eux qu'ils trouveront la force, pas en toi. Sinon, tu seras un petit führer !

Tu riais. Et ce fut le dernier rire que j'entendis de toi. Tu m'expliquais en effet qu'il fallait que tu t'absentes pour quelques heures le lendemain. Des achats à faire à Cannes. J'avais précisément quelques tâches impératives à accomplir.

– Nous nous retrouverons le soir, disais-tu. Je partirai tôt demain matin.

Pourquoi cette nuit-là, te concernant, je n'ai eu, moi qui pressentais les événements si souvent, aucune intuition ?

Le matin, j'ai écrit comme d'habitude, puis je suis allé marcher sur la route jusqu'au chantier d'une maison en construction à quelques centaines de mètres de chez moi.

J'aimais voir les maçons travailler. Leurs gestes avaient une assurance naturelle. Je me souvenais de Dina, qui dessinait souvent des façades, des plans de demeure. De mes fils dont j'avais espéré qu'ils seraient des constructeurs. Je me suis attardé comme si quelqu'un voulait m'empêcher de rentrer rapidement aux Barons. Puis, en arrivant à la fin de la matinée, au lieu d'entrer dans la maison, je me suis assis dehors, au soleil, discutant avec Mme Lorenzelli.

Et ce n'est que plus tard, quand la fraîcheur venait, que j'ai gagné la salle à la cheminée, pensant faire un feu pour quand tu rentrerais. A ce moment-là aussi, je n'ai pas immédiatement choisi, comme à l'habitude, de m'installer sur le divan. J'ai classé des lettres, des documents. J'ai relu notre dossier des *Forces de la Vie*. Et ce n'est qu'à la nuit tombante que je suis sorti de mon engourdissement, comme si le charme se dissipait. Et j'ai bondi, me demandant où tu étais, découvrant ta lettre sur le divan, devant la cheminée. Et déjà je comprenais avant même de l'avoir touchée, déjà au lieu de la lire je courais vers le téléphone, j'appelais l'hôtel de Cannes où tu étais descendue quand tu étais arrivée sur la Côte.

Personne ne t'avait vue.

Tu avais sans doute voulu cela. Que je t'oublie presque un jour pour te permettre de gagner du temps, de t'enfuir, pour que je perde ta trace.

Mais imaginais-tu que cette maison des Barons me semblerait tout à coup plus vide qu'elle ne l'avait jamais été ?

Tu l'avais repeuplée de ta tendre présence. Maintenant, elle était doublement sans vie.

Je ne réussissais pas à ouvrir ta lettre. Je m'étais assis près d'elle, je la retournais ; tu n'avais écrit qu'un seul mot, « *Martin* », sur l'enveloppe du même crayon bleu dont tu annotais et corrigeais mes textes. A la fin, il fallait bien que je sache. Ta lettre n'était pas longue. Tu écrivais :

> *Le temps a vite passé. Nous avons marché ensemble, écrit ensemble et cela reste en nous et restera toujours. Cela vivra dans les mille cœurs de ceux qui liront notre livre. Je suis heureuse qu'ainsi s'achève ma route. Car j'arrive au bout. Je le sens. Chaque pore de ma peau, chaque respiration me le répète. J'écris ce que nous avons ensemble préparé pour le* Livre de la Vie *: « Croire, c'est croire en la vie. Et donner la vie, c'est combattre la mort. » Pour*

toi ce n'est peut-être pas encore le moment de donner la vie. Mais JE SAIS qu'il arrivera ce moment que tu espères. Tu vas vers lui, sûrement. Je sais que tu m'en voudras d'ainsi m'éloigner de toi. Cela me coûte aussi. Mais je ne veux pas que cette brume qui m'envahit demeure entre nous, attriste notre rencontre.

Il a fait si beau au Tanneron durant ces jours que nous avons vécus ensemble. Si beau. Que cela reste clair. N'essaye pas de me retrouver. Tu le pourrais mais à quoi bon? Je suis sûre d'avoir raison.

Je t'embrasse.

Ton amie Helen.

P.-S. Je ne veux pas que mon nom figure dans Le Livre de la Vie *et* Les Forces de la Vie.

Je n'ai pas bougé de la nuit.

Je suis resté, ta lettre entre les mains, à écouter ta voix, si proche en moi. Et quelque chose d'étrange se produisait. Tu étais dans mon souvenir qui s'emparait de toi, Helen, comme une amie de Dina, sa sœur, une compagne de jeux de mes enfants, tu t'éloignais dans le temps pour être encore plus présente parmi les miens.

J'avais le sentiment de perdre l'ordre des événements, tu te confondais avec tous ceux que j'avais aimés.

Et ce n'est qu'au moment d'écrire ce nouveau livre, ce bilan et ce récit de mes sept années, que j'ai reconstitué notre rencontre et notre fraternité durant ces semaines dans ma maison des Barons.

Si j'ai voulu ainsi te faire surgir en pleine lumière, Helen, contre ta volonté, c'est que je désirais te rendre tout ce qui t'est dû.

Aurais-je continué à écrire sans toi?

Aurais-je su qu'en moi je souhaitais une nouvelle vie, un enfant?

Il est toujours difficile d'évaluer ce que l'on doit à quelqu'un qui vous a été très proche.

Mais moi je sais que tu as été le moment de ma transformation, je l'ai dit. Quand la glace en moi s'est mise à disparaître. Que j'ai été moins dans la douleur de la vie et davantage dans le projet de vivre.

Helen, mon amie, je voulais te dire cela, le proclamer.
Je n'ai pas essayé de te retrouver. J'ai accepté ta décision. Celle-là seulement. Car je n'ai pas pu renoncer à placer ton nom au début de mes livres.

Cela, je te le devais.

Et nous sommes ainsi, toi et moi, liés dans l'amitié, au-delà de nos vies.

12

Le chômeur et le roi

Helen, c'est encore à elle que je devais de pouvoir supporter son absence.

Elle avait voulu *Le Livre de la Vie.* Il m'emportait loin des Barons, dans un tourbillon de conférences, d'amitiés nouvelles et d'événements surprenants. Ma vie redevenait une aventure et c'est sans doute, après ces jours pacifiques passés avec Helen dans la méditation et l'écriture, dans le calme soleil du Tanneron, ce dont j'avais besoin.

Aventure exemplaire de notre temps que celle dont j'étais l'acteur ? Non malgré moi, car, bien sûr, si j'avais écrit ce livre, si je l'avais envoyé à l'éditeur c'était pour qu'il soit lu. Mais cependant, il y avait une accélération des choses dont je n'étais pas le maître. Je pourrais citer des lettres, parler de ces jeunes gens qui me disaient avoir renoncé à la drogue parce qu'ils avaient lu et médité mon livre. Peut-être ne me croirait-on pas ?

Après tout, cela a peu d'importance. Ce qui compte, c'est la vie réelle du livre dans les esprits de ces lecteurs qui me téléphonaient quand j'arrivais dans une ville pour y parler.

Il y eut ainsi Christine Beckers, une jeune femme résolue, conductrice de rallye, au visage franc, aux yeux vifs, et dont je devinai dès qu'elle se présenta à moi qu'ils avaient dû être rieurs. Son fiancé, l'un des grands pilotes de course automobile, Roger Dubos, tué dans un accident de course, et elle qui chancelait, puis qui, grâce à mon livre, disait-elle, reprenait force, se lançait dans la compétition automobile, défiait le sort, osait affronter ces pistes où celui qu'elle aimait avait rencontré son destin, et sortait victorieuse de l'épreuve.

Elle courait au Mans avec les plus grands, toute menue.

Je l'imaginais refermant l'habitacle au-dessus d'elle, levant la main, faisant vrombir le moteur. Je me sentais, moi qui, disait-elle, était à l'origine de son triomphe de la tristesse, surpris et dépassé par sa résolution.

Qu'avais-je pu écrire qui la révèle ainsi à elle-même ?

De qui mon livre était-il l'intermédiaire pour obtenir un tel effet ?

J'interrogeais Christine Beckers. Elle souriait.

– Que voulez-vous que je vous dise, Martin ? Je l'ai lu plusieurs fois, et, chaque fois, je me sentais mieux.

Ce que je raconte n'apparaîtra peut-être pas comme une aventure à certains.

Ici, il n'y a pas, comme dans la première partie de ma vie, le tumulte des combats, l'héroïsme des partisans, la barbarie des bourreaux ou l'audace du jeune homme que j'étais en débarquant aux Etats-Unis et qui courait après la fortune.

Il n'y a pas ce grand bonheur brisé.

Mais pour moi, ce que j'ai vécu dans la rencontre avec mes lecteurs est aussi étonnant. Et c'est une aventure humaine plus discrète peut-être mais qui me semble toucher au plus vrai de notre temps.

Oui, j'ai découvert la solitude et le courage des anonymes, et la bonté et le désespoir.

Oui, j'ai su qu'il n'était pas de destin exceptionnel, que chaque vie est un livre et qu'à le lire on découvre toutes les passions de l'homme depuis qu'il est.

Il y eut donc Christine Beckers qui me souriait.

– Je vais mieux, disait-elle. Je vais réussir à faire Le Mans.

Et je lui disais :

– Il faut écrire votre vie, Christine, ce peut être un exemple.

Mes voyages d'un bout à l'autre du pays, dans la vraie vie de la France, celle des villes moyennes, me faisaient rencontrer les situations que les fiers penseurs de Paris ignoraient.

J'en arrivais, moi, l'Américain, à mieux connaître les conditions d'existence des Français que ces écrivains savants qui prétendaient tout connaître et dont je sentais l'ironie quand ils me croisaient.

Ils ne savaient pas trop comment se comporter avec moi, ces petits messieurs à la panse arrondie par les bons déjeuners.

J'étais un mangeur d'herbe et de viande grillée, un buveur d'eau et, le soir, je ne dînais que de fruits.

J'étais un agité.

Les plus bienveillants, en feuilletant *Le Livre de la Vie* – et ce serait la même chose avec *Les Forces de la Vie* –, hochaient la tête en souriant :

– Il faut bien qu'il se console, n'est-ce pas, mais quelles conneries !

Et quand ils apprenaient que le livre avait des centaines de milliers de lecteurs, ils se persuadaient que le pays, le monde était peuplé de « *cons* ».

Eux, les sceptiques, ils n'étaient pas dupes.

D'autres, avec l'amertume au coin de la bouche, la jalousie mal dissimulée, murmuraient que j'étais un bon commerçant, qui savait « *vendre sa marchandise, sa petite soupe morale* ». Ils n'ajoutaient pas que j'étais juif. Mais je devinais cette phrase sur leurs lèvres.

Que leur importait que mes droits d'auteur soient versés à la Fondation, que je sois à l'abri du besoin et que ces nouveaux revenus ne me soient pas nécessaires, qu'il aurait suffi que je m'occupe de mes affaires-affaires pour que les gains soient multipliés, mais qu'au contraire, je consacrais mon temps à diffuser mes livres.

Pour eux, tout cela était mystérieux.

Ils jugeaient toujours les hommes par les petites raisons. Le succès par la « *connerie* » des lecteurs. Ma conduite par le goût du profit.

Il ne leur venait même pas à l'idée que ce que je disais dans mes livres correspondait peut-être à un besoin. Et que j'avais besoin de le dire et de dialoguer. Que je préférais cela à toutes les affaires du monde.

Trop simple comme explication, trop noble.
Ils cherchaient au-dessous, dans les égouts du comportement.
Je les laissais patauger avec leurs sourires et leurs mesquineries.

Plus sérieuses étaient les questions de Robert, un jeune lycéen que j'avais rencontré à la sortie d'une de mes conférences.
Il était venu à la table où je signais des livres, il avait posé ses deux mains à plat devant moi, et quand j'avais levé la tête, j'avais vu son regard ironique aussi. Ce n'était pas l'ironie des petits messieurs distingués, mais l'ironie agressive et saine de celui qui conteste parce qu'il n'est pas d'accord. Non pas pour de mauvaises raisons mais parce qu'il condamne, fermement.
– Ça tourne, votre cirque, disait-il à très haute voix pour que mes lecteurs qui présentaient leurs livres afin que je les dédicace entendent. C'est un bon numéro.
J'ai posé mon stylo.
– On va discuter, ai-je dit.
Je souriais, j'aime l'affrontement.
– Pourquoi, cirque ?
Je me suis levé, disant que j'avais terminé ma séance de signature.
– Vous parlez, vous parlez, vous êtes comme un jongleur, vous dites : ça ne va pas et quand on vous demande où sont les coupables, qu'est-ce qu'il faut changer dans la société – Robert faisait un geste de la main, un bruit de froissement brr, brr – vous êtes comme une anguille : c'est l'homme qu'il faut changer. Trop facile ça. Bien trop facile. Ce qu'il y a, c'est que vous ne voulez pas vous mouiller, vous refusez de vous engager tout en jouant les grands courageux. Quand vous avez combattu pendant la guerre, ça, c'était autre chose ; maintenant, vous faites votre petit sermon. Et vous laissez les chômeurs se débrouiller en leur faisant croire que c'est dans leur tête que ça se passe. Mais c'est leur boîte qui a fermé, monsieur Gray, ils ne sont pas chômeurs parce qu'ils ne croient pas à la vie ou à la nature.
Il était véhément. Il parlait toujours très fort et quelques auditeurs de la conférence nous écoutaient, hos-

tiles à ce jeune homme dont j'aurais aimé qu'il fût mon fils.

Parce que la colère, quand elle naît du sentiment de l'injustice, est belle, saine.

– Vous n'avez pas tort, ai-je dit. Et souvent, je me répète ce que vous venez de déclarer. Vous êtes chômeur ?

– Je vais terminer cette année le lycée, et les copains de l'an dernier, ils n'ont encore rien trouvé. J'ai l'angoisse, monsieur Gray, qu'est-ce que je dois faire, qu'est-ce que vous me conseillez, de lire dix fois *Le Livre de la Vie* ? Et puis voilà, il y a une usine qui va se créer ici, et je vais être embauché, parce que tout est bien qui finit bien.

Vrai problème et que je rencontrais souvent.

Comme Robert, mes lecteurs étaient parfois déçus que je ne dénonce pas avec plus de rigueur l'injustice de notre société et que je ne désigne pas les coupables. Que je ne prenne pas parti dans les débats politiques qui divisaient la France, ce pays dont je n'avais pas la nationalité mais que j'aimais comme le mien et où je vivais depuis tant d'années.

Que dire à Robert ? Que je le comprenais ? Qu'à sa place j'aurais eu la même révolte ?

Je le lui dis.

Nous étions entrés dans le dernier café ouvert de la ville, sur la place de la gare. Il continuait d'être agressif.

– Ça vous intéresse, hein, vous mettrez ça dans un bouquin ; j'ai rencontré M. le Chômeur. Une petite anecdote de plus.

– Peut-être.

Je lui expliquais, j'essayais de lui faire comprendre que je n'étais pas contre lui, que je ne cherchais pas à consoler avec de bonnes paroles, à endormir ceux qui croyaient devoir combattre les injustices dont ils étaient victimes. Et je savais que la société dans laquelle nous vivions comportait bien des zones sombres où l'on entassait les pauvres, les chômeurs, les vieux. Mais qu'il croie, Robert, s'il le veut, que je ne dénonçais pas par intérêt, qu'il le croie encore malgré ce que je lui ai dit !

Je ne prenais pas directement parti dans les conflits politiques ou sociaux parce que je voulais me tenir plus proche de l'homme. Homme avec une majuscule, qui, quel que soit son camp, mourait, était victime de la maladie ou du pessimisme. Je savais qu'il y avait à cela des causes sociales et politiques. Je voyais, bien mieux que d'autres, les inégalités. Je savais, avant même de rencontrer Robert, quelles étaient les angoisses et les exigences des jeunes. Je relisais souvent la lettre de Paul, l'un de mes correspondants.

Mais combien d'autres disaient la même chose ? Il écrivait :

« J'ai lu ton livre " Le Livre de la Vie " sur les conseils d'une amie. Je ne suis pas toujours de ton avis bien que j'admire ce que tu as fait et ce que tu continues de faire. J'éprouve le besoin de te parler de moi, de ma situation, et de t'exposer mes petites idées.

« J'ai dix-huit ans, j'ai quitté le lycée cette année au milieu d'une terminale de Sciences économiques et sociales, et je travaille maintenant comme ouvrier agricole. Je suis parti parce que j'ai eu peur d'un certain système qui nous englobe tous peu à peu, nous, les jeunes soumis ou récalcitrants. Et je crois que c'est ici que je ne te suis plus. Toute ta vie tu as lutté pour rester vivant dans le plein sens du terme. Tu es resté dans le système de notre Société. Il me semble que ton combat doit nous amener à lutter contre ce qui nous environne et ce qui nous enferme. Ton livre m'a choqué, car il semble dire que tout est merveilleux, fantastique dans le meilleur des mondes avec du courage et du cœur. Tu as lutté contre le fascisme et la misère. Je veux lutter aussi, mais nos adversaires sont différents et nos moyens de les atteindre tout autant.

« Je ne peux plus écrire. Les mots se bousculent. Tout est noir. Le vide en moi. Plus d'espoir. J'espère que tu auras compris cette lettre. »

Oui, je comprenais le sens de cette lettre. Je mesurais son honnêteté, la grandeur et le courage qu'il fallait à ce jeune pour refuser les facilités. Il m'accusait d'être resté dans le système. Il n'avait pas tout à fait tort. Mais si je restais dans le système, c'est que je croyais fortement qu'il était possible de l'influencer. De le corriger. Je ne croyais pas à la « table rase ». On construit la maison de demain avec les pierres de la maison d'hier. Il fallait donc sauver les pierres les plus sèches, les mieux taillées, comme je l'avais vu faire chez moi, par mon ami Jo le maçon. Je ne croyais pas non plus que c'est en refusant tous les progrès qu'on atteindrait à la société juste. Je pensais au contraire que de l'abondance seule naîtrait l'égalité, que l'homme demeurait un lion sauvage et cruel parce qu'il était dans l'enfance et qu'il avait faim et peur. Chassons la faim et la peur, et, peut-être, l'homme deviendra un homme. J'ai dit, dans *Le Livre de la Vie*, que l'abondance ne signifiait pas pour moi l'abondance des produits inutiles : ils sont des gouffres. Mais que chacun, sur terre, ait le nécessaire ; voilà mon abondance. Que chacun réussisse à s'épanouir, et alors finira la préhistoire où nous piétinons encore.

J'étais dans le système pour que Paul, Robert et leurs enfants ne soient pas agressés par le Système qu'ils rejetaient.

Quand un car n'a plus de freins, certains voyageurs réussissent à sauter en marche, mais tous ne le peuvent pas. Je voulais être celui qui tente encore d'aider le chauffeur à tenir le volant pour éviter la catastrophe.

J'essayais d'expliquer cela à ma manière en disant à mes lecteurs d'apprendre à voir avec lucidité, sans préjugé. S'ils devenaient d'avantage eux-mêmes, comment pourraient-ils encore accepter d'être des numéros manipulés, des victimes trompées ?

– Réfléchissez, ai-je dit à Robert. Réfléchissez, monsieur le Chômeur.

Nous nous sommes serré la main. L'avais-je convaincu ? Je cite sa dernière phrase :

– Vous êtes malin, Martin Gray.

Malin ? Peut-être. Je ne le nie pas. Mais mon astuce, c'est encore de dire ce que je pense. C'est plus simple. C'est si simple que les gens s'imaginent que je ne pense pas cela !

Etre malin dans notre temps, où tout est trouble, c'est tout simplement ne pas l'être.

J'ai longtemps pensé à Robert, à sa jeunesse rebelle, à la certitude que la jeunesse doit être ainsi, exigeante avec nous, les adultes, qui lui tendons un monde imparfait où elle ne trouve pas sa place. J'ai pensé à Robert parce que chaque fois que je rencontrais des jeunes, je les trouvais meilleurs que nous. Plus vrais. Plus purs.

J'ai pensé à Robert parce que je pénétrais des milieux où je devais penser à lui sous peine d'oublier que tout dans notre monde n'est pas facile. Que la richesse n'est pas le bien de tous.

Robert était mon garde-fou contre les illusions.

Une ou deux fois, j'ai parlé à la fin de dîners organisés par des clubs de notables. Hommes décorés, femmes élégantes, tous pleins de bonnes intentions. Et réellement actifs en faveur des plus déshérités. Mais était-ce vraiment à ces hommes-là que je devais m'adresser ? Je me sentais en plus grande sympathie avec les assemblées réunies dans des salles simples par des organisateurs bénévoles. Là, je me sentais chez moi.

Curieusement, je me suis senti aussi chez moi au palais de Laaken à Bruxelles. Qui niera que le destin avec moi joue comme le chat avec la souris, lui ménageant des surprises ?

Quand j'entrai dans le palais des souverains de Belgique, marchait à mes côtés le petit gosse du ghetto de Varsovie que j'avais été et le vendeur qui à New York empêchait les ménagères de lui refermer la porte au nez quand il leur proposait des chemises ou des mouchoirs.

J'étais maintenant l'invité de la famille royale de Belgique !

Et il y avait un peu de fierté en moi. Je l'avoue. Fierté devant l'inattendu qui n'était pas toujours tragique.

Le chambellan m'introduisit dans un salon et je me trouvai face au roi Baudouin, M. le Roi. Et je me souvins de M. le Chômeur.

Mes livres étaient ainsi des clefs qui me permettaient de pénétrer tous les milieux, de connaître cette société que d'autres ne voyaient que d'un bon côté. D'en haut ou d'en bas. J'étais hors des rails, un bonhomme auquel le destin avait donné un nom et une voix et qui pouvait se permettre de parler de tous. C'est de cela que j'étais fier. De ne pas être enfermé dans un groupe, un milieu social donné. Mais d'être une sorte de témoin qui est là et ailleurs.

J'écoutais le roi qui avait voulu me rencontrer avant le déjeuner familial pour me dire combien il avait été sensible à mes livres.

Il parlait, disait-il, non seulement au nom de sa famille, mais en tant que porte-parole des Belges dont il connaissait l'accueil qu'ils réservaient à mes œuvres.

Le petit gosse du ghetto avait fait entrer dans le palais royal les voix des siens. Et aussi la voix de Robert.

Et c'est pour cela que dans ce récit j'ai voulu que soient rapprochés les deux épisodes. La table du café de la gare, un soir, et la table royale où je me trouvais assis avec la reine à ma droite et la princesse Paola à ma gauche. Le roi prenait des photos, les enfants de la princesse Paola et de la duchesse de Luxembourg s'approchaient de moi. Je me voyais comme si j'avais été un autre sorti de moi et assistant à ce déjeuner inattendu

Le déjeuner se déroulait simplement. Etrange destin qui faisait ainsi de moi cet invité d'une famille royale.

J'écoutais, je parlais, je reprenais de la viande et du dessert, un peu provocant et sans gêne, je m'en rends compte aujourd'hui. Mais peut-être était-ce ma façon d'affirmer que je restais moi-même, que la gentillesse, la simplicité royale que je respectais ne m'entamaient pas.

Je voulais aussi demeurer assis aux côtés de Robert; dans le petit café de la gare.

J'avais une conférence dans l'après-midi, et j'ai dû me lever le premier, dire au roi que je devais écourter cette entrevue. Le souverain a mis à ma disposition sa voiture avec son chauffeur et l'un des fils de la duchesse du Luxembourg est parti avec moi. Il devait se rendre chez le dentiste et je l'accompagnai.

Enfant simple et beau, sympathique. Mais le mot *dentiste* faisait lever en moi des souvenirs de violence, ces hommes chargés d'arracher les dents, là-bas au camp.

Ne revenons pas sur ce temps barbare si lointain pour bien des gens, si proche pour moi que, dans cette voiture royale qui me conduisait, ces images et ces bruits d'autrefois vibraient autour de moi.

Cela aussi, c'était l'étrange destin que je vivais : si courte une vie que le plus extraordinaire peut s'y côtoyer, si vite, qu'on croit à peine avoir fermé les yeux, tourné la tête et que voilà déjà un autre monde, d'autres visages qui vous entourent.

Je devais revoir des membres de la famille royale assis au premier rang de l'une de mes conférences. Je devais à nouveau côtoyer les grands, les princes, tel celui de la famille des Borbon y Borbon qui me remit à l'Opéra national de Bruxelles le cordon du prix Dag Hammarskjöld pour le « Mérite Littéraire ». Près de moi, Maurice Béjart, qui recevait celui de la « Création Artistique », devant nous, la salle du Tout-Bruxelles, autour de nous, les applaudissements, les noms de Sakharov qui obtenait le Prix de la Paix, celui des journalistes Woodward et Bernstein prix du « Mérite Journalistique » pour leur enquête parue dans le *Washington Post* sur le scandale du Watergate.

Moi encore qui me voyais sur cette scène, moi une nouvelle fois étonné par les circonstances.

Tout ce qu'il m'avait fallu parcourir de détours et franchir de malheur pour me retrouver là, entendre : « *Martin Gray, pour votre œuvre littéraire, vous est décerné le prix Dag Hammarskjöld.* »

Et quelques heures auparavant, j'étais avec Robert, nouvelle coïncidence.

De passage à Paris, Robert avait voulu me voir, m'apporter un manuscrit qu'il avait rédigé pour présenter les problèmes des jeunes. Il me disait :

– J'ai relu vos livres, et, au fond – il s'interrompait –, je continue à penser que vous êtes malin, mais je comprends votre point de vue. Il est peut-être utile, pour certains.

Nous discutions et tout à coup, je regardai l'heure : j'avais oublié le départ du train pour Bruxelles, le prix Dag Hammarskjöld.

Je courais avec Robert vers sa moto, je m'arrêtais, j'étais agité, incertain. Je ne voulais pas être absent de la cérémonie et le destin me faisait un croc-en-jambe. Je me calmai, téléphonai.

– Tu me conduis au Bourget ?

Robert riait.

– Vous êtes un malin, Martin Gray.

Nous riions ensemble. Je m'embarquai sur un avion privé.

Tout était ainsi pour moi destin en dents de scie, *up and down*, haut et bas, l'incident le vérifiait encore. Et j'arrivai à temps à l'Opéra national de Bruxelles, alors que s'achevait le ballet de Maurice Béjart. Etrange. J'avais, à New York, il y a des années, écouté un discours de Dag Hammarskjöld à l'O.N.U., et maintenant, je recevais un prix qui portait son nom.

Qui pouvait jamais dire ce que serait son avenir ?

De l'Opéra national de Bruxelles, avant d'entrer sur la scène, je téléphonai à Robert. Il m'avait laissé le numéro de téléphone de l'ami chez qui il logeait. Il voulait savoir si j'étais arrivé à temps.

– Je vais avoir la médaille, ai-je dit. Merci, monsieur le Chômeur.

Il dit simplement :

– Salut, Martin, malin Martin.

Et j'étais heureux de cette manière qu'il avait de me parler. Comme à un ami.

13

Mon dernier cirque

Je comprends aujourd'hui qu'il y ait eu, ainsi, une période de ma vie, après Helen, où j'ai voulu m'étourdir. Ou peut-être, comme le disait Robert – maintenant mon ami –, étais-je un peu devenu un animal de cirque. Et, sans doute – pourquoi le nier ? – pas mécontent de l'être.

Les applaudissements, la gloire, les questions de mes lecteurs, les lettres, la famille royale, ces citations du *Livre de la Vie* que certains évêques lisaient en chaire, ces faire-part de mariage, de baptême ou de deuil qui empruntaient des phrases à mon livre, ces jeunes gens qui composaient eux-mêmes le programme de leur cérémonie nuptiale et qui choisissaient d'y faire lire ce que je disais de l'amour et des enfants, tout cela, dans un moment où Helen me manquait, je le prenais comme une drogue.

Et l'animal de cirque aimait se retrouver devant une salle, sentir peser sur soi, alors que je signais mes livres, le regard des lecteurs.

J'aimais aussi serrer des mains et qu'on me remercie de ce que je faisais.

Je ne suis pas très fier de cette période mais elle existe et je ne veux pas l'effacer.

J'y ai compris ce que sont les hommes politiques professionnels, ou bien les acteurs qui vivent de cette approbation de la foule, et j'ai saisi pourquoi ils souffraient tant de quitter la scène.

Ils devaient, comme moi, sentir tout à coup le froid, la solitude, et l'envie leur prenait sans doute de retrouver des visages. Une drogue.

Et je devine pourquoi ce temps fut aussi pour moi celui où je recherchais une présence féminine. Pour ne pas affronter le vide et le silence.

Quand on est ainsi poussé par ce besoin, cette hâte aussi, ce n'est pas l'amour qu'on rencontre mais un être qui ne comprend pas ce qu'on attend de lui.

J'aurais dû appliquer les principes qu'avec Helen nous avions exposés dans *Le Livre de la Vie.*

Mais je ne suis pas à l'abri de l'erreur. J'ai donc un temps vécu avec B., une jeune femme où je croyais bêtement retrouver l'image de Dina.

B. à qui je refusais sans doute d'être elle-même, avec sa personnalité. Ce fut un échec qui me laissa d'autant plus meurtri que j'avais rêvé à une nouvelle famille, que j'avais imaginé B. mère de plusieurs enfants.

Nous avons été tous les deux malheureux.

Moi plus qu'elle ?

Elle était au début de sa vie. J'avais déjà beaucoup de poids sur mes épaules et celui-là, je l'ai senti comme une charge nouvelle, presque insupportable.

Bien sûr, j'aurais pu me contenter de cette entente imparfaite mais qui n'avait rien de catastrophique. Mais j'avais été trop gâté par la vie privée : Dina me revenait, inoubliable. Je comparais. J'étais sans doute injuste. Peut-être était-il trop tôt et n'avais-je pas eu la sagesse d'attendre.

Mais que celui qui n'a pas senti combien est vide une pièce où l'on entre dans une ville inconnue, où l'on vient de parler deux heures à un auditoire chaleureux, se lève et me condamne.

Je crois aussi que j'ai une trop haute idée de la vie pour supporter qu'elle ne me soulève pas de passion et d'enthousiasme. La vie c'est le miracle permanent. Ce doit l'être. C'est aussi pour moi être sage que de penser cela. Même si certains diront que j'ambitionne trop.

Comme toujours, quand quelqu'un n'est pas heureux, les difficultés s'amoncellent. Il est comme le paratonnerre. Il attire la foudre. Elle frappe et frappe encore.

J'aurais pu chercher refuge aux Barons, mais je m'y refusais. Il y avait le souvenir d'Helen. La honte où j'étais vis-à-vis d'elle de me comporter ainsi. D'être tombé dans le piège du cirque, de m'être jeté à la hâte dans l'aventure avec B. Et j'avais peur aussi que ne m'attende là-bas une autre lettre d'elle. La dernière. Aussi, je renonçai à me rendre dans ma forteresse. Et donc j'étais vulnérable.

L'accident ne vient jamais au hasard, ni la maladie. Leurs causes apparaissent extérieures, mais je suis sûr qu'un courant s'établit entre ce qu'au creux de notre conscience nous souhaitons et ce qui advient et qui, pour le médecin, peut n'apparaître que comme la manifestation d'une faiblesse physiologique.

Sans doute, durant cette période, au temps de ma vie avec B., étais-je tenté par le désir d'en finir avec moi.

De mourir ?

Je ne prononçais jamais ce mot, et jamais cette pensée ne prenait une forme claire. Mais je multipliais les causes de fatigue. Un ulcère à l'estomac se déclarait, douloureux, irritant pour moi qui, des années durant, avais suivi une hygiène alimentaire stricte. Je me sentais lourd aussi, et je comprenais que mon corps se transformait : puisque je vivais à contre-courant de mes désirs réels, à contre-nature, il se révoltait et multipliait les signaux d'alarme. Mais je ne voulais pas les entendre.

Un jour, je rencontrai Max Gallo. Il avait publié plusieurs livres avec succès, il m'interrogeait sur mes projets et j'entends encore ma voix trop aiguë, les mots que je précipitais vers lui : Fondation, appui d'organismes techniques de certains ministères, campagne auprès des jeunes. Max m'interrompit d'un geste de la main :

– Mais, vous, dit-il, dans tout ça ?

– Très bien, très bien.

Je me levai, je lui donnai *Le Livre de la Vie,* je lui dis :

– Je parle de vous dans le livre.

– J'ai lu, disait-il en posant le livre sur la table.

Je feuilletais le livre pour échapper à son regard.

– Je vous trouve toujours aussi fébrile, reprenait Max, peut-être davantage même. Vous croyez que c'est un bon signe ? Vous qui jouez les philosophes amateurs, les grands sages, vous devriez appliquer vos principes, non ?

Il était agressif, j'interprétais ses paroles comme un signe de dépit. Entre acteurs, souvent une rivalité s'installe malgré eux. Je ne comprenais pas qu'il voulait en fait m'avertir, me mettre face à mes contradictions.

– Et B. ? demanda-t-il.

– Ce n'est pas Dina, ai-je dit simplement.

Je me souviens de la colère de Max.

– Mais vous êtes fou, Martin, vous vous enfermez dans la répétition, vous recherchez quoi, l'échec ? B., bien sûr c'est B., si vous croyez pouvoir recommencer ce que vous avez connu, vous vous trompez.

Difficile d'oublier le bonheur passé, de ne pas établir de comparaison. Difficile d'accepter les remarques de Max.

Je n'ai pu ajouter un mot et nous nous sommes quittés froidement. Je me laissai, une fois que Max fut parti, prendre par la colère. Trop faciles ces critiques. Qu'ils se mettent dans ma peau, les donneurs de conseils !

Etaient-ils des modèles si parfaits de vie, ceux qui me regardaient d'un œil critique ?

Dans cette période de ma vie, je me suis donc trouvé seul. Inconsciemment peut-être, au moment même où j'étais le plus connu, j'avais le moins de contact avec des amis.

Même les plus proches d'entre eux, je croyais sentir qu'ils étaient avec moi sur leurs gardes. Ils me voyaient à la télévision dans de longues émissions où les réalisateurs s'efforçaient de décrire ma vie. Je me prêtais à ces exigences. Je recommençais les phrases comme un acteur. Apparemment, je me plaisais à ces jeux.

Maintenant, je n'ignore plus que j'étais rongé par toutes ces obligations. Drogue subtile qui faisait que je me reprochais d'accepter cela et que, en même temps, je m'y précipitais.

Robert, le lendemain du passage de l'une de ces émissions, m'a téléphoné.

– Vous avez entendu le commentaire ? disait-il. Et vous êtes d'accord ?

– Ce n'est pas le commentaire qui compte, mais ce que je dis, moi.

– Vous croyez qu'on peut séparer ?

Je devinais sa colère retenue.

– Je crois.

Je n'en étais pas certain mais il fallait que je me rassure. Je sentais que le sol se dérobait, que les liens que j'avais tissés se rompaient.

– C'est toujours le cirque, alors ?

La voix de Robert était à nouveau ironique comme à notre première rencontre.

– Bonnes représentations, monsieur Gray.

Et il raccrocha.

Tout cela, le comportement de mes amis, l'impossibilité où je me trouvais de les convaincre, mon refus de les écouter, l'incapacité où j'étais de rentrer chez moi, aux Barons, pour me retrouver, l'ulcère qui me brûlait, tout cela était des signes, des clignotants que le destin allumait devant moi pour que je comprenne que je faisais fausse route.

Je dis cela aujourd'hui, maintenant que je sais. A l'époque je ne pouvais lire ces indications. Je percevais cependant comme dans une brume que je m'égarais.

Quand je revois ce temps-là j'en conclus que la vie nous donne toujours les moyens de savoir ce qui vient. Il suffirait que nous nous arrêtions pour réfléchir et regarder, déchiffrer ces signes qui se multiplient en nous, autour de nous, faire monter au jour de la conscience ces prémonitions dont nous pressentons qu'elles nous avertissent. Mais nous ne le voulons pas. Nous courons vers les gouffres, impatients. Et si nous sommes ainsi lancés, quel avertissement peut nous arrêter ?

Le destin pourtant me donna encore un signe. Je traversais dans le passage clouté, face à l'hôtel Matignon. Je me rendais auprès du cabinet du Premier ministre pour y déposer un nouveau dossier de la Fondation Dina Gray, quand une voiture qui roulait à trop vive allure me renversa. Je heurtai le sol de la tête. Mon dos frappa lourdement la chaussée. Des gardes républicains devant l'hôtel Matignon me portèrent avec précaution. J'étais paralysé, les membres bloqués, plongé dans une gangue de ciment qui s'était solidifiée d'un seul coup, m'empêchant de remuer jusqu'aux paupières et au bout des doigts. J'entendais vaguement ce qu'on disait, le klaxon de l'ambulance. Mais c'était autour de moi le noir. J'essayais de parler mais ma gorge était comme serrée par une poigne dure. J'essayais de former des pensées et des mots. Mais seules venaient des images. Je me voyais pendu par les mains, torturé par l'un des bourreaux, et je tentais de refaire le geste que j'avais fait alors à Varsovie, lui crachant au visage. En vain.

Une fois de plus mon passé se jouait au présent sans que je puisse réussir à séparer les moments de ma vie.

Nuits et journées de cauchemar dans les hôpitaux où j'étais merveilleusement soigné mais où, immobilisé, toutes les séquences dramatiques de ma vie venaient m'assaillir.

Dès que je pus parler, je refusai les calmants. Je voulais me soigner à ma guise. Mais j'avais de la peine à lever le bras quelques centimètres au-dessus du lit. Il m'était impossible de me redresser. Prisonnier à nouveau. Tout ce que j'avais entrepris, cette Fondation Dina Gray pour laquelle j'avais multiplié les projets, les démarches depuis des années maintenant, me paraissait compromis.

Il fallait que je me reprenne en main. Les lecteurs m'y aidèrent. La presse avait évoqué l'accident. Je reçus des centaines de témoignages d'amitié. Je n'étais pas seul mais je ne réussissais pas à m'en convaincre. L'immobilité faisait pourrir la confiance que je pouvais avoir. Moi qui avais cru m'être échappé, voilà que j'étais repris par les démons noirs du pessimisme.

Up and down. Haut et bas.

J'étais dans le plus bas. Bien sûr la souffrance physique, cette douleur grinçante dans mon dos, et l'inaction qu'elle provoquait contribuaient à mon état. Mais il y avait autre chose. L'accident m'avait surpris au cœur d'une insatisfaction. Je ne réussissais pas à être moi. J'étais hors de mon être, comme une marionnette échappée de ma personne. Je me voyais, je l'ai dit, agir. J'étais l'un des spectateurs de mon cirque. Je subissais ma vie.

Alors que je me remettais difficilement, un nouveau coup me frappa. Avertis par la presse de mon séjour dans un hôpital parisien, des cambrioleurs avaient dévalisé ma propriété des Barons. Cela fut comme un coup de fouet. Un élan de révolte qui me stimula, me permit de trouver en moi les forces de me lever. Avec l'aide de Robert, heureux de me voir contester les règlements, me comporter comme un marginal, je m'habillai lentement un matin et, appuyé sur lui, je quittai l'hôpital.

Il m'accompagna jusqu'à l'aéroport. Quand je voulus lui serrer la main, je réalisai que mon bras droit était demeuré partiellement paralysé. Je lui tendis ma main gauche.

– Œil gauche dans le ghetto, bras droit ici, ai-je dit, tu vois, Robert, il n'y a plus que des morceaux de Martin Gray. J'en laisse une partie partout.

– Je ne m'en fais pas pour vous, dit-il, vous êtes malin.

Son clin d'œil, sa main sur mon épaule me firent du bien. Il était jeune et son amitié c'était pour moi comme un lien avec l'avenir. Je n'étais pas tourné vers le passé. Robert, c'était la preuve que je pouvais avancer encore. Mais ce n'était qu'une promesse, longue à vérifier, difficile à tenir.

Il me fallut d'abord affronter les Barons.

Je montai vers ma maison avec inquiétude. Je n'avais pas voulu la revoir depuis qu'Helen l'avait quittée. Trop vide. J'étais contraint d'y revenir comme si le destin voulait m'y forcer. Je me disais en poussant le portail de fer qu'on peut lire tout ce qui arrive comme une série de signes. L'accident pour m'immobiliser dans ma course, pour qu'il y ait le vol aux Barons et qu'enfin je sois là, découvrant la trace des voleurs. Je me précipitai vers ma chambre secrète où j'avais placé le dossier contenant les notes pour *Les Forces de la Vie.* La chambre n'avait pas été repérée. Mais les voleurs, cassant le coffre-fort, avaient emporté des bijoux de Dina, quelques tableaux, des bibelots auxquels je tenais parce qu'ils étaient chargés de souvenirs et d'émotion.

Je fis l'inventaire avec les enquêteurs.

Un être parlait hors de moi, ouvrait les buffets et les tiroirs, signait des procès-verbaux, se penchait sur la grande table devant la baie, pour rechercher des documents. Mais moi, j'observais ce double actif, maladroit, car la douleur le tenait encore. J'étais ailleurs. J'attendais un événement. J'ai encore aujourd'hui, des mois plus tard, le souvenir de cette voix qui chuchotait que tout ce qui venait de m'arriver n'avait d'autre but que de m'attirer aux Barons.

Il faut être prudent avec les prémonitions. Je sais que l'on reconstruit souvent après coup parce que les faits qui se sont produits, on imagine les avoir prévus. Peut-être suis-je, moi aussi, victime de cette illusion. Je ne prétends donc rien. Sinon que je me souviens de ce dédoublement de ma personne, de mon attente de quelque chose, de la certitude qu'elle allait se produire. A un moment donné le chat sauta sur la table. Le chat qui était revenu avec Helen et qui, depuis, n'avait plus quitté les Barons. Je le pris dans mes bras et lui se colla contre moi, plaçant sa tête contre mon cou, se mettant à ronronner.

Pour moi, encore aujourd'hui, je dirai, même si cela doit paraître ridicule à certains, qu'il me parlait d'Helen. Et je sus que c'est d'elle que viendrait l'événement. Que j'étais rentré aux Barons pour recevoir son dernier signe.

Quand je me retrouvai seul dans la maison avec le chat, je me sentis en paix comme quelqu'un qui a enfin compris le sens de ce qui se produit. Je m'assis sur le divan en face de la cheminée. Je me mis à relire les notes que nous avions rédigées pour *Les Forces de la Vie,* ce livre qu'Helen avait voulu. Je retrouvais le ton de nos conversations, son projet mêlé au mien. J'attendais, somnolent, là.

Le matin je m'installai à la table de pierre devant la maison, de cette place où je l'avais vue, des jours durant, apparaître sur le seuil, m'appeler et venir vers moi, Helen, mon amie.

Peut-être est-ce que j'imagine mes pressentiments, mon attente. Peut-être tout cela était-il simplement le souvenir, ou bien le résultat de ce que je travaillais à un manuscrit que j'avais commencé avec Helen. Le temps déforme et je ne prétends pas, je le répète, être à l'abri de ces déformations. Ce que je sais c'est que quand, devant le portail, j'ai vu s'arrêter une voiture, j'ai immédiatement compris que l'homme qui en descendait m'apportait des nouvelles d'Helen. La Nouvelle.

Et pourtant, des dizaines de voitures s'arrêtent chaque jour devant ma propriété. Mais c'était cette voiture-là vers laquelle je me dirigeai, à cet homme-là que j'ouvris la porte sans qu'il m'explique.

Est-ce moi qui ai dit :

– Vous venez de la part d'Helen Erikson, n'est-ce pas ?

Je le crois. Mais je ne l'affirmerai pas puisque cela pourrait sembler incroyable. Et à moi aussi, cela paraît parfois impossible.

– Je ne rentre pas, dit-il.

C'était un homme âgé mais aux yeux d'un bleu vif.

– Mme Erikson voulait que je vous remette ceci. Elle savait que j'allais venir sur la côte et elle pensait que je pourrais vous porter cette lettre. Elle ne voulait pas l'expédier par la poste.

Il me tendait l'enveloppe. Il faisait une grimace.

– J'aimais beaucoup Helen, dit-il. Elle m'a aidé, vous ne pouvez pas vous imaginer.

Je pouvais imaginer.

L'homme repartit. Je retournai m'asseoir à la table de pierre. J'ouvris l'enveloppe. Une simple feuille de papier et ces mots :

« *Je m'en vais et reste avec toi, toujours.*
Helen. »

Je suis resté prostré dans ma maison des Barons durant deux jours, le chat près de moi.

J'entendais la cloche du portail tinter mais je ne bougeais pas. Que pouvait m'apporter le monde ?

Moi qui avais écrit dans *Le Livre de la Vie* tant de maximes sur le courage et l'optimisme, la nécessité de réagir, j'étais pris dans une tourmente qui me laissait démâté, navire emporté par le courant des pensées les plus sombres. Dina, Helen, tous ceux qui m'étaient chers me semblaient être condamnés à disparaître avant moi. Et je demeurais le survivant que le destin privait de raison de vivre.

Mais qui vivait ?

Je crois que durant ces deux jours je me suis mis à haïr cette force biologique qui me portait. Je m'interrogeais comme après le drame qui avait frappé Max. Le troisième jour, Mme Lorenzelli est entrée dans la pièce, tenant contre sa poitrine une brassée de lettres de lecteurs. Elle les posa sur le divan, près de moi. Elle resta silencieuse à m'observer.

– Ça n'a pas l'air d'aller, monsieur Gray. Vous n'allez pas vivre comme ça tout le temps ?

Elle avait la voix bougonne.

– Je ne vous laisserai pas tranquille moi, si vous continuez.

Elle s'approcha, prit les lettres une à une, les posa sur la table, devant moi.

– Et ceux-là, vous croyez qu'ils imaginent que vous êtes comme ça, comme un malade ?

Je me frottai les yeux. Je sortais d'un long cauchemar. J'ouvris lentement les lettres, les mots me faisaient du bien. L'une de ces lettres était envoyée par mon éditeur américain. J'avais, il y a quelques mois, décidé de me rendre aux Etats-Unis pour y présenter mon livre. Maintenant le programme était devant moi. Vingt et une villes, dix-huit jours. Je me levai. Là peut-être un moyen d'échapper à cet abattement, à cette maison dont je me disais qu'elle ne voulait plus m'accueillir, qu'il fallait que je la quitte puisque trop de mes souvenirs étaient liés à elle. Helen s'était trompée en imaginant qu'un jour je vivrais là, avec une nouvelle épouse et de nouveaux enfants. Les Barons pour moi c'était une époque noire.

Avant de partir pour New York, je fis le tour de la maison. Par toutes mes fibres j'y étais attaché et pourtant je voulais trancher.

Quitter, partir.

Je n'écoutais pas la voix qui me répétait que c'était folie. Une personne, comme un arbre, a besoin de ses racines pour vivre et les miennes étaient là, dans cette propriété, accrochées à ces murs séculaires.

Le jour de mon départ, j'ai dit à Mme Lorenzelli pour que j'entende ma voix prononcer cette phrase qui me faisait peur et que je désirais dire :

– A mon retour, je mettrai en vente les Barons.

Bien qu'elle eût compris, je le savais, Mme Lorenzelli me fit répéter, puis elle dit :

– Pas les Barons, monsieur Gray, pas les Barons.

Mais plus je devinais de résistance en moi, en elle, et plus je me convainquais que vendre était une idée juste.

– Evidemment, ai-je dit, je ne vendrai pas à n'importe qui.
– Pour les Barons, ce sera toujours n'importe qui, dit Mme Lorenzelli.
J'ai eu tort de ne pas réfléchir à cette remarque si simple et si juste. Je paierais cher encore une fois ma hâte. La volonté que j'avais de partir vite pour New York, recommencer une tournée, un cirque pour oublier.

Avec le temps, je sais maintenant ce que je cherchais aux Etats-Unis, dans cette course qui, d'avion en avion, d'aéroport en aéroport, me conduisait en un zigzag fou de New York à Philadelphie, de Richmond à Miami, de Houston à Dallas, de Los Angeles à Chicago, de Kansas City à Cleveland, de San Francisco à Boston. Je cite dans le désordre : je ne veux et ne peux pas reconstruire cette toile d'araignée que les services de promotion de mon éditeur avaient établie. Je ne peux pas parce que j'ai « fait », je le répète, vingt et une villes en dix-huit jours. Une voiture m'attendait à l'aéroport, ou bien un hélicoptère qui me déposait sur le toit de l'hôtel.
Serrement de main, « *Hello Mr. Gray* », ascenseur, « *They are waiting for you, OK* », on ouvrait les portes de la salle de conférences ou bien on tirait les rideaux et j'avais devant moi cinq cents ou trois mille visages, et un président d'association ou un journaliste me présentait, et les applaudissements crépitaient. Puis c'était mon tour de piste.
Allons, Martin, allons, à toi de faire le singe.
Je commençais avec une ironie contre moi-même, je pensais à Robert, à Helen, à Max. Je n'osais même pas penser à Dina et aux miens. Je commençais, quelques mots lentement, puis, comment expliquer ce qui reste pour moi un mystère, j'oubliais la fatigue, l'usure des mots à force de les avoir répétés, j'oubliais même à qui je parlais, j'avais un auditeur unique et invisible, et j'étais pris par le rythme de mes phrases, je revivais ce que je disais comme s'il s'agissait de la première fois. A la fin, presque toujours, je n'avais même pas le temps d'échanger quelques mots avec mes lecteurs. L'organisateur m'excusait, me poussait dans l'ascenseur, vers le

toit de l'hôtel pour que l'hélicoptère me conduise jusqu'à l'aéroport.

Dans l'avion, je dormais, harassé, je ne savais même plus entre quelle et quelle ville je volais. Visages anonymes des journalistes qui m'attendaient à mon arrivée, des présentateurs des *talk-shows* ou des *today-shows* de la télévision. Et quand à nouveau j'entrais dans une salle de conférences, vraiment j'ignorais dans quelle ville je me trouvais.

J'étais bien devenu un acteur du show-business littéraire : je n'en suis pas fier, mais je n'en ai, non plus, aucune honte.

La machine m'a transporté d'un bout à l'autre des Etats-Unis, mais elle ne m'a jamais dicté ce que je devais dire.

Bien sur, je ne pouvais pas tout dire : le temps manquait entre les spots publicitaires ! Mais je n'ai rien trahi. Ce qui m'humiliait c'était de ne pouvoir dialoguer longuement avec ces hommes et ces femmes qui étaient venus là m'écouter. Je me promettais de prendre une autre fois le temps de redécouvrir ces Etats-Unis qui étaient devenus ma patrie. Là, je traversais les Etats sans rien voir, enfermé dans un programme et un budget.

Mais quand je me suis retrouvé à New York, un soir, après cette course, chez mon ami Jack Eisner, j'ai compris que ces dix-huit jours, je les avais désirés ainsi, comme la plongée dans une profondeur d'oubli.

Qu'avais-je espéré aussi ? Peut-être redevenir l'homme d'avant ma rencontre avec Dina, peut-être avais-je voulu tout effacer de ma vie durant toutes ces années de bonheur que terminait un incendie ?

Avais-je eu quelque part en moi cette idée que, touchant le sol des Etats-Unis, je redeviendrais celui qui n'a rien connu, ni le bon, ni le mauvais, ni enfants, ni femme, ni leur mort ?

Peut-être y avait-il de cela en moi. En finir avec un passé que la disparition d'Helen rendait encore plus cruel.

Si je dis cela, c'est à cause de mon comportement à New York.

Jack était un ami du temps de guerre. Il savait ce que nous avions vécu et, de ses souvenirs, de ses épreuves, lui aussi avait fait une force.

Je le retrouvais après ces vingt et une villes de ma longue tournée, je l'observais heureux avec sa jeune femme. La fatigue et la peur d'être seul me donnaient une ivresse factice, plus violente que celle qu'apporte la vodka. Et je disais :

– Jack, tu te souviens quand nous buvions là-bas, cette vodka, nous en buvions comme si c'était de l'eau.

Il riait. Percevait-il que je n'avais pas besoin d'alcool pour perdre la tête ? Que j'espérais tout effacer, être comme si rien ne s'était produit ?

– Tu es fatigué, disait Jack, tu veux que je te raccompagne ?

La jeune femme de Jack me proposait de rester chez eux.

Mais non, je voulais, comme un ivrogne en quête de fête, me trouver seul dans la ville, avec la peur et le désir d'une mauvaise rencontre, qui eût donné à mon désespoir une existence et l'eût ainsi peut-être fait sortir de moi.

De ce séjour de quelques jours à New York, je me souviens comme d'un temps de folie et de désarroi. Tout se mêlait. Mes obligations littéraires : je participais à des *shows* télévisés et d'anciens amis me téléphonaient : « Oh ! Martin, parfait, parfait. »

Je prononçais au Waldorf Astoria une conférence devant les adhérents du Cercle littéraire new-yorkais. Je prenais un avion pour Montréal. Télévision. Show. Conférence dans les universités et à l'oratoire Saint-Joseph. Je parlais à des étudiants et à des prisonniers.

Les gardiens voulaient entrer avec moi dans la cour de la prison. Ils gardaient la main sur la crosse de leur pistolet. Je secouai la tête.

– J'entre, mais seul.

Ils m'avertissaient. Il s'agissait de criminels dangereux. S'ils me prenaient en otage... Et que m'importait ? Ma vie s'était toujours jouée ainsi et ce que j'apportais à ces détenus, je ne pouvais le leur donner que les mains nues, sans les protections de la force. Je n'étais pas un garde-chiourme de plus qui utilisait les mots pour tenir des hommes emprisonnés.

J'entrai donc seul dans la cour : et les prisonniers

m'entourèrent. Et je ressortis quand je le voulus. Peut-être avaient-ils compris que j'étais le plus prisonnier d'entre eux? Enfermé encore dans le mur de ma mémoire. Helen était partie trop vite. Ma guérison n'était pas complète.

Je mêlais donc toutes les vies.

Avec Jack, quand je retrouvais New York, j'étais l'ancien du ghetto.

Dans la Troisième Avenue, quand j'entrais dans le magasin d'antiquités que j'avais tenu, j'étais l'homme d'avant Dina, courant après la fortune.

Et j'étais aussi l'auteur qu'on interviewait.

J'étais un puzzle dispersé et je ne réussissais pas à rassembler les morceaux, à reconstituer un visage d'homme, moi, acceptant mon passé et pourtant différent.

Sans doute est-ce de la dépression, le *down* le plus bas de ma vie. Sans doute me trouvais-je au même moment que le naufragé qui a nagé durant des milles, arrive au bord du rocher et ne croit plus avoir la force de résister au dernier ressac. Il se laisse emporter vers le large alors qu'il suffirait d'un effort encore. Je ne me reconnaissais plus dans mes actes, mes livres.

Il m'arrivait dans ma chambre de l'hôtel Plaza, à New York, de relire des pages du *Livre de la Vie* ou des notes que j'avais rédigées pour *Les Forces de la Vie.* Etait-ce moi qui avais écrit ces lignes? Moi, qui paraissais dans ces textes si assuré, qui donnais des leçons de sagesse, j'étais pris à New York par la bourrasque. Les mots que j'avais écrits, répétés, je ne les comprenais pas plus que certains de mes lecteurs qui m'écrivaient : « Martin Gray, nous essayons, mais l'angoisse est la plus forte. Comment faites-vous ? »

Dans le manuscrit des *Forces de la Vie* que j'avais préparé avec Helen, j'avais tenté de mettre au point une méthode, pour apprendre à connaître et à guider cette énergie psychique que chacun de nous possède. Mais quand, le dossier contenant mon manuscrit ouvert sur le lit de ma chambre du Plaza, je tentais de continuer à écrire, ou de revoir ce qu'avec Helen nous avions élaboré, je sentais que je ne pouvais poursuivre ce travail. Comme s'il me fallait franchir encore une étape, descendre plus profond dans la connaissance de moi, c'est-à dire éprouver vraiment jusqu'où pouvait conduire une énergie psychique qui n'était pas maîtrisée, canalisée. Comme s'il me fallait faire moi-même l'expérience du désarroi pour réussir à dire comment il fallait le combattre.

Je fis plusieurs voyages entre New York et Montréal. J'aimais le Québec, cette patrie naissante et qui pourtant poussait ses racines dans la profondeur de l'histoire. J'aimais l'attention de ses habitants, qui semblaient avoir gardé de la France ancienne un dynamisme, une juvénilité que parfois je regrettais de ne pas trouver dans la France d'aujourd'hui.

Les Québécois, c'étaient l'Amérique et l'Europe mariées, dans une union équilibrée... J'aimais les rues de Québec, la gentillesse ouverte des habitants, l'accent même plus chantant et moins agressif que certaines intonations tranchantes des Français. Peut-être, moi qui étais un transplanté, aimais-je dans le Québec comme une France plus accueillante à l'étranger, moins divisée en cercles difficiles à pénétrer.

Quand, à l'oratoire Saint-Joseph, je me trouvai face à dix mille auditeurs venus de toutes les parties du Québec, je sentis une générosité dans l'accueil qui pour quelques heures me donnait la force de résister à cette tourmente qui soufflait en moi.

J'étais *up*. *Up* aussi quand je recevais un exemplaire d'*Au nom de tous les miens,* portant trois cents signatures : des lecteurs qui m'offraient ainsi leur fraternité.

Up, up, haut, haut, mais le *down, down*, le creux, la chute quand j'étais repris par mes questions, par la solitude. Ou bien quand, parfois, je me demandais ce que je faisais là, sur un plateau de télévision, entre un romancier et une jeune femme à la vie tumultueuse, belle, et qui osait se présenter dans le monde entier pour ce qu'elle avait été : une prostituée qui racontait maintenant ses aventures. Et ses livres étaient des best-sellers. Nous parlions entre nous, après l'émission, je la devinais incertaine elle aussi sous l'apparence de la réussite. Elle avait fait métier de son corps. Pouvais-je la condamner dans ce monde où tout se vend ? Mais pouvais-je ne pas me sentir remis en cause dans mon œuvre par le fait que pour le présentateur de la télévision, il n'y avait aucune différence entre nous, le romancier, moi et elle ?

Nous étions tous les trois, pour les quelques minutes de l'interview et du débat, entre nous, les acteurs d'un show qui se mêlait à d'autres shows. Toutes les réalités si différentes de nos vies étaient fondues dans le spectacle. Elle parlait de ses clients, de sa condition de call-girl de luxe à New York, le romancier, de la création littéraire au Québec... Et moi ! je parlais de la sagesse et de mes drames.

Les mass media étaient ainsi comme une grande machine à broyer, à laisser sortir une purée au goût fade, parce que tous les éléments étaient tamisés par les règles du show. Parler vite, sourire, transformer tout, les drames d'une vie, ou l'œuvre pure, en un spectacle brillant et bref.

De penser à cela me désespérait quand je me retrouvais seul. Et pourtant si je voulais faire connaître mon action et mes livres, il fallait que j'accepte ce jeu. Tout est toujours déchirement, contradiction, pensais-je. Et pour fuir, car ce furent des jours où je n'étais pas assez fort pour les dominer, je tentais de revivre comme j'avais vécu avant de connaître Dina.

Je sortais à New York avec Jack Eisner et sa jeune femme. Quelques soirées où comme quelqu'un qui mime ce qu'il a été, je jouais au célibataire dynamique et gai. Jack parfois me regardait en silence. Trop longuement.

– Tu ne veux pas rentrer ? disait-il toujours.

Il pressentait. Nous nous connaissions depuis trop d'années pour qu'il soit dupe de ma comédie.

– Moi ?

Je lui disais que je m'amusais, que je voulais encore boire et danser. Un soir, comme cela, je me suis retrouvé dans le grand salon du Plaza avec, assise en face de moi, dans l'un de ces fauteuils où l'on se recroqueville tant ils sont confortables, une jeune femme, Elisabeth, qui fumait et riait en répétant :

– Vous, vous, Martin Gray !

Elle riait plus fort, elle haussait les épaules.

– Tu parles et moi, je suis qui, Marilyn Monroe ?

Et elle disait que Martin Gray, c'était quelqu'un d'autre, un type qui s'était battu pendant la guerre. Elle avait lu *Le Livre de la Vie,* elle savait bien, elle, que ce type-là, c'était un sage, qui lisait les philosophes orientaux.

– C'est comme un bouddhiste, vous comprenez, alors, vous ? Et puis avec ce qu'il a vécu, non, cher, pas Martin Gray, dites-moi que vous êtes Nixon, je vous croirai davantage.

Elle allumait une autre cigarette, elle ajoutait :

– Marilyn Monroe et Nixon.

Elle riait et continuait en appuyant son front sur l'accoudoir du fauteuil.

– Vous savez ce qu'on dit ? Kennedy et Marilyn...

Elle tendait la main vers moi.

– Mais vous, Martin Gray. Si vous êtes Martin Gray...

Elisabeth devenait tout à coup sérieuse.

– J'ai lu *Le Livre de la Vie,* une amie me l'a prêté, alors je sais bien que vous ne pouvez pas être Martin Gray : c'est quelqu'un de bien, lui, de propre.

Je n'étais plus aucun de ceux que j'avais été : tous les morceaux du puzzle étaient renversés. Ni le combattant du ghetto, ni Miétek, ni Micha, ni Mendle, ni Martin, ni l'antiquaire, ni l'époux de Dina, ni le père de mes quatre enfants, ni l'ami d'Helen. Rien, vide. Ni l'auteur auquel des centaines de milliers de lecteurs avaient cru. Fini Miétek et Martin. Dispersé moi. Je me suis levé.

– Eh ! vous !

Elisabeth essayait de se soulever de son fauteuil.

– Eh, vous ! où allez-vous, vous n'allez pas me laisser tomber comme ça, en pleine nuit.

Je suis passé à la réception, j'ai montré Elisabeth, demandé qu'on lui donne une chambre et je me suis vraiment enfui.

Ma chambre de cette nuit-là, à l'hôtel Plaza, je n'en oublierai aucun détail. Je vois la couleur bleue du dessus-de-lit, j'entends le léger, presque imperceptible, sifflement de l'air conditionné.

Je me suis dit : Pour rassembler le puzzle, cesser de ne plus être, il faut en finir avec le cirque, il faut mourir. Je serai alors redevenu un Miétek, Micha, Mendle, Martin, il faudra bien qu'on les voie tous ensemble, qu'on sache que j'ai été tout cela dans une seule vie, un corps unique.

Mourir.

Je me suis mis à chercher méthodiquement le moyen d'en finir. Ce sont des moments que l'on n'avoue pas. Ou bien l'on réussit, on va jusqu'au bout de ce qu'on entreprend. Ou bien on cache ses tentatives. On a honte ou alors on se dit qu'avouer fait encore théâtre.

J'avoue.

J'ai voulu ouvrir une des fenêtres. Impossible. Je me suis dit : Je vais acheter des somnifères, avaler un tube. Je repassai ma veste. Je voyais les actes qu'il me fallait accomplir, portier, taxi, drugstore, retour, et *down, down,* je me préparais à sortir.

Le téléphone a sonné. Je prends, je ne prends pas? J'ai soulevé l'appareil. La voix de la standardiste, un appel de Montréal. Avant même que j'aie eu le temps de répondre j'entendais quelqu'un, un homme, qui me parlait en français avec un accent québécois un peu particulier. Je ne parlais pas, je laissai l'homme avancer vers moi, un mot, un pas; j'étais au fond, chaque mot était comme un effort pour me tirer de ce *down.*

– Martin Gray?

Il m'interrogeait.

– Martin Gray, je voudrais te dire...

Il me tutoyait.

– Tu es comme un frère pour moi; j'étais à l'hôpital, je me laissais aller, j'ai lu ton livre.

Une histoire que j'avais plusieurs fois entendue, mais je l'écoutais encore, ému, attentif.

– Je m'appelle Sam Faierstein.

Sam, j'ai placé le nom de celui qui devait devenir mon ami au début de mon livre *Les Forces de la Vie*; le docteur F. c'est lui. De l'homme, il connaît l'âme et le corps. Professionnellement, c'est un chiropracteur, mais je n'ai jamais rencontré un psychologue ou un psychiatre qui ait une vision aussi juste et profonde de l'esprit. Quand il masse les corps, qu'il dénoue un muscle ou une articulation, il sait qu'il traite aussi l'âme de son malade.

– Je m'appelle Sam Faierstein, répétait-il.

Finalement, j'ai pu répondre.

– Bon, que voulez-vous?

– Il faut qu'on se voie, Martin Gray; ne me prenez pas pour fou, mais j'ai su qu'il fallait que je vous téléphone ce soir. J'ai mis des heures à vous trouver. Ça s'est imposé à moi, vous téléphoner ce soir, même si vous étiez en France. J'ai essayé aussi. Et voilà, je vous ai trouvé à New York, c'est près. Quand nous voyons-nous ? Il faut que nous fassions des choses ensemble ; je le sais, vous savez, je suis astrologue aussi.

Il riait.

– Naturellement, vous ne croyez pas à tout cela ? Répondez-moi simplement par oui ou par non. Est-ce que j'ai eu tort de vous téléphoner ?

Comme cela, j'ai connu Sam. Je lui ai promis – il m'a fait promettre – de le retrouver à Montréal, le lendemain. Et, au lieu de me rendre au drugstore, je me suis couché. Le lendemain, j'ai pris l'avion pour le Québec.

Dans ma vie, les choses, les êtres surviennent toujours ainsi, par surprise.

Quand j'ai débarqué, à l'aéroport de Montréal, j'ai su que j'en avais fini avec le cirque. Fini avec ce puzzle émietté. J'allais me rassembler, enfin. Je ne savais pas encore comment. Mais mort, l'acteur. Robert n'aurait plus à être ironique. J'arrivais dans le hall de l'aéroport. Ici encore, qu'on ne me croie pas – peu m'importe – je ne m'inquiétais pas : je reconnaîtrais Sam Faierstein.

Et cela se passa ainsi : il se levait sur la pointe des pieds pour me voir, il n'avait aucun signe distinctif, mais moi, j'allai vers lui.

– Sam Faierstein ?

Il me prenait les deux mains, les secouait.

– On se reconnaît, n'est-ce pas, frère ?

L'entente entre nous, immédiate. Nous célébrons cette rencontre dans un restaurant grec, et je parlais de la manière dont j'avais vécu les dernières semaines.

– Je le pressentais, disait-il, et comme vous m'avez sauvé, oui, à l'hôpital, sans vous, sans ce livre, je me laissais aller, je me suis dit : Il faut trouver Martin, il va mal.

Il riait.

– Ne me croyez pas, mais j'ai souvent des prémonitions comme ça.

– J'ai besoin..., ai-je commencé.

– Vous avez besoin d'être seul, a-t-il dit. Le temps qu'il faudra. J'ai ce qu'il faut, la maison d'un ami, dans la forêt, c'est une bonne maison. Vous lirez, vous écrirez.

– J’ai un livre à finir.
– Il faut, a-t-il dit.
Up, j’étais à nouveau *up*.
Sam m’a accompagné dans la maison de la forêt.
Fini le cirque, commençait une nouvelle vie.

14

La maison de la forêt

J'ai donc quitté le monde des hommes pour celui des arbres. Et pour moi, les arbres étaient plus vivants que certains hommes, ceux que j'avais côtoyés dans beaucoup de studios de télévision, dans les bureaux des journaux, tous ces hommes de l'apparence qui avaient perdu le sens de la vérité.

Les arbres de la forêt, autour de la cabane où m'avait laissé Sam, étaient changeants comme des humains, calmes et droits comme des justes.

Je sortais le matin, je m'asseyais contre le tronc de l'un l'eux et je regardais ses frères, hauts, puissants, la cime froissée par la brise qui soufflait depuis les trois lacs qui se trouvaient à quelques centaines de mètres de la maison.

Les arbres avaient toujours été pour moi comme une armée qui se pressait pour me protéger. Arbres de Pologne qui me recueillaient après mes évasions, forêt où les bruits étaient bus par la neige et où parfois le vent faisait tomber de lourdes masses blanches qui, de branche en branche, se transformaient en fine poussière. La forêt canadienne ressemblait à celle de ma jeunesse et l'air que j'y respirais avait la même odeur. Il était vif, stimulant. Il me lavait de la poussière de cirque qui me collait à la peau depuis des mois.

J'aimais les arbres. Je me rendais compte combien j'avais eu raison de donner comme l'un des buts principaux de la Fondation la protection de la forêt. J'avais été en avance de quelques années sur les gouvernements.

Aujourd'hui, on lançait à grands coups de cymbale des journées de l'arbre ! Les graines que j'avais semées dans l'indifférence avaient germé. Tant mieux. Même s'il s'agissait de propagande, il valait mieux qu'elle serve à sauver la nature qu'à exalter les instincts guerriers. Et l'arbre, c'était la paix.

Je marchais dans la forêt, m'éloignant des lacs. Je découvrais parfois des troncs ronds et lourds comme des donjons. L'un d'eux, trapu, se ramifiait en une trentaine de grosses branches. Il avait dû être frappé à plusieurs reprises par la foudre au cours des siècles mais, si tout un flanc était mort, de jeunes bourgeons perçaient sur l'autre côté. Son écorce ressemblait à de la pierre ou à des écailles. Il donnait l'image de la nature, tenace, qui ne se laisse pas détourner de son sens : vivre, vivre, affirmer à chaque saison que la vie renaît.

Cette leçon de la vie recommencée, de la force de la vie, de l'énergie de la vie, elle était inscrite pour moi dans chaque tronc de cette forêt si profonde qu'à plusieurs reprises, j'ai craint de m'y perdre. Elle m'enivrait comme si j'avais bu une dose trop forte de cette vraie, pure EAU DE VIE.

Oui, la nature était l'EAU DE VIE.

S'il ne s'y baignait pas, l'homme mourait, arbre déraciné.

Si j'avais erré ces dernières semaines jusqu'à penser, un soir, cesser de me battre, si l'espoir m'avait quitté, c'est non seulement parce que j'étais seul au milieu des autres qui répétaient mon nom sans me parler, mais parce que j'avais perdu le contact avec la nature.

Mon air était chargé de l'odeur de kérosène et ma terre était le béton des pistes d'aéroport ou la moquette des couloirs et des chambres d'hôtel. Je passais d'une boîte d'acier à une autre, de l'avion au taxi. Le temps même, je le perdais : j'allais d'une ville où se couchait le soleil à une autre où il se levait. Décalage horaire qui bouleversait mon rythme naturel.

Comment aurais-je pu guider mon énergie psychique ?

Comment aurais-je pu créer ?

Ici, dans la maison de la forêt, je recommençais à écrire. Je pensais aux semaines que j'avais vécues et je cherchais à donner aux lecteurs les moyens d'échapper à ce désarroi qui m'avait frappé, moi qui me croyais –

n'avais-je pas donné des leçons de sagesse dans *Le Livre de la Vie*? – à l'abri d'un tel *down*.

Or, j'avais été au creux du creux.

Je m'adressais donc au lecteur, je l'interpellais, je lui parlais mais c'était avec moi que je dialoguais d'abord. Et quand j'écrivais :

> « *Posez ce livre,*
> *Levez-vous,*
> *Inspirez lentement,*
> *Expirez lentement* »,

c'est un ordre que je me donnais. Je m'arrêtais d'écrire, je faisais quelques pas, et les yeux tournés vers la cime des arbres, je respirais à pleins poumons.

Chaque page écrite, chaque conseil donné – à moi d'abord – m'assuraient.

Les notes que nous avions prises, Helen et moi, se développaient. J'écrivais dans la certitude que ce livre allait être utile puisqu'il m'était utile et l'écrire était pour moi une manière de réfléchir, de guider mon énergie psychique, de l'utiliser pour la construction de ma vie, et non plus de la laisser se disperser, répandue en vain, inutile et destructrice.

Car je me persuadais que, si l'énergie psychique n'est pas appliquée à des buts positifs, elle détruit. Elle devient cancer qui disperse notre personnalité. Et c'est bien ce que j'avais éprouvé quand je me sentais pareil au puzzle épars.

J'écrivais. L'énergie psychique montait en moi comme la sève.

Sam, les fins de semaine, venait me retrouver avec ses deux enfants et sa femme, Thérèse, une Québécoise généreuse et joyeuse.

L'après-midi nous partions Sam et moi pour une longue promenade, marchant lentement, longeant les rives du lac. J'apprenais de lui le Canada et je lui apprenais ce que j'avais vécu. Il m'écoutait avec attention. Je parlais longuement puis c'est lui qui m'expliquait. J'aimais son enthousiasme. Un écrivain souvent doute et, malgré tous les témoignages que je recevais, malgré ce que m'avait dit Helen, il m'arrivait de douter. Sam témoignait de l'écho de mes livres. Il allait plus loin encore. Il me disait que je devais, plus tard, écrire un livre sur l'éducation selon les lois de la nature, que je devais me prononcer sur les problèmes de notre Temps, que je devais essayer, par mes livres, de donner aux jeunes une boussole qui les aiderait dans la vie difficile d'aujourd'hui. Je ne répondais pas. Les mots de Sam étaient comme des graines que je sentais déjà germer en moi, qui me révélaient ce besoin si profond que j'avais de communiquer et d'enseigner. Dès sa première visite, j'avais décidé de lui confier la gestion de mes affaires canadiennes. Je ne voulais plus m'occuper de mes investissements, de vendre ou d'acheter, de louer, d'emprunter, de rembourser. J'avais une confiance totale dans Sam.

Il s'arrêtait, il s'appuyait à un arbre, il gardait les bras croisés sur la poitrine.

– Mais tu me connais à peine, disait-il.

J'aimais qu'il se soit ainsi remis à me tutoyer.

Il souriait.

– Et si je vendais, puisque tu me donnes un pouvoir, et si je disparaissais ?

– Vends, disparais si tu veux. C'est entre toi et toi que tu choisis. Moi, je fais confiance à tes deux « toi ». Ils se mettront d'accord, tu verras, pour que j'aie raison de tout te confier.

– Mais, si le Québec...

Il m'expliquait que le désir d'indépendance était fort comme dans un arbre jeune la poussée des branches vers le haut. Les affaires pouvaient subir les contrecoups de ces variations politiques. La puissance économique était souvent détenue par les Canadiens anglophones.

– J'ai confiance dans le Québec, comme j'ai confiance en toi.

Je prenais Sam par l'épaule.

– Ta femme est québécoise. Tu as confiance en elle ? Alors pourquoi je n'aurais pas confiance dans les Québécois ?

– Tu risques, Martin.

– Je ne risque rien, rien.

J'aimais les peuples qui étaient grands non par le nombre des hommes, mais par l'obstination qu'ils mettaient à survivre, à affirmer une personnalité que de plus puissants qu'eux essayaient de leur contester. Telle avait été l'histoire de mon peuple au cours des millénaires.

Il avait été privé de sol. Mais il avait conservé son visage et, un jour, il s'était redonné une patrie.

Pourquoi les Québécois ne réussiraient-ils pas, eux qui n'avaient jamais perdu le contact avec leur terre, avec ces arbres qui étaient l'image de la vie ?

Le soir, je raccompagnais Sam et les siens jusqu'à la route où ils avaient laissé leur voiture.

J'aimais rentrer seul par les sentiers dans la futaie, découvrir la maison au centre de la petite clairière.

Venait le soir, j'allumais un feu, je lisais devant la cheminée, la musique accompagnant les mots. Je renaissais.

Un dimanche matin, une semaine où Sam n'était pas venu, j'entendis des cris, des chants devant la maison. D'une camionnette sautaient trois enfants et un couple. La jeune femme vêtue d'une chemise à carreaux et d'un blue-jean, les cheveux longs qui couvraient son dos, le mari dont de grosses lunettes masquaient un peu le regard. Je sortis et quand ils me virent, ils me saluèrent, les enfants courant vers moi, la jeune femme criant :

– Mais ce n'est pas là !

Je m'étais accoudé à la rampe de bois de l'escalier, je regardais ces trois enfants, ce couple, et je m'aperçus que je pensais à Dina et à mes enfants sans que cela me plonge dans le désespoir. Ma tristesse était calme, presque paisible, pourquoi le nier ? C'était comme le son d'un violon nostalgique qu'accompagnait la tendresse grave d'un violoncelle. Je voyais ma famille disparue et en même temps, pour la première fois, j'osais m'avouer clairement que j'aurais un jour d'autres enfants. Qu'un jour, une femme viendrait qui aurait sa personnalité, différente de celle de Dina. Et j'accepterais cela naturellement.

Un jeune garçon qui pouvait avoir cinq ou six ans avait grimpé les marches de l'escalier, malgré les ordres de sa mère, qui s'était approchée.

– On cherchait une cabane à sucre, disait-elle.

Le petit garçon entrait dans la maison avec autorité
– Gérard, reviens ici !

Je riais, je les invitai tous à entrer. Les enfants couraient. Le mari m'expliquait que la cabane à sucre ne devait pas être très éloignée. Je la connaissais, je me proposai de les guider, à pied. Qu'ils laissent leur camionnette ici.

Je dis :

– Le bruit du moteur dans la forêt...

Je fis la grimace. La jeune femme m'observait.

– Il me semble que je vous connais, dit-elle.

Bien sûr, la télévision. Mais ils ne changeaient pas d'attitude. Ils connaissaient mon histoire sans avoir lu mes livres.

– Il vous faut des enfants maintenant, dit la jeune femme cependant que nous marchions et que je donnais la main à Gérard. Vous êtes encore jeune, ça ne vous plairait pas un petit garçon comme Gérard ?

Ils avaient la franchise et la spontanéité des gens vrais. Et j'osai leur dire :

– J'en aurai, j'en suis sûr. Mais quand ? – et je ris – il faut que je trouve une femme.

– Vous trouverez, répondaient-ils en riant eux aussi.

Gérard me lâcha la main, se mit à courir. Il avait, le premier, vu la cabane à sucre, les érables dressés au bout de la clairière.

Par les portes ouvertes de la cabane, j'apercevais les chaudières sur le feu de bois, je sentais déjà l'odeur sucrée du sirop. Je restai là, avec cette famille, toute la journée, et le plus souvent, Gérard près de moi.

Entre deux courses, entre deux danses, il venait se reposer, posant sa tête contre mon bras, me disant, soupçonneux :

– T'es pas québécois, toi ?

Je caressais ses cheveux. Je me persuadais qu'un jour un enfant issu de moi et de la femme que j'aimerais poserait ainsi son visage sur moi.

On m'entraînait dans la danse, on me forçait à goûter des morceaux de lard grillés à la poêle, et j'avais beau dire que c'était contraire à mes principes alimentaires, on m'obligeait à manger ces « Oreilles de Criss » (oreilles du Christ), ce que je faisais en riant.

Une fête toujours doit se respecter.

Et puis le sirop d'érable, cette douceur un peu amère

curieusement. Le mari se mettait à jouer de l'harmonica sur le chemin du retour alors que sous les arbres il faisait déjà froid et que je portais Gérard somnolent dans mes bras. J'apprenais qu'un harmonica se disait autrefois « ruine babine ». Je riais. Je déposais Gérard entre ses deux sœurs sur le matelas posé dans la camionnette. Nous nous embrassions, nous nous promettions de nous revoir.

La vie, la force de la vie.

La visite inattendue de cette famille de Canadiens m'avait donné un élan, une joie intérieure que je ne connaissais plus depuis des années.

La forêt, cette vie naturelle que je menais dans la grande fraternité des arbres, me stimulait.

Je marchais, je respirais, et ma méditation s'en trouvait comme éclaircie. Je chassais de moi les impuretés qui s'étaient accumulées, je laissais pénétrer en moi ces énergies vitales qui couraient dans la terre et donnaient aux arbres cette vigueur majestueuse et belle dont je ne me lassais jamais.

Quand je rentrais dans la maison, j'écrivais avec une netteté dans la pensée qu'il me semblait n'avoir jamais eue. C'était comme si un vent vif avait chassé la brume, permis aux reliefs d'apparaître dans le dessin précis de leurs contours. Je me souvenais de ces jours de vent, quand, depuis le Tanneron, j'apercevais jusqu'à la lointaine ville de Nice, la Baie des Anges et la côte italienne, parfois aussi la Corse, massive et bleue à l'horizon.

Quand je me surprenais ainsi à revoir dans ma mémoire les lieux du Tanneron, le panorama qui se déroulait depuis ma maison des Barons, je me rendais compte à quel point le séjour dans la forêt m'avait renforcé, donné une sorte de sérénité. J'étais capable de me souvenir sans désespoir. Capable d'envisager de vivre là-bas, au Tanneron. Je rencontrerais une femme, imaginaire, nous construirions une nouvelle maison sur la colline que je possédais et qui était l'un des points les plus hauts du Tanneron.

Les nouveaux propriétaires des Barons seraient devenus des amis, nous nous verrions souvent, les enfants de nos deux familles joueraient dans les champs, pas de clôture entre nous. Je resterais près des Barons, je les verrais de ma nouvelle demeure et je ne serais pas pris au piège de la mémoire.

Je pensais ainsi dans la forêt canadienne. J'y étais calme. Je relisais et complétais *Les Forces de la Vie*. Parce que je mesurais mieux que jamais le rôle de l'exercice physique et de la respiration, je coupais mes chapitres de conseils d'ordre pratique. J'essayais d'établir une méthode de vie sage, équilibrée.

Ce livre était pour moi comme une sorte de journal de guérison et je voulais qu'il le devînt aussi pour mes futurs lecteurs.

Sam, avec son immense culture psychologique, son expérience de chiropracteur, relisait chaque phrase avec attention. Nous nous asseyions sur l'un des bancs, un tronc aplani de la clairière, devant la maison. Souvent, il s'interrompait et nous restions épaule contre épaule, sans parler, dans la douceur odorante de l'air.

A chaque visite il m'apportait le courrier. Nous parlions de ces projets de film tiré d'*Au nom de tous les miens* que des producteurs me proposaient. Je ne voulais pas d'une grande machinerie sans âme, qui ferait de mon histoire un western où je serais un « bon Indien » ou un « justicier » indestructible.

Je voulais un film humain, simple, où passeraient l'émotion et la vérité des épisodes de ma vie et celle des miens. Sam rejetait la tête en arrière, fermait les yeux.

– Tu veux toujours l'impossible, disait-il. Tu veux un grand film qui ait les qualités d'un film d'art.

– C'est possible, possible. A cette condition seulement j'accepterai.

Etait-ce ambition excessive de ma part ? Je croyais que les spectateurs ou les lecteurs n'étaient pas des imbéciles, qu'on pouvait leur parler comme à des adultes et non comme à des primitifs. Je démontrais par le succès de mes livres qu'il n'était pas nécessaire de composer un cocktail de sexe et de violence pour faire qu'un livre soit lu.

J'étais sûr qu'on ne gagne rien à viser bas.

Chaque homme avait en lui de quoi comprendre une œuvre véritable et les jeunes d'aujourd'hui surtout.

L'homme, il me semblait, était davantage un homme chaque jour. Utopie ? Il fallait faire le pari de cette utopie, sinon, pourquoi vivre ?

J'expliquais cela à Sam.

– Toute mon œuvre, c'est cela.

J'ouvrais des lettres en parlant. Je vis une invitation à Bruxelles à une *Exposition Survie* pour la protection de la nature. Immédiatement, je dis à haute voix : « Je n'irai pas », sans réfléchir, et je tendis la lettre à Sam. Puis, je me levai, fis quelques pas dans la clairière. Sam relisait la lettre.

– Tu as promis, disait-il.

Il me semblait que je ne voulais plus quitter cette maison de la forêt. Que là était le port. Je ne désirais plus affronter les vagues du large.

– Ils ont accepté ta proposition, entrée gratuite pour les jeunes.

Les conversations que j'avais eues avec les organisateurs me revinrent à l'esprit. Je haussai les épaules, j'étais pris comme dans un piège que je m'étais à moi-même tendu. Je me souviens que je répétai plusieurs fois :

– Bon, bon, j'irai.

Il me fallait partir dès le lendemain. Je bougonnai et en même temps, je me précipitai en courant vers la maison, je bouclai mes valises.

Sam était encore assis sur le banc quand je le rejoignis.

– Alors, dis-je, je pars avec toi pour Montréal, ce soir. Je lus sur son visage l'étonnement.

– Pour quelqu'un qui..., commença-t-il.

– S'il faut, ai-je dit.

Et je marchai déjà en direction de la route, sans un regard pour la maison de la forêt.

15

Je me suis retourné et ma vie a changé

Le taxi me conduisait de l'aéroport au centre de Paris où j'habitais. Le chauffeur fumait, faisait hurler la radio et, à l'entrée du boulevard périphérique, nous sommes restés plusieurs minutes bloqués entre des camions, des masses noires qui s'ébranlaient avec des bruits aigus et prolongés, comme une soufflerie. Je devais lutter contre le désir de descendre du taxi, d'échapper à cette cohue, à ce bruit, à cette odeur de tabac et d'essence.

Et j'en voulais à Sam, je me reprochais aussi d'avoir si facilement accepté de quitter les arbres, le silence, l'air chargé de résine, pour cette forêt de ciment, d'acier, où l'on respirait le gas-oil.

Je me disais que j'allais repartir dès le lendemain, que peu m'importait l'Exposition Survie à Bruxelles, qu'on se passerait de moi, que je ne me laisserais plus prendre jamais dans un engrenage de conférences dont je ne contrôlerais pas, très exactement, les sens.

L'Exposition Survie appartenait à une époque de ma vie révolue. Cela, j'en étais sûr.

Et pourtant, quand je me suis retrouvé dans mon appartement, des pièces sombres, à un rez-de-chaussée donnant sur une cour, je m'aperçus que je n'étais pas vraiment, au fond de moi, mécontent d'être rentré. Je mettais de la musique, j'allai chez le coiffeur, j'avais, je me souviens très bien de cet après-midi-là, une sorte de joie tranquille, de légèreté dans le corps et dans l'esprit.

J'ai pris quelques-unes des lettres qui étaient arrivées pendant mon absence et je suis allé m'installer au Jardin du Luxembourg. Il faisait beau. Autour de la pièce d'eau des enfants s'agglutinaient, agenouillés, les mains tendues vers leurs bateaux qui traversaient le bassin, poussés par une brise fraîche. Ici, la ville n'était plus qu'une rumeur lointaine. Elle redevenait humaine avec seulement cette haute tour noire à Montparnasse s'enfonçant dans le ciel comme un pieu.

Oui, j'étais, et je m'en étonnais, détendu et heureux. Le mot dans ma tête hésitait à naître comme un convalescent qui a peur de faire le premier pas et s'appuie au rebord du lit puis de la table. Heureux de ces cris d'enfants, de leurs courses pour attendre de l'autre côté du bassin les voiliers que parfois un souffle plus fort couchait sur l'eau. Heureux aussi des lettres que je lisais.

Parmi toutes celles qui m'attendaient, j'en avais choisi une vingtaine au hasard. Presque toutes avaient été écrites par de très jeunes lecteurs, souvent de moins de vingt ans. J'aimais leur spontanéité. Le ton sans apprêt de leurs phrases, la violence parfois de leurs attaques, et toujours la générosité, la gravité aussi de leurs pensées. Je me sentais en pleine communion avec ces nouvelles générations. Il me semblait que je parlais leur langue. Ils cherchaient des projets qui ouvrent leur vie sur les autres et le monde vrai. Ils ne voulaient pas devenir les prisonniers de leur égoïsme. Ils refusaient de limiter leurs préoccupations à l'organisation matérielle de leur vie. Ils désiraient plus d'âme dans un monde froid.

Entre eux et moi, il n'y avait pas la barrière de l'âge, et je cherchais à comprendre pourquoi. Peut-être l'âge ne se marquait-il que parce que l'homme cessait avec les années d'être en mouvement. Il s'ancrait dans un port. Il n'affrontait plus les tempêtes, les questions, les changements. Moi, j'avais dû rompre plusieurs fois mes amarres. Quand je ne l'avais pas choisi, le destin l'avait fait pour moi.

J'étais resté, par choix et nécessité, un homme qui bouge. Un « agité », disait-on parfois de moi. Et cela m'avait rapproché des jeunes.

J'avais connu des milieux trop différents pour ne pas être sensible à leur révolte souvent, à leur difficulté à entrer dans cette société qui se fermait devant eux.

J'ai pensé à Robert, j'ai eu envie de le revoir, mais quand j'ai téléphoné chez lui, je n'ai eu que sa mère. Et au son de sa voix je pressentis des difficultés. Robert avait quitté le domicile de ses parents. Pas envie d'être une charge, m'expliquait sa mère. « Nous, on pouvait, m'expliquait-elle, mais, vous savez, à cet âge-là, on est orgueilleux. »

– On a raison d'être orgueilleux, ai-je dit. Vous n'avez pas son adresse ?

Il écrivait de temps à autre. Une lettre de Nantes, une autre de Paris, la dernière de Florence. Plus rien depuis deux mois. J'essayai de communiquer à la mère de Robert ma confiance. Je me souvenais de la vigueur de cet adolescent, de l'ironie de ses paroles.

Mais une fois que j'ai eu raccroché, j'ai eu peur. Je connaissais aussi trop de cas où celui qu'on croit le plus fort se brise parce que, au moment décisif, une voix a manqué qui lui aurait rendu confiance. Il me restait trois jours avant l'Exposition Survie à Bruxelles. Qu'avais-je à faire ? Je confiai les démarches à effectuer pour la Fondation à un de mes plus proches collaborateurs, Marcel Thuries. Mon œuvre était à un tournant : elle allait fonctionner sous l'égide de la Fondation de France. Mais il y avait Robert.

Je savais qu'il faut toujours préférer une vie à toute autre chose. J'ai donc pris un train de nuit pour Florence, me précipitant à la gare sans savoir s'il y avait encore des places, mais quand on veut partir, agir, qui peut vous en empêcher ?

Et le matin, je voyais se dérouler devant moi la campagne florentine, la douceur des collines, l'ocre des maisons paysannes.

Je n'avais jamais été à Florence. C'était un projet de Dina que nous avions toujours reculé à cause des enfants, de notre maison que nous avions tant de mal à quitter.

Dans la gare, j'étais surpris par cette grande ville. Florence dans mon esprit était encore une cité de la Renaissance, paisible, silencieuse. Je marchais, mesurant combien il était fou de penser retrouver Robert dans cette activité, et en même temps pourquoi ne pas tenter, comment renoncer ?

J'avais derrière moi tant d'exemples montrant que l'on pouvait toujours réussir. Si l'on essayait, on avait au moins une chance. Et si l'on renonçait on n'en avait aucune. Vérité toute simple qui faisait souvent rire les petits messieurs savants. Ils se moquaient de moi quand je la répétais. Mais vérité que j'avais éprouvée.

J'ai d'abord parcouru les rues du centre de la ville. Puis, par la piazza de la Signoria, j'ai observé les jeunes qui, assis sur les margelles des fontaines, bavardaient ou bien tendaient parfois la main. Je me suis approché, suscitant, je le sentais, la méfiance. Mais je sais vaincre cela. Je parle. Je m'avance. Je dis :

– Je cherche un Français, grand, Robert.

Je vais au-devant des questions.

– Je ne suis qu'un ami. Je ne suis pas de la police.

Evidemment ils ne le connaissaient pas. Mais je restai avec eux. Je les contestai. Je discutai âprement. Je parlai de la drogue, de la société. J'étais de leur côté s'ils critiquaient les injustices de notre monde, contre eux s'ils se détruisaient eux-mêmes parce que cette société ne leur convenait pas.

Nous parlions dans une langue bizarre, faite de quelques mots d'italien que je connaissais, de mon français et d'anglais. Et j'ajoutais quelques gestes et nous réussîmes à nous comprendre, en riant et en nous disputant.

J'aime cela dans la jeunesse d'aujourd'hui, cette disponibilité, cette absence de préjugé. Je regardais ces jeunes autour de moi : leurs corps n'étaient pas emprisonnés dans ces vêtements raides qu'on portait au temps de mon enfance. Les tissus étaient souples, les formes permettaient les mouvements, librement. Vérité : voilà ce que me suggéraient le comportement de ces jeunes et leur habillement. Ils ne voulaient plus paraître mais être. Seulement, je m'éloignais avec eux de la place ; l'un d'eux m'avait pris par le bras.

– Viens dîner si tu veux et si tu payes.

Ils riaient et j'aimais qu'ils soient ainsi, directs, ouverts, même si souvent, d'autres préjugés avaient, hélas ! remplacé les anciens ! Parfois la recherche de la vérité les conduisait à des singeries, à des imitations, et je le leur disais dans la *trattoria* où nous nous attablions.

J'y sentais l'atmosphère un peu âcre que donnent les parfums qui sont importés de l'Orient et peut-être la drogue. Et cela je le contestais même si je comprenais les causes du désarroi qui poussait les jeunes à trouver dans ces pays lointains – l'Orient et le rêve qu'apporte la drogue – des protections contre un réel qu'ils contestaient et qui leur apparaissait trop inhumain.

Mais, et je le disais en frappant du poing sur la table, se détruire ce n'est pas une voie.

Ils ne se rendaient pas compte qu'ils étaient absorbés par un autre système, des modes qui se voulaient antimode, et qu'en cherchant à être différents ils se laissaient manipuler.

– *Manipolati,* vous êtes *manipolati.*

Je les ai quittés tard dans la nuit, sans avoir rencontré Robert. J'ai marché lentement dans les rues à sa recherche encore. Je m'approchais des jeunes qui stationnaient devant les terrasses des cafés, de ceux qui tendaient la main ou jouaient de la guitare. Je n'avais aucune chance. C'est ce que m'expliquait dans un anglais approximatif l'un des commissaires de police, *Pubblica Sicurezza,* que j'avais joint au téléphone. Il m'indiquait quelques rues, quelques pensions où je pouvais me rendre. Mais la police, n'est-ce pas, ne pouvait m'aider. Je n'avais aucun droit légal. Je n'étais pas mandaté et d'ailleurs à quoi cela aurait-il servi ?

Je me suis levé tôt après seulement trois ou quatre heures de sommeil. Aucune chance, bon.

Défi, pari : c'était aussi toujours comme cela que j'avais agi. J'ai loué une voiture pour parcourir la périphérie, pour glisser dans les vieux quartiers de l'autre côté de l'Arno. Et c'est ainsi que j'ai vu Robert. Il sortait d'un magasin, les bras chargés de paquets. On dira : rencontrer à Florence quelqu'un dont on ignore l'adresse, ce n'est pas possible. Bien. Qu'on le dise. Moi j'ai rencontré Robert. J'ai stoppé au milieu de la rue. Derrière moi on klaxonnait. Je criais. Il me vit et courut vers moi. J'ouvris la portière, montrant l'embouteillage qui se formait :

– Qu'est-ce que tu fais à Florence, une conférence ?

Il se moquait déjà.

– Tourisme, ai-je répondu.

Je le détaillais et je sentais, parce qu'il avait l'air bien dans sa peau, qu'il n'y avait aucune raison de le ramener en France, de lui faire la morale.

– Tu travailles ?

Il avait rencontré une Italienne à Paris. Il l'avait suivie ici. Il faisait de petits métiers.

– Tes parents !

– J'ai écrit hier, disait-il. Ils s'inquiètent, bien sûr.

Nous nous sommes arrêtés sur une petite place que fermait un palazzo aux colonnes de marbre rose. Je voulais parler avec Robert plus longtemps, connaître mieux ses projets, l'écouter aussi, pour – qu'on se moque encore de moi si l'on veut – partir à la découverte d'une autre manière de vivre. Car c'est peut-être cela qui nous manque toujours : nous vivons clôturés, en nous, dans notre milieu. Il est alors facile de condamner les autres.

Assis à une terrasse, j'étais attentif aux paroles et au visage de Robert. Il avait vieilli : quelques rides déjà, surtout une gravité qui me surprenait.

– Tu sais, Martin, m'a-t-il dit brusquement, avec Clara nous voulons un enfant. Maintenant.

Je lui pris la nuque avec ma main. Je le secouais. La joie, oui, m'emportait.

– Toi, un enfant, déjà ?

– Pourquoi pas ? Tu veux qu'on attende d'avoir ton âge ?

Il me donna en plaisantant un coup de poing à l'épaule.

– Excuse-moi, dit-il, mais tu devrais te dépêcher.

Je riais. J'étais heureux. Il me semblait qu'en acceptant cette responsabilité nouvelle Robert se donnait des raisons de vivre.

– Tu veux que je téléphone à tes parents en France ?

– Téléphone, dit-il. J'irai les voir, plus tard, avec notre enfant et Clara. Pas avant.

Je ne connaissais pas la famille de Robert. Mais il m'en parla ce soir-là, à Florence. La mésentente entre le père et la mère, cette souffrance pour Robert de les voir en permanence se déchirer et pourtant l'un et l'autre étaient des parents exemplaires, aimant leur fils plus que leur vie. Mais entre eux une incompréhension, des violences verbales.

– A chaque fois qu'ils se parlent, m'expliquait Robert, c'est comme si on me partageait en deux, tu comprends ? Je suis parti, le chômage bien sûr. Je ne pouvais accepter d'être à leur charge. Ils sont ouvriers, tu sais. Mais aussi je ne réussissais plus à vivre. Leurs disputes, tu vas croire que j'exagère, c'était comme ma mort. Et moi, je veux vivre.

Il recommençait à sourire, il me parlait de Clara, me proposait de la rencontrer, mais je devais partir le lendemain pour Bruxelles. Nous nous embrassâmes. J'avais eu raison de venir jusqu'ici. Une chance seulement mais je l'avais courue. Et j'avais gagné.

Je repartais comme après un nouveau séjour dans la

forêt canadienne. Un souffle de vie plus fort en moi. J'étais venu pour aider Robert. C'est lui qui m'aidait sans le savoir. Il choisissait la bonne route.

Et lui, l'homme jeune, donnait l'exemple à l'adulte chargé d'expérience que j'étais.

– Trouve une Clara, Martin, dit-il, et fais-lui un enfant. Une femme enceinte, c'est beau. Moi j'aime beaucoup plus Clara depuis qu'elle est comme ça.

Avec les deux mains il dessinait au-dessus de son ventre la rondeur généreuse de la vie.

– Il faut trouver, dis-je.

– Je te fais confiance, dit-il, tu es malin, Martin.

Le surlendemain j'étais à Bruxelles. J'arpentais les allées de l'Exposition Survie. Je m'installais au stand de la Fondation Dina Gray. J'étais joyeux. J'avais le sentiment que je riais seul en pensant à Robert, à la surprise de ses parents quand je leur avais dit par téléphone que j'avais vu leur fils, qu'il allait bien, très bien, qu'il était plus heureux qu'il n'avait jamais été peut-être.

– C'est vrai, monsieur Gray? répétait le père d'une voix angoissée.

– Vrai, dix fois vrai, ai-je dit.

Je ne les ai pas avertis de la naissance prochaine de leur petit-enfant. Je ne leur ai pas parlé de Clara. A Robert de le leur annoncer, de se débrouiller avec eux. J'avais confiance : Robert, c'était un homme.

Devant le stand, les visiteurs et mes lecteurs se pressaient. Je me suis levé, j'ai fait quelques pas, et j'ai eu autour de moi plusieurs personnes qui me parlaient. On me demandait mon sentiment sur les centrales nucléaires, sur les avions supersoniques, sur les grands problèmes de la vie. Je répondais, mais je sentais que je n'étais pas tout entier dans mes réponses. J'étais distrait. Je me suis dirigé vers le stand pour y rencontrer des responsables de groupements écologiques, et aussi pour signer mes livres. Et, au moment où j'allais m'asseoir, j'ai eu besoin de me retourner brusquement, comme si l'on touchait ma nuque, légèrement, mais de façon très nette, insistante, en même temps.

Je me suis retourné et ma vie a changé.

Plus tard, Virginia m'a raconté. Elle n'avait lu aucun de mes livres. Elle connaissait mon nom. Elle n'avait pas envie de se rendre à l'Exposition Survie. Et puis, ses parents sont venus seuls un jour avant, ils ont parlé de moi à Virginia, et puis...

Qui peut dire avec précision pourquoi, alors qu'on hésite, on se décide brusquement à faire ce qu'on pensait ne pas accomplir ? Elle était venue, accompagnée d'un groupe d'amis. Et elle m'avait vu, au stand d'abord, puis me levant, et elle me dit, plus tard : « Quand je t'ai vu, et tu ne me regardais pas, quand je t'ai vu avec tous ces lecteurs autour de toi, j'ai été jalouse, quelque chose qu'on m'arrachait, la peur qu'ils allaient te dissimuler à moi, que tu ne me verrais pas et qu'ainsi je ne saurais plus quoi faire de toutes ces années qui étaient devant moi et que je devais vivre. »

Elle était debout derrière le stand et elle m'avait regardé.

Je me suis retourné et ma vie a changé.

J'ai vu les yeux de Virginia, taches bleues dans sa peau si pâle, sous les cheveux si blonds. Je me suis assis et mon premier sentiment a été la peur.

Moi aussi je le lui ai avoué plus tard, j'ai eu peur qu'on ne me la prenne, qu'elle ne s'écarte et que je ne la voie pas. Et en même temps j'étais sûr que cela n'était pas possible, que déjà quelque chose nous unissait.

J'ai continué de signer mais je le faisais avec une lenteur inhabituelle comme si j'avais voulu défier le hasard : si cette jeune fille demeurait là alors que j'usais ainsi le temps, que je ne me retournais plus, c'est bien qu'entre nous...

Jeune fille : je pensais ces deux mots et j'ai ressenti comme un coup de poing au niveau de la gorge, ces coups qui vous étouffent. Quel âge avait-elle ? Seize, dix-sept ans ?

L'impossible.

Pourtant je me souvenais de ce que m'avait dit Helen : il me fallait, répétait-elle, une femme au début de la vie. Pour que je recommence ma vie.

Egoïsme, folie.
Une jeune fille pouvait-elle ainsi accepter l'homme lourdement chargé de passé que j'étais?
Folie. Mais qui me donnait cette certitude qu'elle accepterait?
Que c'était seulement à moi de vouloir parce qu'elle voulait déjà. Je ne me retournais pas. Je ne bougeais que ma main lentement sur la page de garde des livres que les lecteurs me présentaient. J'écrivais « pour partager » et je signais.
Le moment était-il venu où enfin je pourrais à nouveau partager chaque jour avec une femme, ma femme, et bientôt mes enfants?
Près de moi, tout à coup, une présence.
Plus tard Virginia m'a dit qu'à la fin elle ne pouvait plus rester immobile sans voir mes yeux, qu'elle avait fait un pas et que, sans même qu'elle s'en rendît compte, elle s'était trouvée assise près de moi, à la table du stand.
Je ne peux pas expliquer.
Je le voudrais pour faire comprendre que dès cet instant j'ai su que je vivrais avec Virginia, que l'âge entre nous ne serait pas un obstacle, que tout était joué puisqu'elle s'était assise là, qu'elle ouvrait en souriant les livres que je devais dédicacer, que je lui disais :
– Nous formons une équipe?
Je ne peux pas expliquer, parce que ce fut la seule phrase que je prononçai. Il y avait la rumeur de l'exposition, les appels dans les haut-parleurs, les questions des lecteurs, leurs remerciements quand je leur tendais le livre signé. Ils regardaient Virginia. Qu'imaginaient-ils? Je ne peux pas expliquer. En même temps j'étais sûr et pourtant la peur continuait de me serrer la gorge.
J'avais à la fois cette conviction que désormais, après des années, je touchais terre et que mon espoir pouvait être brisé. Une force en moi me donnait une confiance absolue et la raison grinçait.
Est-ce que toute confiance n'est pas une illusion? Est-ce que mon destin ne me montrait pas que, à chaque pas, le sol s'ouvrait?
Je revoyais ma vie, une fois de plus, je la ressaisissais à chaque seconde, au moment où je regardais

Virginia et où nous restions l'un et l'autre immobilisés par nos regards, oubliant – je le sais, nous nous sommes racontés depuis – oubliant, elle et moi, le bruit autour de nous. Et quelqu'un me touchait le bras : « Pouvez-vous signer mon livre ? » Et j'avais oublié où j'étais.

Quand je me suis levé, Virginia s'est trouvée près de moi debout. Ai-je salué ceux qui entouraient le stand ? Je ne sais plus. Nous étions dans une voiture. Voilà ce dont je me souviens. Nous roulions dans Bruxelles et je me tenais près de Virginia, voulant rester éloigné d'elle. Depuis nous nous sommes avoué que l'un et l'autre nous souhaitions nous prendre les mains, qu'à l'un et l'autre ce trajet dans Bruxelles fut une épreuve et une joie. Je ne l'interrogeais pas sur son âge, ou du moins n'en ai-je pas gardé le souvenir tant est fort dans ma mémoire ce double désir : être proche d'elle, vite, et rester lointain. Mais elle me parlait. J'apprenais qu'elle avait seize ans, qu'elle était encore une jeune élève d'un collège, que sa mère avait près de dix ans de moins que moi, j'entendais tout cela ou bien je le compris, ou bien je ne le sus que plus tard.

Mais les deux mâchoires qui me tenaient la gorge se rapprochèrent encore et cependant, ma confiance n'était pas détruite.

J'étais comme un nageur qui a plongé de trop haut, qui a été traîné vers le fond et à qui l'air manque cependant qu'il nage vers la surface. Elle est là, au-dessus, il va l'atteindre dans quelques secondes, il le sait, mais la respiration lui manque, et il suffit qu'elle s'interrompe longtemps pour qu'il ne voie plus jamais le jour.

Et cependant, il sait que la surface est là, que sa main va la percer.

Nous nous sommes arrêtés devant chez Virginia.

Je la regardais, rieuse, vive, si neuve. Et je ne voulais pas renoncer tout de suite à ce miracle d'elle près de moi.

Je m'attardais sans rien ajouter ou bien – je ne me souviens plus – en parlant trop.

Je voulais tout de suite affronter ses parents. Je montais avec elle et je découvrais sa famille Et je disais :

– Si vous ou Virginia voulez un jour venir chez moi, au Tanneron, sur la Côte, si...

– Elle va en classe.

La mère de Virginia m'avait interrompu. Je dis :

– Quand elle aura des vacances, à Noël, pourquoi pas ?

Déjà j'attendais cette fin de l'année qui serait pour moi le début d'une autre vie.

16

Nous avons gardé le secret

Nous avons gardé le secret, Virginia et moi. Et ce silence autour de nous sur ce qui se passait en nous était notre premier pacte. Notre manière – nous en avons parlé depuis quand nous évoquons ces semaines de séparation – d'être ensemble, malgré tout.

Elle, Virginia, a repris la classe. Adolescente parmi les adolescentes. Et moi, quand à Paris ou plus tard, à Cannes, je croisais un groupe de lycéennes, je mesurais combien j'étais fou de croire possible ce que je savais certain au cœur de moi. Vivre avec Virginia.

Je voyais sur le boulevard Carnot devant la grande entrée du lycée de Cannes des jeunes filles qui attendaient la sonnerie de la rentrée et je marchais plus lentement pour les observer, j'écoutais leurs rires, j'en apercevais qui échangeaient une cigarette avec de jeunes lycéens.

Folie. Scandale, peut-être.

Je calculais les années qui allaient se creuser au fur et à mesure que le temps passerait : trente-quatre années entre nous... une vie entière !

Je me répétais que les parents de Virginia étaient plus jeunes que moi, que...

Je pourrais continuer ainsi page après page. Je pourrais écrire ici les propos de tous ceux que cet amour pour Virginia que je proclame scandalise. Je pourrais. Je me suis dit tout cela, dans ces semaines d'attente.

Mais, plus fort que tous ces raisonnements, il y avait en moi la certitude que Virginia et moi nous allions vivre ensemble, fonder une famille, et que cela était nécessaire. A elle. A moi.

On pourra dire que je l'ai influencée. Qu'il y a quelque scandale à laisser ainsi un quinquagénaire épouser une adolescente qui ne sait rien de la vie et qui continue de bavarder avec ses amies dans la cour d'un lycée. On pourra le dire. Et qu'on le dise !

Moi, chaque fois que je lui téléphonais, je découvrais en elle une détermination, une assurance et surtout, je percevais une joie de vivre qui m'entraînait. Elle imaginait tout ce qui pouvait se dire. Tout ce qui se dirait. Et, en même temps, elle était emportée elle aussi par la certitude.

A plusieurs reprises, je fus tenté de raconter à Max Gallo, à mes amis et voisins du Tanneron. Puis, au moment où j'allais commencer à leur expliquer ce que je ressentais, je m'interrompais. Pas de confidences. A quoi bon ? Ne savais-je pas ce qu'on allait me dire ? Les uns parleraient de tous les cas connus d'union d'entre un homme célèbre et une jeune femme. On dirait « Charlie Chaplin », etc. Les autres se tairaient un long moment puis murmureraient : « Avez-vous réfléchi, Martin ? elle pourrait être votre fille ! »

Je n'ignorais rien de cela. Rien.

Mais je ne pouvais pas faire partager ce que je ressentais : ce besoin, cette nécessité plus forte que moi, ma conviction que Virginia et moi nous étions faits l'un pour l'autre dès le premier moment où nous nous étions regardés. Que tout le reste était discours vides.

Chaque vie est singulière et nul ne peut décider pour elle.

Une seule fois, une seule, je rompis le secret.

Je savais que celui auquel je me confiais pouvait me comprendre. Il était de ceux qui connaissent encore la vibration irrésistible qu'on appelle amour. Robert m'avait téléphoné de Nice. Il y était arrivé en voiture avec des amis et il prenait trois heures plus tard l'avion pour Paris. Il m'attendait à l'aéroport. Nous avons marché sur le parking entre les voitures, sous le soleil doux d'une fin d'après-midi. Il me racontait Clara, l'enfant qui allait naître. Ses parents qui, alors que la vieillesse était sur eux, décidaient de se séparer.

– C'est pour cela que je vais à Paris, m'expliquait-il.

Il s'interrompit, me dévisagea.

– Martin, tu as changé. Tu as coupé tes cheveux ?
Il s'interrogeait, les sourcils rapprochés. Il me fixait.
– Tu te maries ? ajouta-t-il en riant. Tu te marieras avant moi ?
Je riais. Lui comprendrait. Nous nous sommes assis sur un muret. Le bruit des réacteurs au décollage m'obligeait parfois à hausser le ton. De temps à autre, je me taisais pour regarder Robert.
– Et qu'est-ce que vous attendez ? disait-il.
– Seize ans.
J'ai écarté les mains en signe de doute.
– Eh quoi ! si c'était la guerre, tu crois qu'on refuserait d'en faire une combattante ? C'est moi qui dois te dire ça, à toi ?
Il me donnait la clé peut-être de mon comportement. C'est vrai, j'avais connu ce temps où même les enfants étaient considérés comme des êtres dignes de l'héroïsme ou de la mort. J'avais connu ces rues où les plus jeunes étaient mêlés aux vieillards pour le combat ou le départ vers les camps. Je savais que ce qui fait la différence entre les êtres, dès lors qu'ils ne sont plus des enfants, ce n'est pas l'âge mais le cœur et l'âme.
La convention de l'âge, après tout, elle ne devait pas être plus forte que nos sentiments. Eux seuls comptaient, me disait Robert, mon cadet.
– Si tu es sûr, si vous êtes sûrs, elle et toi, pourquoi attendre ?
Il me parlait en fils ou en frère cadet, qui ne cherche à dire que ce qu'il ressent, sans préjugés. Et je lui avais parlé pour cela parce que j'avais pu juger, dès ma première rencontre, puis à Florence, que Robert était un homme vrai qui ne se laissait pas prendre à la glu des modes. Il se voulait lui, seulement lui, fidèle à sa morale de la vie. Et j'étais heureux que cet homme jeune me comprenne.
– Pourquoi attendre ? répétait-il – il me clignait de l'œil. Il y a une chose qui est vraie : tu n'as pas tellement de temps à perdre. Si vous êtes sûrs de vous, reprenait-il, alors, *go*.
Je suis remonté lentement vers le Tanneron. Le ciel était devenu violet, la nuit commençait à voiler l'est, à estomper les reliefs à l'horizon.
Nous étions sûrs, Virginia et moi.

Mais je voulais attendre quelques semaines pour que ce temps, même bref, nous soumette l'un et l'autre à son épreuve.

J'ai voulu m'arrêter au bord de la route, là où les enfants de l'école du Tanneron, les camarades de mes enfants, avaient dressé une stèle en souvenir des miens. J'ai regardé les jeunes arbres qui ont poussé autour du monument.

Je n'avais rien oublié.

Je ne reniais rien.

Virginia connaissait ce passé. Je lui avais demandé de lire mes livres, pour qu'elle sache ce que je portais en moi. De malheur et de volonté. D'inquiétude et de sagesse. Elle, elle avait une vie toute simple. A peine commencée. Moi, tant de siècles, les temps barbares inscrits dans mon corps à jamais.

Je suis reparti, et arrivé à ma maison des Barons, je suis resté à la contempler, à en faire le tour. Je l'avais mise en vente. Cela me paraissait raisonnable de commencer ailleurs une autre vie. Mais en même temps, je craignais ce déracinement. J'entrais dans la maison. J'essayais d'imaginer Virginia, là, devant la cheminée, mes enfants à venir courant dans les escaliers, se cachant dans la grande salle de musique, se perdant dans cette maison dont moi-même, en la parcourant ce soir-là, je découvrais combien elle était une maison-labyrinthe, non pas tourmentée, mais compliquée comme l'est la spirale d'un organisme.

Les Barons c'était une maison « biologique », une maison-vie, qui avait poussé de pièce en pièce, au fur et à mesure que les paysans qui l'habitaient avaient eu assez de temps et d'argent pour en augmenter la superficie. Elle avait grandi comme une plante avec des branches plus hautes que d'autres, des coudes et des ressauts. Cela Max me l'avait dit en la visitant : « Votre maison, Martin, on ne peut en faire le plan de mémoire, elle vit, elle va dans tous les sens. Et pourtant, quand on la voit de l'extérieur, elle paraît si simple. »

Maison-vie dont je me répétais qu'il me fallait la quitter, que je n'avais pas le droit d'y habiter avec Virginia.

Pour elle et pour moi.

Et me convaincre de cela n'était pas facile et me faisait souffrir. Mais la raison paraissait pencher de ce côté. Je téléphonais à Virginia, j'expliquai ma maison des Barons, sans indiquer que la perspective de notre union renforçait mon désir de m'en séparer. Elle me répondit :

– C'est à toi de voir. C'est la maison de ta vie passée.

J'aimais la voix légère et qui pourtant avait des sons graves.

A moi de voir.

A moi d'attendre.

Ce fut long. Les jours s'étiraient, les semaines au lieu de fondre me paraissaient se multiplier.

Brusquement, le temps qui m'avait manqué toutes ces années, le temps que me prenaient mes conférences et les activités de la Fondation me semblait s'être immobilisé.

Bruxelles n'était qu'à une heure d'avion de Nice, mais une barrière nous séparait : celle de notre résolution d'attendre.

Attendre encore pour nous défier.

Alors, je pris conscience de l'importance d'un être aimé dans une vie. Tout cela bien sûr, je l'avais vécu. Mais que sait-on jamais des sentiments ? On est toujours surpris de leur violence.

On est soi-même l'explorateur toujours naïf de sa passion. Et je mesurais une fois encore combien la vie, sans cette illumination de l'amour, sans ce désir de vivre avec l'autre, de construire avec lui, est vide.

Les mots que j'avais écrits, lourds de souvenirs, prenaient à nouveau sang et force. Je savais à nouveau que l'amour est l'air qu'on respire. Et j'avais besoin de Virginia.

Je m'étonnais qu'il eût suffi de quelques heures pour que naissent entre nous de tels liens. Mais qui peut jamais prévoir ce qui est imprévisible ?

Parfois, je m'asseyais à la table de pierre. Je pensais aux miens, à Helen, je reconstituais tous ces itinéraires qui nous avaient conduits les uns vers les autres. Et je m'émerveillais, saisi quelquefois par l'inquiétude, de ces détours, de ces cheminements apparemment au hasard qui faisaient qu'un jour, deux êtres se croisent et se regardent.

A chaque fois, c'était comme une longue marche qui semblait sans but : et tout à coup, elle prenait un sens.

Et si des enfants naissaient voilà qu'elle serait à jamais inscrite parmi les hommes. Je voulais des enfants de Virginia.

Je n'avais plus peur, depuis que je l'avais vue, de laisser délibérément surgir ce désir en moi.

Mais ma vue et mes pensées n'étaient pas toujours aussi claires.

Il m'est arrivé plusieurs fois au cours de ces nuits-là de me réveiller en proie au cauchemar, toujours le même. Virginia s'avançait vers moi, elle ressemblait à Dina, une sœur cadette de Dina, elle ouvrait les bras, heureuse, et brusquement la menace surgissait. Quelquefois, il s'agissait de ces barbares noirs que j'avais connus et Virginia alors avait la silhouette de Rivka, la jeune fille – elle avait alors le même âge que Virginia – qui s'était réfugiée avec moi sous les toits du ghetto. Et je n'avais pu la sauver. Ni elle, ni ma mère, ni mes frères. Et dans mon cauchemar, je ne pouvais pas protéger Virginia. Les barbares l'entraînaient, je me débattais, j'essayais de la rejoindre, en vain.

Parfois, c'était l'incendie de la forêt que je voyais approcher, les flammes encerclaient Virginia. Elle était alors comme le sosie de Dina et je savais pourtant qu'il s'agissait d'elle, ma jeune épouse.

Une autre fois, elle marchait sur le bord de la route, devant les Barons, une voiture venait derrière elle, je savais qu'elle allait renverser Virginia et je criais pour l'avertir, je courais derrière la voiture. Trop tard : j'apercevais Virginia couchée sur le sol, la tête si blanche avec autour du visage, dispersés comme une fleur ouverte, les cheveux blonds.

Je me réveillais, je ne réussissais plus, quelle que soit l'heure, à retrouver le sommeil.

Je sortais sur la terrasse. Je respirais ce silence de la nuit, ce paysage sombre troué à l'horizon par les lumières des villes de Cannes et de Grasse, par les villages que liait ensemble le pointillé lumineux des routes éclairées. Il fallait que je regarde ce cauchemar en face. Ce qu'il disait, une fois de plus, c'était ma peur d'être porteur du mauvais sort.

On n'est pas un survivant sans en payer le prix : et

c'est cette culpabilité inconsciente qui devient terreur d'être un maudit.

J'avais souvent parlé de cela avec Helen, j'avais évoqué mon inquiétude avec Max Gallo. Mais je la sentais encore là, comme une défroque collée à ma peau, impossible à arracher, et ce qu'ils m'avaient dit, je m'en rendais compte, n'avait pas réussi à me faire oublier tous ceux qui m'avaient côtoyé et qui étaient morts.

Je raisonnais pourtant dans la nuit, belle, ample et fraîche.

Elle était exaltante comme la vie avec ce paysage qui peu à peu se dévoilait quand le soleil commençait à peindre l'est et les falaises en rouge, au-dessus de la mer.

Mon inquiétude se dissipait partiellement. Mais il restait l'idée que, peut-être, j'étais impur. Non plus maudit mais couvert de poussière parce que j'avais marché sur le long chemin de la vie alors que Virginia était toute blanche, lisse et neuve.

Avais-je le droit, même si je rejetais l'inquiétude du cauchemar, avais-je humainement le droit d'unir mon corps racorni comme une carapace à la fragilité de Virginia ?

Question que la voix de Virginia suffisait à dissoudre. Elle me parlait, et j'imaginais le rire de ses yeux clairs et je sentais qu'au-delà du droit ou non, il y avait entre elle et moi ce grand besoin, cette nécessité profonde d'être ensemble.

Est-ce que cela aussi n'est pas, plus que tous les autres, un droit humain ?

Et ce droit à la vie commune, il était le plus fort, entre nous, en moi.

Quand Virginia me dit qu'elle pouvait venir aux Barons, accompagnée par un couple de diplomates que je connaissais, que ses parents l'y autorisaient pour les vacances de Noël, comment aurais-je pu résister à ce besoin de la revoir ?

Je l'attendis. Et j'étais sûr qu'elle et moi nous étions un couple, quel que fût le jugement des autres, unis déjà par notre commun désir de nous retrouver côte à côte.

17

Elle vint

Elle vint ; la maison des Barons reprenait vie.

Elle vint.

Elle avait la démarche assurée comme si elle connaissait les détours de la maison-labyrinthe. Mon ami le diplomate qui l'avait accompagnée nous laissait bientôt, elle et moi, seuls dans la maison-vie.

Elle était pour moi un oiseau, de ceux qu'on prend dans ses paumes quand on approche les mains, qu'on crée ainsi pour lui un nid.

Virginia-l'oiseau.

Virginia qui courait sur la pelouse, qui s'accoudait au muret de la terrasse, qui répétait :

– J'aime que l'horizon soit ouvert, qu'on voie la mer et les montagnes, ce qui bouge et ce qui est fixe. Il faut les deux dans une vie.

Elle avait le don de vie, une spontanéité faite d'élan vers les choses et les êtres. Elle touchait un objet et il me semblait qu'il devenait différent ou bien qu'il retrouvait son ancienne forme, celle d'avant mon drame. Depuis lors, il m'avait semblé enfoui dans la boue. Elle l'en sortait. Il redevenait brillant, utile.

Elle parlait à Mme Lorenzelli comme si elle l'avait toujours connue. Elle n'avait même pas à apprivoiser le chat, il venait vers elle, ronronnant déjà.

Elle était pour moi la vie rendue.

Je marchais avec elle dans les champs, je montais sur la colline qui domine ma maison des Barons et qui m'appartient. Je lui montrais sous les ronces et les mimosas sauvages les ruines de la ferme qui s'y trouvait.

Je lui faisais découvrir un panorama plus vaste encore, prenant dans un seul cercle toutes les hauteurs qui, d'ouest en est, du haut Var à la frontière italienne, enferment la côte comme les gradins d'un amphithéâtre. Je disais :

– Ici, nous pourrions construire...

Et je m'interrompais, j'avais franchi un cap, j'avais dit nous. Elle se pendait à mon cou mais je dénouais ses bras alors que j'aurais aimé qu'ils se ferment sur moi, qu'ils m'emprisonnent.

– Il faut attendre, ai-je dit.

Elle secouait la tête, faisant voler ses cheveux autour de son visage.

– Attendre quoi ?

Elle riait :

– Qu'est-ce qui peut changer entre nous ? Dès le premier moment c'est déjà comme toujours.

Elle s'exprimait à sa manière, avec cet accent qui me plaisait, fait de modulations plus accentuées que celles que font les Français.

– Les Barons ! demanda-t-elle.

Elle m'avait pris le bras cependant que nous redescendions vers ma maison.

– Si je trouve quelqu'un qui ne soit pas seulement un acheteur mais autre chose en plus, je les vendrai. Et nous construirons là-bas.

Je me retournais, je montrais le sommet de la colline que nous venions de quitter.

– J'aime les Barons, dit Virginia.

Je les aimais aussi, mais je me défiais d'eux, de moi.

- Mais c'est toi, dit Virginia, toi qui peux savoir comment tu dois vivre avec ton passé.

Elle s'arrêtait, me faisait face.

– Moi, j'accepte ton passé, il est à moi aussi. Je l'ai partagé, dès le premier moment, quand je me suis assise près de toi.

– Nous allons construire notre nouvelle maison, ai-je dit.

Elle me serrait les mains.

Depuis, nous avons reparlé de ce moment, quand j'ai décidé que je devais me séparer de ma maison des Barons. Nous agissions, je le sais maintenant, comme si nous avions peur l'un et l'autre d'emprisonner l'autre. Virginia croyait que j'abandonnais les Barons parce que je ne pouvais pas vivre au centre de mes souvenirs. Et moi, j'imaginais qu'il me fallait ce geste de rupture pour oser commencer avec Virginia, ne pas l'emprisonner, elle.

L'erreur ainsi souvent se masque.

Mais surtout nous n'étions, Virginia et moi, qu'au début de la connaissance de nous. Nous osions à peine nous tenir par la main, nous avions réussi à nous tutoyer sans savoir qui de nous deux avait le premier choisi. Nous restions assis loin l'un de l'autre, elle sur le divan, moi dans le fauteuil, à nous observer et tout à coup, Virginia se mettait à rire.

Depuis des années, c'était le premier rire franc et jeune dans la maison-vie.

– Les vacances vont finir, disait-elle, je vais rentrer en classe.

Elle continuait de rire et je riais aussi, maintenant. Qui de nous deux a ajouté :

– Quand on saura que nous nous marions, toi et moi...

Nous avons ri encore et je retrouvais ce mouvement profond de tout le corps quand la joie vous prend, quand une douleur cesse. Et tout à coup, la gravité de Virginia qui me gagnait aussi.

– Tu sais, disait-elle, Dina, tes enfants, pour moi, c'est comme une famille que j'aurais eue, avant.

Qui comprendra que je dévoile ainsi ce qui est encore si proche ? Qui comprendra que mon impudeur – puisque certains, bien sûr, emploieront ce mot – est ma manière à moi d'être en accord avec ce que je pense ? Dire ce que je suis devenu puisque j'ai dit à des centaines de milliers de lecteurs ce que j'avais été. Ne rien dissimuler de ce que furent ces sept années et comment elles me conduisirent à Virginia.

Maintenant que l'on sait, qu'on me juge.

J'accepte.

Mais je ne suis sensible qu'aux sentiments de ceux qui veulent faire effort pour comprendre, à ceux pour qui je ne suis pas d'abord un étranger ou un ennemi.

A ceux qui sont encore capables de sympathie pour les êtres. Qui croient que l'amour est possible. Qui n'ont pas honte d'être émus et qui ne peuvent retenir leurs larmes ou leurs rires.

De ceux-là, j'accepte d'être jugé. Pas des cœurs morts. Pas des âmes froides.

Virginia devait regagner Bruxelles pour la rentrée des classes et je devais l'accompagner, voir ses parents, obtenir d'eux leur consentement à notre mariage. Je n'étais pas inquiet. J'avais vu Mme Lorenzelli rire avec Virginia, je savais que le bonheur de Virginia et le mien étaient contagieux. Que ceux qui l'aimaient ou mes amis ne pouvaient pas ne pas voir que nous étions ensemble depuis le premier moment.

La veille du départ de Virginia, une voiture s'est arrêtée devant les Barons. Nous n'attendions personne et pourtant on nous faisait des signes de reconnaissance. L'homme était trapu. Peut-être l'avais-je déjà rencontré ? Il s'avançait, suivi par des enfants qui sortaient de la voiture.

– Elle est toujours à vendre ? demandait-il en montrant la maison.

Je ne donnerai pas le nom de ce monsieur. Je l'appellerai l'Acheteur. Il avait visité ma maison des Barons pendant mon absence. Il était américain, il voulait acheter, disait-il, pour lui et ses enfants.

– J'ai neuf enfants, racontait-il en me secouant la main.

Il me semblait que tout devenait harmonieux dans ma vie : Virginia, les Barons qui seraient habités, si je les vendais à cette famille où je croyais que régnaient les enfants.

– Neuf enfants, vraiment ? ai-je demandé

– Neuf, répétait-il.

Il me donnait leurs prénoms. Il s'asseyait avec sa femme près de Virginia, il disait :

– Et vous, Martin, qu'est-ce que vous attendez, avec une femme si belle et si jeune.

Il avait la familiarité ouverte et directe des Américains.

– Votre maison, disait-il, je sais tout ce qui s'est passé ici, mais – il se levait, entrait dans les pièces comme si la maison déjà lui avait appartenu – quelle importance ?

Par moments je regardais Virginia, j'avais une sorte de malaise devant la rapidité avec laquelle l'Acheteur s'emparait de mon espace, de cette maison-vie. Mais le désir d'aller vite, comme un malade qui tend sa plaie au médecin, qui ferme les yeux, qui dit « n'attendez pas », effaçait l'inquiétude. Je dis :

– Je pars demain avec Virginia.

Peut-être était-ce le moyen d'éviter de choisir, de retarder malgré moi l'acte de séparation alors que, en conscience, je voulais trancher rapidement.

– Mais on peut faire ça avant demain. Entre nous. Vous avez confiance, Martin ?

Ses gosses couraient dans la maison, il me prenait le bras. Il disait qu'il voulait tout acheter, les meubles, les objets d'art, les tapis, tout ce qui se trouvait dans la maison.

– Comme ça, disait-il, si vous revenez nous voir, vous serez comme chez vous, Martin.

Je suis sorti, j'ai fait le tour de la maison, je me suis arrêté face à la colline où j'envisageais de construire ma nouvelle maison. Virginia est venue près de moi. Pour la première fois, elle se blottissait contre moi, elle se taisait. Je devinais une sorte de tristesse en accord avec la mienne, mais j'essayais de ne pas les écouter. Je m'enthousiasmais.

Oui, je le sais maintenant ; je jouais le jeu de celui qui est enthousiaste.

– Tu vois la colline ? De notre maison, j'apercevrai aussi les Barons. Nous y viendrons chaque fois que nous voudrons, et ces neuf enfants, ce seront les amis des nôtres.

Virginia s'appuyait encore plus tendrement contre moi. J'étais ému. Je parlais. J'imaginais la nouvelle maison.

– Elle aura une tour, nous verrons tout le panorama, ce sera, tu verras, plus extraordinaire.

Et Virginia dit :

– Extraordinaire ? Pourquoi ? Je voudrais que ce soit chaud, doux. Que ceux qui viendront soient bien chez nous. Qu'ils n'aient plus envie de partir.

L'Acheteur nous avait rejoints.

– Alors, Martin, décidé ?

Il m'expliquait qu'il était collectionneur de voitures anciennes, qu'il installerait aux Barons un musée mondial, que l'endroit était idéal, isolé et proche des grandes villes de la côte, de l'aéroport international de Nice.

– Je garderai mes enfants avec moi, on mettra les voitures là et les visiteurs...

Il faisait de grands gestes, je voyais ma maison-vie s'animer, je regardais la colline. Nous serions là-haut, proches et séparés. Que m'importait après tout de posséder ? Si je voyais les Barons vivre, n'était-ce pas comme si je continuais à plonger mes racines ?

– Les Barons, pour moi..., ai-je commencé.

L'Acheteur mettait sa main sur mon épaule. Je me souviens de ce contact physique. J'aurais dû me méfier alors.

Tout à coup, je me suis senti sur mes gardes. Presque malgré moi, comme une réaction instinctive de tout mon corps.

J'avais derrière moi une si longue habitude des hommes et de leurs trahisons, que je savais les reconnaître à une de leurs attitudes, presque à leur odeur comme doivent sans doute le faire les animaux de la forêt qui, s'ils ne sont pas toujours sur leurs gardes, sont dévorés.

J'avais été cela et je le suis encore, presque malgré moi. Et pourtant, quand l'Acheteur m'a touché, que je me suis hérissé, je n'ai pas tenu compte, comme je le fais chaque fois, de ce réflexe qui m'avait si peu trompé.

L'Acheteur s'était mis à parler.

– Je sais, Martin, ce que sont les Barons pour vous ; vous croyez que quand on a neuf enfants, on ne comprend pas ? Ce sera sacré les Barons pour nous. C'est pour cela aussi que je veux tout acheter, Martin, les meubles, les antiquités, tout, pour que tout reste comme vous l'avez connu.

J'ai cru qu'il s'agissait de mon émotion, je n'ai pas écouté mon vieil instinct de combattant, et puis la rencontre de Virginia me faisait croire que le monde tout à coup était en harmonie avec nos sentiments. Virginia me prenait la main, nous nous écartions de quelques pas. Je répétais pour m'en convaincre :

– Ce n'est pas vraiment comme si je vendais à n'importe qui, tu comprends, il a neuf enfants, ils veulent en faire un musée, des visiteurs viendront, la maison vivra et nous serons là, nous pourrons entrer quand nous le voudrons.

Je montrais à nouveau à Virginia la colline où je comptais bâtir notre demeure. Elle n'a pas répondu. Elle s'est appuyée contre moi.

Depuis, je sais qu'elle était triste sans qu'elle puisse en savoir la raison. Triste comme si les Barons avaient été sa maison à elle. Mais elle ne comprenait pas plus que moi les avertissements qui, en nous, se multipliaient. Nous n'écoutions que la raison, nous refusions de suivre ces forces profondes, ces appels secrets qui surgissent en nous aux moments importants de notre vie. Ils m'avaient pourtant si souvent sauvé la vie quand il avait fallu que je me décide sans avoir le temps de réfléchir autrement qu'avec l'instinct. Là, j'étouffais mes intuitions.

L'Acheteur s'approchait.

– Nous partons demain, ai-je répété.

– Pourquoi pas tout conclure aujourd'hui ? a-t-il dit.

– Pourquoi pas ? ai-je répondu.

Et la décision prise, je m'y enfonçais.

– Après tout, pas besoin d'inventaire entre nous ? Confiance, non ?

– Confiance, disait-il en riant.

Il me parlait d'une maison qu'il possédait à Detroit et qui peut-être pouvait m'intéresser.

– Une maison aux U.S.A. pour votre jeune femme et vous, pourquoi pas ? Je vous la cède si elle vous intéresse. C'est ma maison.

J'aimais cette proposition. Qu'il n'y ait pas seulement dans cette vente des Barons de l'argent anonyme mais aussi un échange de lieux familiaux.

– Nous nous marions aux Etat-Unis, ai-je commencé, nous la verrons.

Je décidais en parlant, sans y avoir réfléchi, sans que les parents de Virginia aient encore donné leur accord, et ces projets, ce changement dans ma vie qui s'annonçait me faisaient oublier la vente que je venais de conclure.

Nous partions le lendemain pour Bruxelles.

– Nous emménagerons dès que vous voudrez. Le plus vite, disait l'Acheteur.

– Demain, ai-je répondu, demain. Nous partons, la maison est à vous. Pourquoi pas demain ?

L'Acheteur me serrait longuement la main. Il répétait :

– OK Martin, OK Martin, demain nous arrivons.

Ainsi, j'avais décidé. Virginia restait près de moi cependant que je regardais l'Acheteur ouvrir les bahuts dire : « OK, OK, well, tout ça. »

Déjà, me semblait-il, son attitude avait changé, son pas me paraissait résonner plus fort sur les carrelages, et en moi, le désir de lui dire : « Non, je change d'avis, pas demain, jamais. »

Mais ce n'était pas la raison qui parlait et je voulais me conduire raisonnablement. J'avais vendu. J'honorerais mes engagements. Tout était bien.

Dès que l'Acheteur eut quitté les Barons, je suis, avec Virginia, remonté sur la colline où j'avais décidé de construire ma nouvelle maison. Je lui montrai les arbres, le panorama encore alors que déjà je lui avais fait suivre du regard la ligne des crêtes bleu sombre.

– Ce sera mieux.

Je répétais la formule pour m'en convaincre, effacer de moi cette inquiétude. Je m'étais peut-être trompé Me revenaient mes impressions, brèves mais profondes, cette absence de contact entre l'Acheteur et moi malgré notre accord d'apparence, ses déclarations d'amitié, sa compréhension, disait-il, de ce que représentaient les Barons pour moi.

– Ça n'a pas à être mieux, dit Virginia. Il faut que ce soit pour nous ce dont nous avons besoin.

Elle était si jeune mais elle parlait avec tant de sagesse, de gravité.

Nous redescendîmes lentement de la colline vers les Barons et commença ce que je pensais être ma dernière nuit dans la maison-vie.

Longue nuit, lente nuit, nuit souvenir. Virginia restait devant la cheminée, recroquevillée et attentive. Parfois elle se levait pour me suivre, cependant que j'allais d'une pièce à l'autre rassemblant quelques albums de photos, les différentes éditions de mes livres, les lettres des lecteurs.

Toute ma vie avant le drame, ici, toutes les traces de ma vie depuis.

Me revenait la phrase prononcée par Mme Lorenzelli : « Pour les Barons, ce sera toujours n'importe qui. » Et, pour l'oublier, je dépliais sur le divan, près de Virginia, les plans d'une maison dessinée par l'un des plus grands architectes de ce temps.

Je disais

– C'est lui qui créera notre maison, ce sera une demeure d'aujourd'hui qui ressemblera aux vieilles maisons paysannes, tu verras.

Virginia me prenait la main.

– Ce sera bien, disait-elle.

Parce que je sentais une inquiétude en elle, que je la voyais regarder la maison-vie, la maison-souvenir, avec nostalgie, comme si elle avait vécu avec moi mon passé, je multipliais les projets. Ce n'était pas les questions silencieuses de Virginia que je voulais ignorer, c'était les miennes.

Je disais que la nouvelle maison aurait une piscine, ronde, que le soleil, en toute saison, à toute heure du jour, éclairerait toutes les pièces.

– Cet architecte, c'est un magicien, s'il veut, il peut. Notre maison sera ouverte et fermée comme une grotte, il a déjà construit des maisons comme cela.

Je rêvais à haute voix. Je m'enivrais de mots pour ne pas ressentir l'émotion d'avoir à quitter demain la maison-labyrinthe, la maison des miens. Et j'avais envie de téléphoner à un ami, à Max Gallo peut-être, pour m'assurer que j'avais eu raison de la céder. Ne m'avait-il pas dit tant de fois que je ne devais pas répéter le passé ? Et Helen avait parlé comme lui.

Puis, Virginia s'est endormie et j'ai regardé son visage où le temps n'avait encore laissé aucune trace. Elle avait de longs cils, une peau d'enfance. Je ne bougeais pas pour qu'elle ne s'éveille pas, qu'elle reste ainsi immobile avec le seul battement régulier de sa poitrine, ce rythme de sa vie qui s'était désormais accordé au mien. J'ai posé sur elle, sans qu'elle ait un mouvement, une couverture, puis je suis sorti. Je voulais une dernière fois prendre la mesure des Barons, sentir le parfum des mimosas qui sans être fleuris embaumaient la brise. Je voulais ces instants de solitude pour me souvenir.

Je suis resté assis près de la petite maison située à quelques mètres des Barons et que j'avais transformée en lieu de recueillement. Là se trouvaient les urnes funéraires des miens. Je ne devais pas abandonner cela. Jamais. Et, en même temps, si je voulais donner une nouvelle orientation à ma vie, il me fallait peut-être m'en éloigner.

Je serais sur la colline, un gardien attentif.

Tôt le matin, l'Acheteur et sa famille sont arrivés. Les enfants couraient et criaient. Il y avait une petite fille blonde qui me faisait penser à Suzanne. Ils riaient, ils disaient : « C'est à nous maintenant. »

L'Acheteur se tourna vers moi.

– Pas tout à fait, n'est-ce pas, Martin, quand on aura payé le tout. Le gros tout.

Il y avait encore quelques mois avant la passation définitive des actes, mais, pour moi l'affaire était conclue. Avant de partir pour Bruxelles, je téléphonai à Jacques Couelle, mon architecte, je lui expliquai ce que je voulais. Il me promit une première esquisse à notre retour.

– Nous serons mariés, à ce moment-là, ai-je dit à Virginia.

Elle souriait, les yeux si bleus, si grands.

– Si mes parents refusaient..., dit-elle en riant.

Je secouai la tête. Je n'avais pas d'inquiétude vraie. Ils seraient surpris. Mais qui peut refuser à ceux qu'il aime un bonheur vrai qu'ils désirent ?

Je conduisais lentement, me retournant sur la maison des Barons ; je montrai à Virginia la petite ferme, au bord de la route, où nous allions habiter en attendant que la maison de la colline soit construite.

– Ce ne sera pas le luxe, ai-je dit.

– Tu crois qu'on a besoin de luxe ? murmura Virginia.

Et elle mit son bras autour de mon cou

18

Nous étions deux

Nous étions deux.

J'avais oublié, depuis sept ans, ce que ces mots signifient : être deux. Helen sans doute avait été l'amie qui comprend, une présence douce et généreuse, une sœur. Mais deux, un couple, c'est autre chose. Nous étions deux. Je me souvenais de ce que j'avais écrit dans *Le Livre de la Vie.* Il ne s'agissait alors pour moi que de vivre dans le souvenir de ce que j'avais connu, d'aider mes lecteurs et surtout d'explorer en moi-même ce que je pensais. J'avais écrit :

L'amour c'est donner à l'autre la sécurité et la recevoir de lui.
L'amour est une vertu d'enfance dans l'adulte.

Je vivais cela maintenant.

Nous étions deux.

Que me paraissaient longues ces sept années malgré tout ce que j'y avais vécu, tous les êtres que j'y avais rencontrés, Max, Marysia, Sylvia, Robert, Helen, les succès que j'y avais connus. Longues comme une marche vers le but. Et Virginia était près de moi dans l'avion. Elle ouvrait, à l'aéroport, la porte du taxi. Elle s'asseyait près de moi. Près de moi. Que ceux qui ne savent pas ce que cela signifie d'émotion dans tout le corps quand on aime se moquent de mes répétitions.

Nous étions deux.

En nous chacun portait l'autre. Comment eût-on pu

nous séparer ? Il eût fallu briser chaque partie de nous-mêmes, diviser la plus infime parcelle vivante en nous.

Qui l'eût pu ?

Les événements dont je parle se sont produits seulement il y a quelques mois. Je devrais en avoir une mémoire fidèle, me souvenir de ce que j'ai dit aux parents de Virginia, de leur stupéfaction quand nous leur annoncions que nous avions décidé de nous marier, elle avec moi. Elle ? Notre fille ? Oui, elle, seize ans, pour vous une enfant et pour moi une femme, la moitié de moi, celle que j'attendais.

Je lisais l'émotion, l'étonnement, l'incrédulité sur le visage du père et de la mère de Virginia. Leurs regards allaient de moi à leur fille. Pour eux, elle était encore cette lycéenne, cette enfant. Si courtes pour les parents les années qui s'égrènent depuis la naissance d'un enfant. Moi, ils me connaissaient. J'étais l'homme des journaux, de la télévision, des livres. Quand il y avait eu une catastrophe en Belgique, aux obsèques des vingt-trois victimes, les évêques m'avaient cité en exemple et le journal avait titré sur une de leurs phrases : « *Devenez des Martin Gray* ».

Et j'étais là dans leur salon, tenant la main de leur fille entre mes doigts. Je sentais leur désarroi, je comprenais leur surprise. Ces jours sont proches mais je ne sais plus aujourd'hui ce que nous nous sommes dit. Je crois que Virginia a parlé, elle, longtemps. Qu'elle est allée embrasser son père et sa mère. Et déjà je percevais que le baiser qu'ils échangeaient était différent.

Nous étions deux, Virginia et moi. Et par ce seul fait, elle s'était un peu séparée d'eux.

Je me souviens de ce que j'ai dit plusieurs fois :

– Vous savez qui je suis, avec qui votre fille se marie. Regardez-moi, regardez Virginia. Réfléchissez si vous devez donner votre consentement.

Je l'ai dit. Je n'avais pas d'inquiétude. Nous étions deux. Aucune force ne pouvait nous séparer. Sinon ceux qui nous haïraient et haïraient l'amour entre une femme et un homme. Les parents de Virginia aimaient leur fille. Ils acceptèrent. Nous étions deux et le monde de ce fait avait changé de couleur.

J'avais séjourné à Bruxelles plusieurs fois. J'aimais cette cité, les rues de la vieille ville autour du beffroi et de la place du Marché, les tavernes d'où l'on apercevait sur les pavés les marchands de fleurs, le feu qui brûlait dans les vieilles cheminées, l'odeur de bière, la gentillesse des habitants. Mais j'avais connu Bruxelles en homme seul. Qui ne peut parler qu'à sa mémoire. Maintenant nous étions deux et je découvrais cette capitale qui avait encore une taille humaine. J'étais sensible à la bienveillance et au rythme lent qui imprégnaient la ville et venaient de l'absence d'agressivité des habitants. Ils n'étaient pas hérissés, dressés les uns contre les autres comme le sont ceux des métropoles démesurées : New York ou Paris.

Et pourtant c'est à Bruxelles que nous eûmes, Virginia et moi, un premier incident qui blessa l'un et l'autre, même s'il était sans gravité. Mais il me montrait les incompréhensions que nous allions rencontrer. Virginia, en effet, continuait à habiter chez ses parents cependant que j'étais descendu dans l'un des grands hôtels du centre de Bruxelles. Virginia, une fin d'après-midi, devait me rejoindre.

Je l'attendais, étonné qu'elle eût tant de retard. A la fin je suis descendu dans le grand hall et je l'ai aperçue qui rentrait en larmes dans l'hôtel accompagnée de son père et de sa mère, petite fille atteinte dans son amour-propre, soupçonnée. Elle avait voulu me faire appeler, elle avait espéré monter chez moi, mais à la réception on l'avait regardée avec hauteur. Si jeune, vêtue sans apprêt d'un blue-jean et d'un pull-over, qui était-elle ? Et on l'avait renvoyée brutalement. Je découvrais la sensibilité de Virginia. Elle n'avait pas pensé à me téléphoner. Elle avait éclaté en sanglots. Elle était retournée chez ses parents, petite fille, oui, qui n'imaginait pas ce qu'il y a d'arrière-pensées dans la tête d'un adulte. Elle me vit, courut vers moi, se pendit à mon cou. Elle pleurait encore, elle riait. Je la consolais. Je lui répétais : « Cela ne durera pas. Nous allons être deux, toi et moi, pour tout le monde. »

Nous ne pouvions plus l'un et l'autre vivre séparés. Je devais apporter à Virginia une sécurité psychologique complète et elle, sans le savoir, elle me donnait aussi une assurance, que les drames subis chaque fois remettaient en cause.

Je décidai donc de nous marier aux Etats-Unis, à New York, là même où j'avais épousé Dina. Les parents de Virginia avaient donné leur accord mais dans l'avion qui survolait l'océan, cependant que Virginia somnolait, je la regardais et je savais que ce n'était pas cet accord qui me permettait d'épouser leur fille. Bien sûr, cette pièce était nécessaire du point de vue de la loi. Mais comptait d'abord le don que nous nous faisions l'un à l'autre de nos vies si différentes. Elle dormait, Virginia, appuyée sur mon épaule, si désarmée ainsi dans son sommeil, si tranquille, sa main posée sur mon bras, que l'émotion m'étreignait. Il fallait que je la protège. Elle me donnait cette jeune vie, cette confiance, elle brisait le cercle de ma solitude. Peut-être ne se rendait-elle pas compte – et si je l'écris aujourd'hui c'est pour qu'elle le lise, qu'elle sache ce que je pensais à cet instant – de l'importance qu'avait notre rencontre pour ma vie. Pour elle aussi, naturellement. Sa vie était bouleversée. Hier, je la voyais sortir du lycée avec ses camarades et, aujourd'hui, elle était près de moi, elle allait devenir ma femme. Du jour au lendemain, elle entrait dans une autre existence. Mais moi dont apparemment la vie changeait moins, je lui devais plus ; elle m'apportait la preuve sans laquelle un homme, ou une femme, n'a plus le sentiment de vivre : elle m'aimait et je l'aimais.

Je ne peux pas, je ne sais pas raconter ces jours de bonheur que nous vécûmes aux Etats-Unis au cours de ce qui fut notre voyage de noces.

Le bonheur se vit, il ne se parle pas.

Il y eut, à notre arrivée à New York, l'étonnement et la joie de mes amis quand ils découvrirent Virginia. Il y eut les difficultés de dernière minute, car, comme à l'accoutumée, le destin me faisait un clin d'œil narquois pour me rappeler qu'il était là et que tout ne serait pas aussi simple que je l'imaginais. La ville de New York ne mariait les mineures qu'en présence des parents ; leur consentement écrit, estampillé par l'ambassade des Etats-Unis à Bruxelles, ne suffisait pas. Mais si l'on trouvait un juge de paix qui acceptât, le mariage était possible.

Coups de téléphone, rires et angoisses, temps qui passe, fébrilité : que dire de ce qui devenait une comédie à la Billy Wilder dont nous étions les acteurs involontaires, amusés parfois, émus toujours. Et le juge de paix vint Un juge noir. J aimais ce symbole. L'homme qui allait nous unir appartenait à une minorité qui avait eu tant à souffrir au cours de son histoire et qui par la lutte avait peu à peu conquis le droit d'être elle-même. Nous étions assis dans les ateliers d'une usine de vêtements qui appartenait à l'un de mes plus vieux amis. Il avait connu Dina. Son émotion augmentait encore la mienne. C'était comme si la vie s'était arrêtée un instant, puis le fil repartait en arrière et nous étions là, Dina et moi.

J'avais envie de pleurer. Au moment où le juge, avant de nous marier, fit allusion à mon passé, à mes livres, à cette longue marche depuis le ghetto, où dans sa voix je reconnus la sincérité de qui sait ce que cela signifie ghetto, j'ai fermé les yeux pour que mes larmes s'arrêtent.

La vie avait tourné, film si rapide à se dérouler que je ne savais plus un instant où j'étais, pourquoi j'étais là avec Virginia alors que Dina et, avant elle, ma mère ou Rivka venaient à peine de me quitter. Je pensais à ma grand-mère, à sa silhouette grise dans ses vêtements noirs. Tout ce qui avait été douceur et malheur revenait à moi par vagues alors que le juge de paix parlait.

Oui, je crois que durant cette cérémonie, je peux le dire aujourd'hui, j'ai peut-être oublié que Virginia était près de moi, que nous nous tenions la main. J'ai été, ces brefs moments, tout entier recueilli, enfoui dans le passé, entouré par les miens. Et sans doute avais-je peur d'avoir à commencer une nouvelle marche, des étapes à découvrir avec leurs ombres et leurs joies. Peur. Et de ma mémoire ceux que j'avais aimés, tous les miens, j'imaginais qu'ils me retenaient et j'ai sans doute espéré, l'espace bref d'une pensée, qu'ils m'absorbent, que je disparaisse.

Ainsi est l'homme : au moment où il s'élance, il voudrait quelque part en lui s'immobiliser, s'enfoncer dans l'ombre de sa mémoire.

Virginia tenait ma main, ses doigts pressant les miens Et j'ai ouvert les yeux. Je l'ai vue.

Nous étions deux.

19

Encore l'orage

Maintenant, avec Virginia, quand nous nous asseyons sur la terrasse de la maison des Barons, que nous voyons la mer changer de couleur autour des îles et la ville devenir rose sous le soleil couchant, maintenant, nous nous souvenons de notre voyage en Amérique, après le mariage à New York.

Mais durant des mois, nous n'avons pas eu le temps de revivre les jours où nous nous découvrions, elle et moi, dans l'étonnement l'un de l'autre, de la rencontre de nos corps.

Trop de changement chaque jour dans nos vies durant ces derniers mois pour que notre traversée des Etats-Unis nous revienne.

Nous avions pourtant, à tout instant, en même temps que nous devenions un couple, ajouté les joies aux joies. Mon oncle qui nous recevait à Miami, les vagues sur le sable, les villes de l'Ouest, cette franchise ouverte des Américains qui plaisait tant à Virginia. Ils étaient sans détours, nous accueillant, elle et moi, sans question. Vie simple de l'Amérique. Souvent, dans un restaurant, le garçon me demandait ce que « ma fille désirait ». Nous riions, elle et moi, nous étions au-delà de cette convention de l'âge et des habitudes.

Homme et femme unis couple qui marchait au même pas. Et nous avions, Virginia et moi, dès ces premiers jours, décidé que, vite, nous serions une famille. Que des enfants devaient venir s'ajouter à nous, nous multiplier.

Ce furent donc des jours rapides et gais et qui, cependant, s'effacèrent pour un temps, parce que Virginia et moi nous fûmes pris dans l'un de ces ouragans du destin, l'un de ceux que je craignais car j'en avais trop subi.

Mais comment les prévoir ? Ils survenaient dans ma vie par un côté de l'horizon que je n'observais pas. Ils me surprenaient.

Aux Etats-Unis nous étions passés par Detroit où l'Acheteur de ma maison des Barons m'avait dit posséder une demeure avec laquelle il voulait payer une partie des Barons. Je n'avais pas refusé.

Nous nous rendîmes avec Virginia dans le quartier où se trouvait cette maison. Quartier de grande ville américaine, anonyme.

La maison de l'Acheteur ne me plut pas, dès que je la vis. Pour moi, elle ressemblait à un bunker. Quand nous la visitâmes, nous découvrîmes des étages de sous-sol, remplis de caisses contenant des pièces détachées de vieilles voitures, des anciens modèles. Tout un monde de tôle, de moteurs, de mécaniques, qui sentait moins le musée que le dépôt mystérieux et suspect.

Nous sortîmes de cette maison inquiets, brusquement. Les Barons, auxquels j'avais peu pensé depuis mon départ avec Virginia pour Bruxelles, surgissaient en moi, comme un souvenir douloureux. Je me sentais coupable comme si je les avais livrés, ainsi que le disait Mme Lorenzelli, à n'importe qui.

Et l'Acheteur, maintenant, m'apparaissait n'importe qui.

Je me souvenais de sa main sur mon épaule, de la sensation pénible que j'avais eue à ce contact. Et, tout à coup, je voulais que nous rentrions plus rapidement que prévu, comme si les Barons avaient été en danger. J'apprenais à Detroit que l'Acheteur avait fait expédier des dizaines de caisses de voitures de collection démontées, qu'il avait promis monts et merveilles à ses mécaniciens, les invitant à le rejoindre sur la côte, à quitter leur maison aux Etats-Unis.

Je m'étonnais de cette hâte, de ces expéditions. Je dis à Virginia, pour la première fois :

– Je n'aurais pas dû.

Elle ne me répondit pas, mais je sentais à la manière dont elle me regardait qu'elle partageait mes regrets.

Nous abrégeâmes donc notre séjour aux Etats-Unis de quelques jours. J'avais besoin de toucher à nouveau le sol de ma vie : le Tanneron. Là où j'avais été déjà heureux et où j'avais décidé de l'être à nouveau. Et nous étions, Virginia et moi, si proches l'un de l'autre, unis dans nos vies, qu'elle allait au-devant de ce que je voulais dire, elle le prononçait avant moi, comme si elle l'eût deviné. Et quand je m'en étonnais, elle disait simplement :

– Mais je t'aime, Martin, alors je sais.

Nous arrivâmes au Tanneron au début de l'après-midi. Je voulais, avant que nous nous rendions dans notre résidence provisoire, revoir les Barons, peut-être sans nous y arrêter. Mais je faisais le rêve que, en nous voyant passer, l'Acheteur et sa famille nous arrêteraient : « Entrez, venez. » Nous les aurions embrassés. La grande pièce de la cheminée aurait été remplie de fleurs et d'enfants. « Voulez-vous rester dîner ? » m'auraient-ils demandé. Nous aurions refusé parce que nous aurions été heureux de voir la maison-vie aux mains de gens honnêtes qui l'auraient aimée comme s'ils l'avaient eux-mêmes construite. Je ne disais pas mon rêve à Virginia. Je m'arrêtais d'abord à notre résidence provisoire, une vieille ferme que je possédais à un kilomètre environ des Barons.

– Tu veux venir avec moi ? ai-je demandé.

– Tu vas la voir, n'est-ce pas ? Tu vas aux Barons ?

J'ai dit oui à Virginia.

Elle est restée assise près de moi dans la voiture et nous avons roulé lentement vers les Barons, voyant peu à peu s'ouvrir devant nous le panorama. J'ai ralenti quand j'ai vu la maison. Elle me paraissait morte. Je ne sais pas quel indice m'a donné ce sentiment. Mais j'ai compris que la maison-vie agonisait. Que je l'avais abandonnée aux mains de barbares. Peut-être est-ce l'un des arbres que je voyais qui me conduisait à ce sentiment. Ses branches étaient tranchées. Il avait été un vieux tronc séculaire, voici qu'il apparaissait mutilé. Ses branches fortes coupées à leur liaison avec le corps, cercles presque blancs où je lisais les cercles des années.

Ou peut-être les imaginais-je, car j'étais trop loin pour les distinguer. Et puis, il y avait tout autour des pelouses, à demi dissimulées par les haies, de grandes caisses de bois, sarcophages sommaires qui contenaient, je le pensai immédiatement en me souvenant de la maison de l'Acheteur à Detroit, des carcasses et des pièces de voitures.

Devant la maison, des détritus, un amoncellement de ce qui avait été mes objets. Contre la grille : un grand écriteau : « chiens méchants ». Je ralentis encore, je dis :

– Nous serons bientôt sur la colline, dans la maison neuve.

Virginia me serra le poignet. Elle souffrait aussi de découvrir la maison-vie agonisante.

– Je me suis trompé, ai-je murmuré, je n'aurais pas dû

Mais Virginia me tient le bras, me rassure, dit :

– Si cette maison n'est pas aimée par ceux qui l'habitent, elle nous reviendra, Martin, parce que nous, nous la connaissons. Les maisons, je le sens, c'est comme des gens.

Garée à quelques mètres des Barons, sur le bas-côté de la route, une voiture qui, parce que la chaussée n'était pas très large, me contraignait à avancer au pas. Un couple était appuyé à la voiture, regardant la maison des Barons. Souvent, au cours des années, à raison de plusieurs visiteurs par jour, j'avais ainsi vu s'arrêter certains de mes lecteurs venus, parfois, de l'autre bout de l'Europe. Ils hésitaient, certains faisaient tinter la cloche du portail . « Vous êtes Martin Gray ? Excusez-nous », et le dialogue se nouait entre nous. Précieux pour moi. Il m'assurait que les mots que j'écrivais étaient entendus.

Il m'était arrivé de passer ainsi plusieurs heures à échanger des idées, à faire découvrir le cadre de ma vie, le paysage grandiose. Et, à la fin, nous étions amis.

Sur la route, alors que je passais, la jeune dame s'est tout à coup penchée vers son mari en m'observant, et elle m'a interpellé, prononçant la phrase que je connaissais.

– Martin Gray ?

Je m'arrêtai, je sortis de ma voiture. Sans doute était-ce pour moi un prétexte à stationner devant les Barons, à sentir l'air qui entourait cette maison, à revivre cet horizon.

– Mais vous n'habitez plus là ?

L'homme montrait la maison.

– Vous savez, ils ne sont pas commodes les nouveaux. A qui avez-vous laissé votre maison ?

Les chiens de l'Acheteur s'étaient précipités contre la grille du portail, aboyant avec rage. Ils bondissaient, faisant trembler le portail. Je demandai au couple de bien vouloir nous suivre jusqu'à ma demeure actuelle. Ils acceptèrent et nous nous retrouvâmes devant la petite maison paysanne. Nous, à peine arrivés des Etats-Unis, à peine unis, nous étions déjà, ensemble, confrontés à la vie, à mon passé aussi.

L'homme posait mes livres sur la table. Il souriait.

– Nous voulions vous les faire signer, nous les avons tant aimés, disait-il, mais...

Il hésitait à parler.

– Je sais, ai-je dit. Vous avez été très mal accueillis ? Je pressentais, je devinais.

– Il faut le dire, n'est-ce pas ?

Il se tournait vers sa femme.

– Dis-le, murmura-t-elle.

– Vous savez, on a peut-être mal vu, mais on a eu l'impression, quand on a sonné au portail, qu'ils nous ont menacés avec un fusil, en nous faisant signe qu'ils allaient nous tirer dessus, si nous insistions.

– Un fusil, oui, disait la jeune femme. Ça nous a sur pris.

Elle riait.

– Maintenant qu'on est là, avec vous, on comprend, mais avant, vraiment, on était perdus, ce fusil, ces cris, pour nous dire de nous en aller, et puis il y a eu votre voiture et ils sont rentrés.

J'ai signé les livres et dans les jours suivants j'ai essayé d'oublier l'incident. De ne pas penser à la maison des Barons. Le contrat définitif devait être signé quelques semaines plus tard. Jusque-là, qu'avais-je à faire ? J'étais entre leurs mains. Même si je regrettais, eux seuls avaient le pouvoir de décider de ce qui allait arriver.

Ne pas penser, ne pas se laisser étouffer par cette poussière grise qui s'appelle regret.

Et puis, il y avait notre union, la découverte qui chaque jour nous enrichissait l'un par l'autre, l'épanouissement de Virginia sous le soleil du Midi, la joie qu'elle avait à courir, à chanter dans cette nature heureuse où les mimosas étaient comme une poudre d'or et où les traces de l'incendie d'il y a sept années avaient presque disparu.

J'expliquais à Virginia ce qu'avait été ma vie. Elle me parlait d'elle, nous entrelacions ainsi nos existences. Je lui faisais prendre conscience de l'importance qu'il y a à vivre sainement, combien à la joie courte d'une alimentation trop riche, trop élaborée, il fallait préférer la sereine et douce alimentation naturelle, les fruits frais, qui sont comme de la santé qu'on boit.

Je voulais qu'elle prenne le chemin de cette vérité du corps sans laquelle il n'est pas de rigueur du caractère. Je lui faisais lire *Les Forces de la Vie*, je désirais qu'elle apprenne à se connaître, qu'elle découvre ce que nous avions construit dans ce livre, avec mon amie Helen. Pour Virginia bien sûr, mais aussi pour les enfants que nous aurions. Tout cela, notre amour, notre rêve, notre vie, raccourcissait les jours et j'essayais de ne plus penser aux Barons, d'attendre.

Et chaque jour était nouveau, inattendu, avec le visage changeant de Virginia. Elle était comme un paysage qui varie avec l'heure, qui ne cesse, même quand les nuages le couvrent, de rester stimulant, émouvant. Elle était devenue mon horizon et mon avenir.

Un matin, elle m'annonça qu'elle croyait qu'en elle une nouvelle vie...

Longuement, tendrement, nous avons marché dans la campagne. Elle semblait déjà plus lourde, Virginia, plus belle.

Rien n'avait changé en moi, dans mon corps, du fait de ce qu'elle venait de m'annoncer, et cependant, je le sentais, j'étais devenu différent. En un instant, quand elle avait dit : « Martin, je crois que... » et elle avait fait un signe de la tête qui signifiait : « Voilà, ce que tu attendais, ce que tu avais peur d'espérer trop vite est en moi, je vais être la mère d'un enfant à toi. »

J'étais, non pas seulement en esprit, mais aussi dans mes veines et ma peau, bouleversé, avec une émotion qui me rendait fébrile.

J'aurais voulu que le temps coure plus vite, que neuf

mois passent en un seul clin d'œil et que l'enfant soit là, preuve que nous vivions, Virginia et moi, que nous formions un couple.

Mais il ne faut pas forcer le temps.

Le moment vient pour chaque chose, je crois. Il faut savoir aussi goûter les minutes qui préparent l'instant heureux que l'on attend. Virginia s'allongeait au soleil sur une chaise longue ou un matelas, je restais près d'elle ou bien je préparais des conférences qu'on me demandait.

Un jour, je vis s'arrêter devant la ferme des jeunes filles. Elles appuyaient leurs bicyclettes neuves avec de lourdes sacoches sur leur porte-bagages contre les arbres. Elles arrivaient de Tours. Elles avaient donné comme but à leur voyage cette visite qu'elles me faisaient parce qu'elles avaient aimé mes livres et elles me disaient qu'elles voulaient organiser dans leur ville une conférence où elles rassembleraient tous les jeunes.

Virginia et moi les regardions repartir : après une halte, elles se retournaient et nous saluaient d'un geste de la main. J'étais heureux. Le destin m'avait permis de rompre les barrières de l'âge. Mais je ne voulais pas jouer au faux jeune homme. Mes années, je les portais, je n'avais pas le pouvoir de les nier et ne désirais pas les dissimuler par des artifices qui rendent ridicule.

Mais qu'est-ce que l'âge, sinon aussi de rester enfermé dans le cercle d'une génération, d'un milieu ?

Moi, je n'étais pas ce prisonnier. Mes livres m'avaient ouvert des portes situées à tous les étages de la société. Mes lecteurs appartenaient à toutes les générations. Et Virginia était le lien vivant entre la jeunesse et moi.

Nous vivions donc dans l'attente de la naissance de notre enfant.

Nous étions installés très sommairement dans la petite maison et, un après-midi, je décidai de retourner aux Barons pour récupérer quelques affaires personnelles dont il avait été entendu qu'elles resteraient ma propriété.

Je partis seul et à pied.

Est-ce pressentiment ? Quand Virginia avait voulu m'accompagner, je lui avais demandé de rester à la ferme. J'étais inquiet, comme cela m'était arrivé quelquefois dans le ghetto à la veille d'une action et presque toujours, les barbares nous avaient attaqués. J'en avais été si fortement impressionné qu'il m'arrivait de décommander un rendez-vous si quelque chose en moi, un doute, une intuition, se levait.

Je marchais vers les Barons. Je m'efforçais de garder mon calme. Que craindre? J'étais dans mon droit.

Je sais maintenant que j'avais peur de voir se confirmer combien avait été folle ma décision de vendre. Et de découvrir aussi que l'Acheteur était pour les Barons n'importe qui, un ennemi de la maison-vie.

D'abord, je vis les caisses sur la pelouse. Ils avaient commencé à les ouvrir. J'apercevais les voitures anciennes, les carrosseries, et aussi il me semblait entendre un bruit d'atelier, comme si on soudait ou frappait au marteau sur de l'acier.

Avaient-ils transformé les Barons en usine ? Je sonnai au portail. Les chiens se précipitèrent. Personne d'abord ne se montra. Je sonnai encore malgré les aboiements. Et, tout à coup, je vis une des filles de l'Acheteur, un de ces enfants qui m'avaient paru une preuve suffisante de l'humanité de cette famille américaine et qui m'avaient ainsi incité à vendre. Elle était sur la terrasse, ne paraissant pas me reconnaître. J'ai crié :

– Martin, Martin Gray, tu te souviens ? Tes parents...

– Allez-vous-en.

Elle hurlait et je la devinais crispée au rebord de la terrasse.

– Allez-vous-en, répétait-elle.

– J'ai des affaires personnelles à prendre, ai-je répondu.

– Allez-vous-en.

Et je la vis tout à coup qui se baissait et reparaissait avec un fusil qu'elle brandissait dans ma direction.

– Si vous ne partez pas je vous tire dessus, partez, partez.

Elle aboyait elle aussi.

Ils avaient semé la haine dans l'esprit des enfants. Cela, je ne leur pardonnais pas.

Cela c'était le sacrilège, l'insulte aux lieux qu'ils habitaient, à mes enfants dont les cendres demeuraient encore là, dans la petite maison sous les arbres qu'ils avaient saccagés.

En rentrant à la ferme, j'étais révolté et abattu, désarmé. J'avais livré pour toujours la maison des miens à des barbares, des Américains comme je n'en avais jamais connu durant toutes les années où j'avais séjourné aux Etats-Unis.

Virginia, en m'apercevant, a tout de suite compris que j'avais besoin d'elle, de sa voix et de ses yeux, que j'avais besoin qu'elle me rappelle que la vie était devant moi, en Virginia et avec elle, et non aux Barons même si, là-bas, j'avais laissé mon passé.

Elle s'accrocha à mon cou, me sourit. Je me souviens de n'avoir jamais perçu à ce point la tendresse et la générosité que portait sa voix.

– Martin, disait-elle, si tu dois être séparé définitivement de la maison, c'est ainsi, il faut l'accepter. Mais, qui sait ? C'est toi qui m'as appris que tout est possible. S'ils sont fous, barbares comme tu dis, ils ne pourront pas rester aux Barons. Quelque chose arrivera, la maison les rejettera, Martin, la maison elle-même.

Je ne pouvais évidemment croire à ce qu'elle me disait. Je savais que l'imprévisible souvent se produit, mais je n'imaginais pas que les Barons, un jour, soient à nouveau pour moi la maison-vie, que soit ainsi effacée l'erreur que j'avais commise.

Je vécus ainsi avec la certitude que nous n'habiterions plus jamais aux Barons, mais l'assurance de Virginia, son calme faisaient naître en moi un espoir.

Et puis, de la voir plus épanouie chaque jour, de l'observer alors qu'elle dormait au soleil, paisible, heureuse, me donnait confiance.

Qui sait ?

Je me répétais aussi que même si les Barons restaient aux mains de l'Acheteur, nous habiterions une maison généreuse sur la colline. Les plans en avaient été maintenant dressés. Je les déroulais devant Virginia, j'expliquais les astuces de l'architecte, je montrais l'emplacement de la piscine. Mais je me heurtais à une sorte d'indifférence de Virginia.

Je répétais :

– C'est ici que nous vivrons, Virginia.

Elle avait les deux mains croisées sur son ventre. Elle se balançait sur la chaise devant la ferme.

– Tu crois ?
– Mais oui.
Elle haussait les épaules avec un mouvement moqueur.
– Bon, moi, cette maison neuve me plaît mais elle n'est pas construite et je préfère les vraies maisons, les maisons anciennes comme les Barons, ou celle-ci.
D'un mouvement de tête, elle montrait la ferme.
– Pourquoi pas ici ? ajoutait-t-elle. J'aime cette ferme.
Trop petite, maison partagée, impossible à vivre.
Je le démontrais.
– Bon, disait Virginia, bon, nous irons ailleurs.
Un jour, il me sembla que cet ailleurs ce pouvait être encore les Barons, ma maison-vie.

L'Acheteur venait en effet de ne pas honorer le contrat. Il ne payait pas ce qu'il devait à la date prévue. Il ne donnait aucune explication, sinon celle que détient la force procurée par l'occupation des lieux.

Légalement, la maison des Barons m'appartenait donc à nouveau. Tout est possible, même l'impossible.

Mais il fallut faire respecter le droit. Et l'Acheteur n'était pas homme à s'incliner facilement devant la loi.

A quoi servirait de raconter en détail cette bataille ? Le procès. Un juge qui se déclarait incompétent, un autre plus haut qui trouvait que le premier aurait dû trancher et qui, effectivement, décidait en ma faveur de l'expulsion de l'Acheteur.

Les gendarmes, les douaniers, des visiteurs qui se plaignaient d'avoir été accueillis aux Barons à coups de fusil de guerre. Perquisitions. Les voitures anciennes, démontées et mises en caisses, avaient été importées comme affaires personnelles sans acquitter les droits de douane. Les Barons auraient dû devenir un lieu clandestin de montage de voitures de collection, sans doute vendues en fraude. Tout cela qui arrivait comme un nouvel orage, inattendu, parce que, me disaient les juges, les avocats : « Jamais, monsieur Gray, nous n'avons vu une histoire comme celle-là. »

Un croc-en-jambe du destin, une fois encore.

Virginia, elle, me rassurait :

– Tu vas avoir les Barons, tu ne voulais plus te séparer d'eux, ils te reviennent, c'est un miracle, non ?

Qui pourrait dire la fin de l'orage ?

Je ne voulais pas entrer dans la propriété tant que les experts judiciaires ne l'avaient pas visitée eux-mêmes Et je sentais que l'orage n'avait pas fini de souffler, peut-être la dernière bourrasque avant que nous n'entrions, Virginia et moi, dans une rade enfin paisible. Je voulais cette paix, mais je connaissais trop ma vie pour ne pas avoir une inquiétude, comme l'une de ces herbes trop dures, épineuses, qu'on ne réussit pas à arracher.

Oui, mon impression était vraie. Des signes m'indiquaient que le vent restait fort.

A Cannes, dans la rue principale, alors que je marchais, je vis trois jeunes gens qui se précipitaient sur un vieil homme, le bousculaient, le frappaient au visage. L'homme tomba, du sang sur les lèvres. Les trois jeunes gens se mettaient à courir, bousculant, frappant les passants sans raison.

J'allais derrière eux, les bras chargés de paquets, ne pouvant intervenir. Des dizaines de passants étaient là. Je demandais à plusieurs de m'aider à les arrêter. Je vis un couple. Elle, une jeune femme, belle ; lui, un homme vigoureux. Je le fixai et l'interpellai.

– Venez avec moi, vous voyez bien ce qui se passe.

Il continua sa promenade, indifférent. Je lui criai alors :

– Vous n'avez pas honte, devant votre femme, d'être aussi lâche ?

L'un et l'autre se détournèrent, partirent.

Les jeunes gens continuaient, comme dans un mauvais film de violence où l'indifférence glace les témoins de l'action des barbares.

J'essayais de trouver des policiers. Malheureusement, ils sont peu nombreux à Cannes. Dans la foule, je perdis de vue les jeunes gens. Je me rendis alors au commissariat.

Mais, n'étant pas moi-même atteint, ma plainte n'était pas recevable. Personne ne se joignit à moi pour témoigner.

Toute la nuit, je restai éveillé. La nausée, la certitude que des scènes semblables étaient les symptômes d'une maladie mortelle de notre société.

Le vent mauvais soufflait fort autour de nous.

Il me rappelait le ghetto. Tous ceux qui avaient détourné les yeux quand on emmenait leurs voisins au camp, ceux de la ville aryenne qui avaient laissé détruire le ghetto, assassiner les juifs et, quelques mois plus tard, c'était la Varsovie catholique que l'on transformait en champ de pierres. Et j'avais vu aussi dans les rues des villes américaines tant d'indifférence devant des scènes de cruauté.

Chacun pour soi, telle était devenue la loi.

Les jeunes gens, je ne les accusais pas parce qu'ils étaient jeunes. Il y a des barbares dans toutes les générations et Robert valait mieux que ces adultes qui avaient refusé de m'aider dans les rues de Cannes. En fait, entre l'agresseur et celui qui laisse l'agression s'accomplir, s'établissait une complicité de fait qu'on aurait dû punir presque au même titre que l'acte brutal.

La nausée.

Et peut-être la peur aussi pour mon enfant qui allait naître de vivre dans ce monde qui ressemblait à la jungle.

J'avais vu autrefois un film que j'avais beaucoup aimé *Asphalt Jungle* (« Dans la jungle des villes »). La jungle s'étendait, elle couvrait le ciment des trottoirs des banlieues éloignées d'abord, elle gagnait le centre. Elle rongeait. Et chaque habitant se sentait seul. Se protégeant lui-même et que l'autre crève.

Nausée, oui, devant cet égoïsme stupide car chaque témoin inactif pouvait être une victime demain.

Au Tanneron, Virginia venait s'asseoir près de moi. Elle prenait ma main, la posait sur son ventre, elle me disait à voix basse et douce :

– Il bouge.

Tant d'orage autour de nous que j'avais peur, je l'avoue, de cette vie à laquelle nous donnions l'envol.

Je laissais ma main sur le ventre de Virginia. J'essayais d'imaginer des solutions pour que nous puissions, dans les années à venir, ce dernier quart du

XXe siècle, vivre différemment des animaux sauvages qui s'épient et s'enfuient. Le plus fort traquant le plus faible.

Vieille utopie, mais comment vivre sans elle ?

Comment accepter que règnent violence, injustice, inégalité, différence ?

Et sans doute, tout était-il lié. La maladie, même quand elle prend une seule forme, est toujours le signe d'un malaise grave de tout l'organisme. Et ne soigner que le symptôme ne guérit pas.

Une autre maladie surgit, inattendue.

– Tu fais ce que tu peux, murmura Virginia. Tu as fait ce qu'il t'était possible...

Je la pris contre moi. Elle était porteuse de la vie nouvelle. Forte, puissante et frêle. Le vent soufflait si fort, je le sentais, vent d'orage encore...

Enfin la maison-vie fut évacuée.

Enfin, les experts firent leurs constatations.

Enfin, nous y pénétrâmes.

Joie de pousser le portail à nouveau.

Joie vite brisée.

La guerre semblait être passée dans cette maison et autour d'elle. Arbres coupés, pelouses saccagées, envahies par le chiendent, tas de détritus, de radiateurs et de métaux rouillés, fils électriques arrachés, meubles emportés, baies brisées, cuisine démantelée, maison-vie violée, agonisante, blessée.

Les barbares n'avaient rien respecté, comme s'ils avaient voulu se venger de moi. Dire à coups de marteau : « Nous n'avons pas gagné, mais tu garderas à jamais les cicatrices. » Ils avaient défoncé les murs, arraché les carrelages, la tapisserie.

Je marchais dans ma maison-labyrinthe éventrée.

Ils n'avaient rien respecté, ni les souvenirs de mes enfants ni l'âme de la maison-vie.

Je souffrais de voir tout cela comme si j'avais été moi-même couvert de plaies. Et je mesurais combien cette maison était mienne : elle faisait partie de mon corps.

Jamais, jamais plus je ne me séparerai d'elle. Je pensais cela debout dans la pièce de la cheminée. Ils avaient emporté les objets d'art, les tapis. Dans un coin de ce salon, ils avaient installé des éviers arrachés à la cuisine. Des tuyaux de caoutchouc couraient dans la pièce.

– C'est chez nous, maintenant, me dit Virginia.

Je savais que c'était ici mais tu avais décidé. Et peut-être il fallait tout cela pour que nous comprenions que c'est ici que nous devons vivre.

Ce ne fut pas possible immédiatement. Le vent d'orage, je le sentais faisant trembler autour de moi les arbres, couchant les mimosas, sifflant dans la maison-vie blessée et dont les portes battaient. Je ne voulais pas non plus que Virginia, à la veille de l'accouchement, quitte la ferme où le confort était plus grand que dans les Barons dévastés.

Mais chaque jour, nous venions de la ferme à la maison-vie, marchant lentement sur la route ou bien, comme ce jour-là, en voiture. Nous nous garions.

Et tout à coup, Virginia les vit. Deux silhouettes qui s'enfuyaient des Barons, qui couraient. Sans doute, nous avaient-ils aperçus. Je bondis. Je voulais que Virginia demeure dans la voiture, mais elle me suivait. Les hommes, là-bas, de l'autre côté de la maison, avaient mis en marche une camionnette chargée de caisses qu'ils venaient de prendre aux Barons. Je reconnus l'un de ces hommes, un des fils de l'Acheteur. Je me précipitai. Dans leur hâte, ils heurtèrent l'un des piliers de la sortie avec la camionnette. J'ouvris la portière, je criais, de toute ma colère contre ceux qui avaient saccagé la maison-vie :

– Arrêtez-vous, restez là, j'appelle la police.

Ils sautèrent de la camionnette, s'enfuirent dans les broussailles. L'instinct du combattant jouait chez moi plus vite que la raison. Je dégonflai les pneus de la camionnette, Virginia m'aidait ; je criais : ils ne pourront plus repartir, je vais appeler la police. Virginia se mit au milieu de la route, arrêta une voiture, et on nous conduisit jusqu'à la ferme où je téléphonai. Puis nous revînmes. Je m'éloignai un peu de la camionnette et, tout à coup, j'entendis Virginia qui criait. Je la voyais, le bras levé, aux prises avec les deux hommes, elle les frappait ; je courus vers eux, je hurlais, à la fin Virginia tomba.

Un voile noir devant moi.

L'orage encore, la certitude que le destin me rejoignait, sauvage, qu'il me châtiait de je ne sais quelle faute, qu'il n'en avait pas fini avec moi.

Puis le voile se dissipa. La police était là. Virginia se redressait. Elle se tenait la tête, le ventre, elle souriait, elle disait : « Ce n'est rien, tout va bien. »

Je la regardais. Elle était le courage et ma vie. Elle venait vers moi.

– Tu vois, dit-elle, si j'avais vécu avec toi, là-bas, dans ton passé, je me serais bien battue.

Je la serrais contre moi. Je ne voulais pas qu'elle se batte, je voulais qu'elle vive et qu'elle donne la vie.

Maintenant, avec Virginia, nous nous souvenons de ce vent d'orage qui nous enveloppa les derniers jours avant la naissance de Barbara. J'en arrive parfois à me demander s'il ne s'agissait pas d'une épreuve à laquelle on nous soumettait. Qui ? Quoi ?

Sans doute est-ce que je rêve. Mon imagination parle trop haut. Mais cette scène violente, Virginia frappée alors qu'elle était à la veille de l'accouchement, cette maison-vie reprise mais saccagée, tout me semblait avoir un double visage. L'un facile à connaître : celui d'un incident sans importance comme on en lit dans les faits divers. L'autre, plus secret, dissimulé sous le masque précisément du fait divers alors qu'il veut dire autre chose. Visage secret et symbolique que l'on peut déchiffrer aussi. Dernière épreuve ? Dernier orage avant la paix ?

Je sais en tout cas que Virginia voulait retourner vivre dans la maison-vie. Telle qu'elle était. Qu'à la ferme, disait-elle, la naissance ne viendrait pas. Elle le pensait si fort, elle le disait avec tant de conviction, que nous nous installâmes aux Barons. Et là, la première nuit où nous y dormions, elle me prit le poignet, elle le serra, elle murmura :

– Je sens qu'il vient.

Première nuit dans la maison-vie.

C'est là que Virginia sentit la poussée de l'existence nouvelle qu'elle portait depuis neuf mois.

Nous descendîmes donc des Barons à la clinique. Et Barbara vint. Et elle sourit, posée sur le ventre de sa mère.

Paix ?

J'ai raconté ma nuit, quand je suis parti seul sur la route. Il me fallait confronter ce que je devenais à ce que j'avais été.

Et c'est pourquoi j'ai écrit pour dire ces sept années. Me protéger aussi, m'assurer que l'orage ne soufflerait plus.

Quand, quelques jours après la naissance de Barbara, le médecin me fit appeler et m'indiqua que Virginia souffrait à son œil gauche, peut-être d'un déchirement de la rétine provoqué par le choc qu'elle avait subi aux Barons, quand elle s'était battue, j'eus à nouveau le sentiment que l'orage se déchaînait. Mais non, il fallait élever une haute muraille contre l'inquiétude qu'on ne raisonne pas.

Il fallait que cette muraille soit celle de la vie.

Il est dans les pays où souffle le vent des grands murs d'arbres. Ils courent à travers champs, les arbres sont serrés les uns contre les autres, frères.

Le vent les penche mais ne les déracine pas.

C'est à ces arbres des pays de vent, ces arbres qui résistent à l'orage que je veux penser.

Et pour Barbara, je veux que Virginia et moi, nous soyons ces arbres-là.

20

Pour Barbara

J'aurais voulu, ma fille,
Barbara,
Ma fille têtue et douce déjà,
Tu as faim, tu veux ta part de vie, tu réclames le lait et tu t'endors, paisible,
J'aurais voulu, ma fille
Barbara
T'offrir un monde de paix
Le monde où tu viens ressemble encore trop à celui que j'ai connu.
Tu le découvriras en suivant du doigt ces cicatrices, mes livres.
Pour toi, je suis heureux qu'ils existent.
Ils seront quoi qu'il advienne de moi
un peu de ma vie.

Je voudrais que tu regardes droit, sans détourner les yeux,
ces violences et ces injustices, cette cruauté
dont l'homme est capable.
Et il ressemble alors à un animal qui aurait placé sur
son visage un masque humain.
Regarde, mais ne crains pas.
Voir clair c'est le premier acte de courage.
Je voudrais que tu apprennes cela
Et que tu choisisses toujours d'être du côté des hommes.
Ils sont faibles souvent.

Ils sont vaincus souvent.
Ils sont désespérés, souvent.
Tu leur parleras et ils ne t'écouteront pas.
Tu leur expliqueras ce qui est la vérité et ils ne t'entendront pas.
Ils se mettront en rang, ils frapperont du pied en cadence, ils hurleront quand les animaux à visage d'homme le leur commanderont.
Ils te décevront.
Ils seront lâches parfois
Mais il suffira d'un moment pour que dans un de leurs
regards tu découvres
Qu'ils sont hommes.
Sois avec eux
Souvent tu croiras qu'ils t'abandonnent.
Les autres ont tout
Le pouvoir et la gloire
Tu désespéreras toi aussi
Mais il suffira d'un moment pour que dans un de leurs regards
tu découvres qu'ils sont hommes.
Et d'être avec eux te donnera force de vivre.

Je voudrais que tu apprennes cela.

Choisis de rêver avec eux
Le rêve est ce qui les distingue de la pierre.
Ils croient, même s'ils ne savent pas qu'ils croient
que l'avenir pour eux ou pour ceux qu'ils aiment sera meilleur.
Cela n'a l'air de rien
Ce n'est cela qu'une chanson banale
Mais ceux qui la fredonnent sont hommes
Et les autres ne sont rien.

Choisis de rêver avec eux
Ils imaginent
qu'il y aura pour tous suffisamment de fruits
Comme il y avait pour toi, chaque fois que tu lançais un cri, le lait
Ils imaginent
Qu'il y aura une société où le passant croisé sera proche comme un frère.

Ils imaginent,
Mesure combien ils sont fous de rêver,
Que la mort aura cessé d'entraîner ceux qu'ils aiment.

Choisis de rêver avec eux.
Ils sont raisonnables ces fous
Tu l'apprendras avec le temps
Seul l'homme-pierre, l'homme-matière
Peut croire qu'il suffit du présent pour faire la vie d'un homme.

La force de vie, demain seul la donne.

Car demain c'est l'autre homme
Celui à venir
Et si tu ne paries pas que lui sera meilleur
A quoi sert donc de vivre ?
Choisis de croire
Il n'est pas de plus folle raison
Barbara
De plus sage aventure
Et si tu doutes parce que des murs t'oppressent un jour,
Imagine encore plus haut, plus loin.
Choisis le plus impossible des rêves
Et laisse-toi porter par lui.

ANNEXES

Un jour à Québec, une lectrice m'apporta un exemplaire de AU NOM DE TOUS LES MIENS. Les pages du livre et sa couverture étaient cornées, usées presque. Mais ce livre ne me quitte plus. Le voici : plusieurs centaines de personnes ont lu *ce seul exemplaire* et chacune d'entre elles a signé. Ces signatures sont pour moi autant de poignées de main et de sourires d'amis. Qui peut oublier les amis qui ont partagé les souffrances et les espoirs de votre vie ?

Depuis que j'ai publié mon premier livre, des milliers de lecteurs m'ont écrit. J'ai longtemps hésité avant de me décider à publier ici quelques-unes de ces correspondances.

Souvent, ils m'ont confié le plus intime de leur vie. Qui aurait le droit de trahir cette confiance ?

J'ai finalement choisi d'en citer quelques-unes. Bien mieux que mes phrases, les mots qu'ils ont écrits disent la force des liens qui nous unissent, eux et moi.

Bien sûr, j'ai respecté l'anonymat des auteurs de ces lettres. Mais il fallait que je les présente, car elles expliquent pourquoi j'ai continué à écrire pour eux pour d'autres et aussi pour moi.

MARTIN GRAY
AU NOM
DE TOUS LES MIENS
Récit recueilli par
MAX GALLO
FRANCE LOISIRS
J'AI PLEURÉ, AIMÉ
ET SOUFFERT AVEC VOUS.
MERCI DE CETTE LEÇON
D'ESPOIR
Arlette B.
On ne lit pas
votre livre on le vit
Votre livre m'a bouleversé et m'a sauvé la vie
cette nuit à cinq
heure un petit martin
est né. après avoir
lu votre livre, j'ai
voulu appeler mon
fils martin
Boulay
Alain Bena
J'aurais voulu que vous
soyez mon père.
à toi Martin
Yvonne
Anita
BRAVO MARTIN
JEAN REY

Monsieur Martin GRAY

J'ai lu avec une grande attention votre livre intitulé "Le livre de la Vie". Cet ouvrage est pour moi un testament spirituel d'une valeur indéfinissable. Chaque page se fait l'écho d'un message : message de douleur, de mort, mais aussi d'espoir, de vie, d'amour.

Je ne peux que décrire une profonde admiration pour tout ce que vous avez dit, paroles que j'approuve entièrement, fruits d'une longue expérience.

Certes la mienne est loin d'égaler la votre et pourtant, j'ose vous écrire.

Moi aussi, il m'arrive fréquemment de cheminer avec le désespoir, le dégoût d'une vie qui ne vous apporte que souffrance, lassitude, épuisement.

ont lu *ce seu* ... s a signé.
Ces signature ... de main
et de sourir ... is qui ont
partagé les s...

Je suis vivant. Souvent, ce n'est pas facile. Hier matin, un autre journaliste est venu : maintenant je les connais bien. Ils ont l'expression qu'il faut, ils sont tristes, mais ils continuen de poser leurs questions, ils jettent leurs yeux partout, rapide ment, ils ouvrent une porte, ils veulent savoir, le malheur ne l' arrête pas, c'est leur métier. Ils me font penser aux hommes Pinkert — le roi des morts — qui, dans le ghetto, chargeaient leurs petites charrettes les morts que la nuit avait laissés su trottoirs; des enfants vêtus de chiffons, leurs chevilles go et rouges, des hommes que des passants avaient déshabi qu'on avait recouverts de feuilles de papier; des petites auxquelles personne n'avait eu le courage d'arrach pauvre poupée grise. Les hommes de Pinkert, leur c rabattue sur les yeux, leur brassard blanc avec l'étoile au bas de leur bras droit, faisaient leur métier. Ils les corps et les posaient les uns sur les autres, puis laient à la charrette et d'un coup de reins ils la tira cimetière et la fosse commune. Ils parlaient entre e quand ils avaient réussi à obtenir un morceau de p au goût de plâtre, ils étaient heureux. Ils sifflaien çaient des mots d'une charrette à l'autre et les policiers polonais — qui n'hésitaient pas à tuer comprenaient pas les hommes de Pinkert. Ils ho méprisants et scandalisés. « Salauds de Juifs encore et ils laissaient passer sans trop les f

...ints ...mée ...ps où ... il n'y ... ruines, ... tous les ... arme au ... haine ... pour tuer. ... temps de la ... le Tann... ...et la chaleur ... qu'on avait ... ma vie. Une ... re simplement

Rejeté par mon père, ma mère, mes frères et sœurs, seul, j'ai lutté pour arriver à quelque chose. A quoi ? Je n'en sais trop rien. Ce que je voulais, c'était en sortir ; mais pas tout seul, avec tous ceux qui comme moi étaient prisonniers de leur souffrance.

Maintenant, j'ai 33 ans - membre d'une équipe soignante d'un grand Hôpital Psychiatrique de la Région Parisienne, j'ai fait la connaissance de la misère mentale, de ces personnes rangées derrières les barrières de la folie par nous, êtres en blouses blanches persuadés que nous sommes du bon côté : celui de la raison.

Mais la plus grande souffrance morale, je l'ai rencontrée sans cesse chez mes collègues de travail. Combien de fois fatigué, las, je suis allé rendre visite à l'un ou à l'autre afin de pouvoir parler en face à quelqu'un qui vous écoute - retrouver réconfort et courage. A chaque fois je trouvais une personne qui - au-delà d'apparence de bonheur - était en proie à la souffrance. Alors au lieu de parler, j'écoutais. Peu à peu, ma propre souffrance se taisait et mon cœur s'ouvrait à celle de l'autre.

Lorsque je quittais cette personne, je n'avais rien dit, mais je partais heureux

Je partais plus fort, ayant été utile face à la souffrance d'autrui.

Au cours de ma carrière d'éducateur, de soignant, je n'ai jamais parlé. J'ai écouté le jour, pleurant la nuit quand cela était possible.

A côtoyer toutes ces souffrances, souvent je me demande si le bonheur peut encore exister. A la lecture de votre livre, j'ai découvert que oui.

Il y a quelque temps j'ai été amené à travailler dans le service psychiatrique d'une importante Maison d'Arrêt. Les soignants ne faisaient rien d'autre que leurs soins physiques, tout le reste semblant inutile. A quoi bon aider ces prisonniers coupables ? Je pense qu'il le faut. Tout doit être fait, ne serait-ce que pour un sourire. Oui, quoi de plus beau qu'un visage illuminé par un sourire, même s'il s'agit d'un visage de prisonnier. Ne sommes-nous pas tous prisonniers de nos propres erreurs ?

J'aime vous entendre parler de la mort avec calme. Moi, la mort, je la désire non comme la fin à une vie parfois dénuée de sens, mais comme une récompense.

Certes je l'appréhende comme un grand moment, comme tout moment solennel.

Mais je la désire et l'appelle souvent mon
Inconnue désirée. Profondément croyant, pour
moi, la Mort est fin et début, Nuit et Lumière,
Changement et continuité, cruelle et juste.
Oui! la mort est en elle-même contradictoire.

Bravo! Monsieur Gray. Vous êtes une lumière
qui brille dans les ténèbres d'un monde qui
se voile les yeux pour ne pas voir la réalité.
Sans être le levain qui fait lever la pâte,
[illegible], mais il est là, son action
lente agit comme une force inéluctable,
mais nécessaire. Oui continuez à être ce
[illegible] spirituel, ce coup de fouet dans la
lassitude, ce sourire dans la détresse, cette
[illegible] humanité dans la solitude.

Merci Monsieur Gray

Je m'étais habituée à vivre avec vous, quelques moments, chaque jour, depuis déjà des mois. Combien ? Je ne pourrais en faire le calcul puisque la vie ne se compartimente pas en tant d'heures d'amitié par jour, ou tant d'heures de travail ou d'évolution ; non...

Chaque jour, j'ai ouvert le Livre de la Vie et j'en ai vécu. Je m'en suis émerveillée aussi, un peu comme chaque printemps, lorsque je travaille à mon potager et que je vois éclater la vie dans chaque graine que j'y ai mise ; que je le vois pousser, se multiplier, donner ses fruits...

J'ai vécu de votre amitié, de votre lucidité et de votre force ; et je m'y étais habituée...

Je viens de tourner la dernière page du livre de la Vie et même si je sais que j'y reviendrai encore souvent (puisqu'il y a des choses dont vous faites part que seul le temps et la vie me rendront plus claires) je ne voudrais pas mettre un terme au dialogue que vous avez amorcé. Puis-je venir parler encore avec vous de temps en temps ?

Mes enfants (j'en ai adoptés trois - ils ont 9, 5 et 4 ans -) ont profité eux aussi de ce que vous m'avez apporté. Je les aime mieux depuis que je vous connais. Merci d'être là !

Bonjour.

J'ai vingt ans. Je viens de lire « les forces de la vie »
Votre livre, c'est l'écho de tous ces mots qui se répercutaient en moi. Tous ces mots qui se cherchent en ma tête, qui s'attendent et qui se guettent, voilà que je viens de les trouver là, posés sur le papier, comme si je les avais écrits moi-même, comme j'aurais désiré les écrire. J'ai l'impression de les avoir vus sortir du profond de mon âme où ils étaient restés longtemps cachés. Ça me fait tout drôle de les lire et de les relire ces mots, ces phrases. Si vous saviez comme je les ai portés en moi, comme j'ai toujours cherché à les communiquer aux autres, toujours insatisfaite de ne pas y arriver. Et voilà que ce livre les a fait jaillir. Il y a des passages entiers des "forces de la vie" que j'ai l'impression d'avoir écrits moi-même. Je les ai pensés et vous les avez écrits.

Je suis devant votre livre fermé. Je ne le rouvrirai pas; pas tout de suite. Car je vais le réécrire avec mes mots à moi, des mots qui viennent tout seuls sous ma plume, reflets presque parfaits de mes pensées.

Mes pensées autrefois confuses et désordonnées, vous avez su les clarifier et les unifier dans « les forces de la vie »

Je vous en remercie. Ces quelques mots ne sont pas grand chose mais je crois que vous les comprenez, vous qui êtes en train de les lire.

Vous ne pouvez que les comprendre, sinon vous n'auriez pas écrit « les forces de la vie », ce grand livre d'amour d'espoir et de vie.

Comme je vous remercie.

« les Forces de la vie »

Je suis en train de lire avec passion votre livre que je n'ai pas encore terminé car je ne fais pas la course à la lecture, mais j'essaye de vivre et de comprendre chaque mot, chaque phrase en prenant le temps de réfléchir et de noter quelques idées, comme vous le conseillez d'ailleurs. Je vous prie de ne pas faire attention à l'orthographe tout au long de cette lettre. Je ne vous écris pas pour faire une belle page d'écriture, mais simplement parce que j'ai envie d'écrire, de tracer ma pensée sur un papier, de communiquer avec une autre vie, un autre homme, mais un homme que je choisi car je sens en moi une force qui me pousse à dialoguer à m'exprimer vers certains personnages. Ceci m'arrive rarement car je suis d'une nature réservée et peu expansive dans la société. Je dirige plus volontier mon dialogue avec la nature, ainsi que mes efforts physiques, ces efforts que je n'arrive pas toujours à concentrer sur mon travail, car celui-ci, comme beaucoup d'autres, est enfermé et j'ai du mal à accepter cela. Je m'excuse de trop parler de ma personne, ce n'est pas vraiment le sujet qui m'intéresse dans la vie. Ce qui me passionne le plus, et ce qui me provoque le plus de tourment, c'est le rythme naturel que les hommes ont presque tous perdu, par mégarde, par orgueil, par soif de buts matérialisés qui ne sont que mirages, par abolition de toutes les qualités naturelles de l'homme, il n'y a qu'une chose qui compte et qui passe avant tout, c'est l'ARGENT, cette valeur que seul DIEU a oublié de créer. Je peux vous dire que je souffre beaucoup, d'être obligé de travailler, de consacrer 80% de mon temps pour acquérir de l'argent, et pour payer toutes les charges que la société vous impose, et rares sont les personnes qui arrivent à ne pas se faire dévorer entièrement par la société. Je suis qu'il y a une solution, elle est simple, si simple qu'il faut renoncer à beaucoup d'éléments non indispensables à la vie de l'homme. Je ne suis pas encore assez [illegible] dans mes idées, je n'ai pas suffisamment de maturité, de force, pour prendre la vie telle que Dieu l'a créé. Je ne veux pas paraître différent des autres hommes, je suis aussi [illegible] par tout le monde, je ne les fuis pas pour paraître modeste, mais puisque j'en ai dans la [illegible], peut-être beaucoup plus que certains hommes, je le fait puisque la société m'[illegible] de sa puissance et il y a les [illegible] dans la vie où l'équilibre personnel est rompu. Et dans ces moments là, on [illegible] [illegible] de ce que l'on [illegible] dans tel milieu, de [illegible] d'une façon [illegible], [illegible], et [illegible] [illegible] [illegible] tout de suite après. Je suis [illegible], mais idées [illegible] naturellement, je ne cherche pas à [illegible], c'est en quelque sorte un [illegible]. Et [illegible] [illegible] que je [illegible] pas par [illegible] communiquer. Je [illegible] tout de même [illegible] de [illegible] [illegible] [illegible] pour moi la nature ce qu'il y a de plus [illegible], de plus [illegible] de plus pur. [illegible] parfait, et quand je pense que [illegible] me [illegible] [illegible] [illegible] pas de ce monde, mais ils ne [illegible] pas, ils [illegible] [illegible], mais à la perfection [illegible] ce monde [illegible] [illegible] la création de Dieu, la nature si parfaite [illegible] même [illegible] [illegible] parfaites [illegible] [illegible], [illegible] [illegible] qu'elle présente et [illegible] le plus simple, mais le plus [illegible]. [illegible]. Je [illegible], et je [illegible] [illegible] [illegible] en moi quand je suis [illegible] [illegible] dans la terre, l'eau, l'air et oxygène indispensable à la vie. Quand je pense que l'on est capable de renier, de rejeter "tout ça", de rejeter le soleil, la pluie, la neige, le froid, le chaud, qui [illegible] l'homme, comme le maçon [illegible] un mur. C'est [illegible], mais vrai. Je suis un idéaliste, je suis pour la beauté de la vie, [illegible] tout ce qui est pur, (non pas ce qui me semble pur, par [illegible] par éducation par jugement personnel...) mais ce qui est vrai, et pur, ce que Dieu nous a donné. Le monde. Le monde regorge de telles choses, quand je pense encore une fois, [illegible] ces gens dont je suis parti, qui usé par la vie matérialisé sont [illegible], et ne trouvent rien de valable sur cette terre –

Et [illegible] je [illegible] petite [illegible]ment. Je sais que dans mon [illegible], je
n'aurai pas le temps, il faut le prendre de façon [illegible]
[illegible] lucidité. Je suis profondément pessimiste dans ce [illegible], je
[illegible] pour un homme, un [illegible], un [illegible], [illegible]
[illegible] mais [illegible] qu'il me reste c'est tout à fait
[illegible] je [illegible]
[illegible]. Je [illegible] que beaucoup d'hommes sont des [illegible]
qui ne sont pas [illegible] un [illegible] et je me suis
[illegible]. Je [illegible] pas [illegible]
[illegible] contact que se [illegible] pas [illegible]
[illegible]. Je [illegible] vous commenciez une [illegible]
[illegible] moi [illegible]
[illegible] un homme [illegible]
[illegible]. Un homme [illegible] et un homme [illegible]
[illegible] et [illegible].
Un homme [illegible] ne peut pas vivre dans ce monde. Il a été [illegible],
[illegible] torturé et tué comme le CHRIST. Le mot Christ pour moi
est une image, car je n'ai plus de religion. Je vois simplement Dieu
[illegible] seul homme représentant la projection de Dieu —
Il est tard, je suis l'âge de retourner en "prison", mon évasion est
terminée par [illegible], l'origine de ta vie se termine à nouveau.
Il est tard, il faut que [illegible] je [illegible] en usine, je me lève
[illegible] à 4 h 30 ce n'est pas naturel !
Je vous [illegible] de ma [illegible] que [illegible]
[illegible]

Amitiés

Monsieur Gray, mon frère,

Je suis étudiant en droit, j'ai dix-neuf ans. J'ai lu vos deux ouvrages "Au nom de tous les miens" et "Le livre de la vie".

Je vous écris pour vous dire merci. Vous avez confirmé en moi le désir de vivre, ravivé la flamme pour laquelle l'être humain est sur terre. Vous êtes un homme, un vrai, un homme comme il y en a beaucoup sur la terre, et que grâce à vous l'on n'ignorera plus, qui ont souffert.. et qui vivent.

J'ai connu des personnes qui se sont suicidées, ont succombé à la perte des leurs. Je sais que vous lire les aurait sauvées. Car quand on vous lit monsieur Gray, l'on se sent petit, et l'on a envie de grandir, de vivre, de vivre.

Mon but est depuis longtemps de conquérir un bonheur, de sentir, à la rencontre d'une femme, mon cœur s'écrier : "elle est la vie", de voir mes enfants me grimper sur les genoux, courir, crier, grandir, vivre. Je sais qu'il me faudra courir longtemps comme vous l'avez fait. Mais je sais grâce à vous que j'y parviendrai, car je le veux.

Je voudrais que vous m'accordiez l'honneur et toute la joie de vous serrer la main lorsque je passerai à Tanneron. Je voudrais aussi que vous sachiez que nous sommes nombreux derrière vous, à vouloir avant tout, par-dessus tout, vivre

Je vous dis : Merci, monsieur Gray, et vous prie d'accepter l'expression de mon admiration, de mon respect, et de mon affection.

Très sincèrement

votre frère

Je viens d'achever la lecture de vos deux livres et ne puis résister à l'envie que j'ai de vous dire toute l'admiration que j'ai pour vous. J'ai dû m'y reprendre à plusieurs fois pour achever au nom de tous les miens. L'effroi et l'émotion m'obligeaient à m'arrêter et cependant je suis allée jusqu'au bout, parfois ne m'interrompant pas pendant des heures. Je savais déjà par des prisonniers belges revenus de camp de concentration que les Polonais étaient très patients et très braves, mais un héros tel que vous depuis l'âge de 14 ans jamais dans toute l'histoire du monde cela ne s'est vu. Où donc puisiez vous votre force morale et votre enthousiasme ? Vos parents vous ont donné un tel exemple que vous avez suivi, mais il fallait tenir jusqu'au bout et vous y êtes arrivé.

Vous dites n'avoir pas de religion et vous ne croyez pas en notre Dieu et cependant vous servez d'exemple à tous

car nos prêtres catholiques se servent
de beaucoup de vos maximes pour leurs
sermons et elles sont reprises également
dans des brochures qui servent à l'
éducation de notre jeunesse belge
surtout au "Livre de la vie. il sert de
livre de méditation et de chevet a bien
des chrétiens
malgré toutes vos souffrances. vous avez eu
le courage de vivre et de tout coeur je
vous en félicite. j'ose espérer qu'un jour
vous aurez un peu de loisir pour me
répondre et me dire que vous avez retrouvé
enfin un peu de bonheur. il faut que
vous ayez des fils que vous formerez à
votre image et qui seront pour nos petits
belges un exemple de bravoure. de loyauté
et de courage
De tout coeur. je forme les voeux les
plus sincères pour qu'un jour cela soit
la réalité.

Une très. tres grande admiratrice

Votre livre est venu me saisir jusque dans la lointaine Afrique. Je ne vous écris pas pour demander le secours d'une voix amie, et je n'attends pas de réponse de votre part (vous avez sûrement assez de travail avec ceux qui ont besoin de votre soutien).

Simplement je voulais que vous sachiez que vous et l'équipe qui anime la Fondation Dina Gray, vous rencontrez partout l'approbation muette de personnes qui essaient de travailler à la construction d'un monde plus beau, mais, souvent, ces personnes sans histoires et sans gros problèmes ne vous écrivent pas pour vous dire la joie qu'elles ont eues à lire ce bouleversant témoignage de vie qu'est le récit du "livre de la Vie".

Donc, je me fais l'interprète d'un petit groupe d'hommes et de femmes qui ont lu et médité votre livre, et qui viennent vous remercier.

Je suis médecin, et nous sommes une équipe de bénévoles de plusieurs pays, qui nous occupons de dispensaires de brousse. Tous les jours, nous côtoyons la Mort, et pourtant, avec vous, et contre la scandaleuse injustice du Tiers-Monde martyrisé, nous voulons hurler

« que la vie commence aujourd'hui
et chaque jour
et qu'elle est l'Espoir. »

Avec nos plus affectueux remerciements :

mi, Frère,

Seul survivant des 17 personnes de ma famille,
j'ai connu l'enfer Nazi. DRANCY puis AUSCHWITZ.
Évadé par miracle, j'ai besoin de connaître les
témoins des jours de notre mort.
Vous êtes mon frère de souffrance
Je collectionne les livres sur l'occupation allemande
et la souffrance des nôtres et des millions d'autres,
es catholiques, les protestants, les communistes,
es gitanes, les opprimés du monde entier.
Car, déjà, l'histoire est falsifiée.
Nos enfants, même orphelins de cette tragédie,
écoutent nos témoignages comme une légende.
De tous les écrits à ce sujet, personne n'a su
raduire comme vous la détresse, le courage, et
'endurance continue de notre peuple devant
'adversité.
os phrases sortent des entrailles et du coeur.
Merci de ce livre témoin.
Merci de vous être identifié à votre qualité de juif.
l faut que le monde entier se souvienne car il est
éjà endormi.
erci pour avoir aidé les nôtres dans les horribles
oments de la dernière guerre, et merci pour votre
énacité à survivre et pour votre courage exemplaire.
erci encore pour ce témoignage si nécessaire.
otre livre est poignant, pathétique, lucide, beau

Depuis la lecture de votre livre " les pensées de votre vie " je désirais vous écrire mais n'osais le faire.

C'est par hasard que j'ai acheté le journal et appris les sévices dont votre femme a été victime et les ennuis qui s'étaient acharnés à nouveau sur vous quand vous avez essayé de vendre votre propriété.

Parce que votre livre m'a beaucoup donné et qu'il a donné à mes filles auxquelles je l'ai offert, je me sens tenue à vous remercier et vous dire ma profonde sympathie et les vœux que je forme pour un complet rétablissement de votre épouse. Puisse Barbara vous apporter la joie et le bonheur que vous méritez pour votre courage, votre lucidité, votre honnêteté.

Après l'incendie des Barons j'ai acheté " au nom de tous les miens ". Il me semblait important de savoir comment on réagit à la disparition tragique et inhumaine des êtres qui vous sont chers. En ouvrant ce gros livre je craignais de trouver le délayage d'un fait divers. Or j'ai plongé page après page dans l'enfer qui fut le vôtre et dont je ne soupçonnais pas la profondeur.

Ma famille avait caché des juifs sous l'occupation allemande. Maman et moi avions passé lettres et argent en zone libre par des gens que nous ne connaissions même pas. Le cousin de mon père est mort à Buchenwald et j'ai vu le retour des déportés. Mais j'étais en dehors, la spectatrice d'une sorte de film. J'étais désolée mais pas vraiment touchée.

Avec votre livre j'ai vécu du dedans votre aventure humaine, ce qui vous en a coûté de dégradation volontaire et lucide pour rester un Homme digne de ce nom. Dans votre récit vous n'avez pas triché, vous n'avez pas essayé de vous faire valoir et de donner de vous une image d'épinal de chevalier sans peur et sans reproche. Et c'est parce que vous avez été profondément honnête que je sais, que j'ai senti, vécu votre déchirement au moment du choix : partir avec les autres comme un mouton ou survivre à tout prix pour sauver leur mémoire. Fermer les yeux pour ne pas succomber à la résignation. Savoir être égoïste pour mieux donner, pour pouvoir donner. Dominer l'orgueil et accepter l'humiliation pour mieux s'en servir et aller jusqu'où on peut aller trop loin.

Maintenant que ma dernière fille a 12 ans je lui fais la lecture d'"Au nom de tous les miens". Elle est trop jeune pour le lire par elle même mais elle suit page par page avec un intérêt accru. C'est la plus belle leçon de courage que je puisse lui offrir. C'est aussi la découverte des autres par l'intérieur.

Elle est allée planter des arbres mais est revenue écœu—
de la publicité faite autour de 4 pauvres pins plantés par
une vingtaine d'enfants sous les flashes des photographes.

Comme je n'ai pas de voiture je ne peux l'affilier à
votre fondation et la faire participer à l'action entrepris
Vous êtes loin. Mais l'idée est là dans son cœur et si el
ne plante pas des fleurs dans votre jardin, nul doute qu'el
plantera son arbre le moment venu.

Saisir la chance, ne pas tricher avec la vie et avec soi-mê
être loyal fidèle dans une morale vertueuse. Votre livre est une
leçon de morale, une leçon de vie.

Merci pour vos livres. Merci d'exister, d'avoir v
Merci de croire encore aux valeurs essentielles et de mettre
en pratique ce que vous croyez.

Très sincèrement

Je terminais il y a quelques semaines la lecture de votre livre.

Je crois avec vous à ce que vous appelez les forces de la vie. A tel point que j'anime depuis deux ans un petit centre en Haute-Savoie où les gens qui en ressentent le besoin viennent pour essayer de s'ouvrir, de devenir plus transparents à ce qui fait que tout ce qui vit, Vit ! Source de cet ensemble de qualités perdues qui ont pour nom confiance en soi, sérénité, paix intérieure... tous ces mots que j'ai retrouvés dans votre livre. Je suis persuadé qu'il existe quantité de chemins pour vivre cette expérience. Chacun est naturellement différent et, pour reprendre une phrase de Mme Marie-Magdeleine Davy, au sommet de la montagne, la lumière est là pour tous. Mais chaque cheminement a ses caractéristiques.

Je me suis engagé dans un travail que le Professeur Dürckheim (auprès duquel j'ai passé plusieurs années) qualifie de "travail dans l'esprit du Zen". Voulant souligner que nous ne voulons pas faire des "japonaiseries" mais que dans le contenu du Zen se trouve réalisé un principe qui lui est universel et par là, valable pour chaque être humain. Principe qui envisage la transformation ou mieux un mouvement de maturation de la personne aboutissant à l'expérimentation, au vécu de cet ensemble de qualités repris ci-dessus. Le fruit de cette maturation est l'homme transformé.

En lisant votre livre j'étais fort frappé de l'importance que vous donnez au corps. C'est magnifique. Mais combien de gens dissocient encore le corps de ce qu'ils nomment esprit (et parfois âme). Dans notre travail nous distinguons le corps que nous avons du corps que nous sommes. Et c'est ce dernier qui nous intéresse. Je dis toujours aux personnes qui me posent la question concernant la différence entre le travail du corps et le travail de l'esprit, qu'il me semble bien difficile de dissocier les deux. Que jamais encore je n'ai vu un corps avec un esprit "quelque part" ! Je vois là un être vivant, indissociable en tant que tel. Que je ne compare pas au cadavre. Le corps que nous avons est celui que nous pouvons peser et mesurer. Le corps que nous sommes, c'est notre façon "d'être là" dans la vie. Les petits mots "être là" ont une grande importance. Ce corps que nous sommes c'est l'ensemble des attitudes, des gestes, qui à chaque instant nous expriment. La peur, l'angoisse, la tristesse, la joie... s'ex-priment dans et par ce corps que nous sommes. C'est aussi ce corps que nous sommes qui nous permet de nous im-primer. De même que la peur, le manque de confiance se voient chez celui, celle, qui vit cet état d'âme, la sérénité, la confiance en soi doivent aussi se voir ! Sinon, ce ne sont que des mots. Le danger est, ici, d'arriver à structurer le corps que nous avons dans une forme qui nous permet de jouer le rôle de celui qui n'a pas peur. Ceci est possible mais non transformant. Cette superstructure craque plus tôt ou plus tard. Par contre, si nous pouvons nous ouvrir à ces forces profondes dont vous parlez si bien dans votre livre (et le travail du corps que nous sommes me paraît indispensable pour acquérir cette transparence à ce qui déjà est là mais qu'en général nous bloquons) il y aura "transformation de la personne"

Cher Monsieur Gray, je vous remercie pour tout ce que vous écrivez

Bonjour Martin GRAY,

J'ai hésité avant de vous écrire pensant tout d'abord au volume du courrier qui doit vous submerger chaque matin.
Vous devez parfois être las de ce flot de paroles et peut-être même ne parvenez-vous plus, en certaines extrêmes à en découvrir le sens...
Je vous comprends.

Cependant, je me suis ravisée après la lecture de votre 3ème volume et votre passage à la télévision. Je me suis dit que je devais vous écrire, non pour vous faire part de mes malheurs et de ma vie comme à un confesseur, mais pour vous envoyer mon message, pour témoigner moi aussi que les graines que vous semez germent dans les cœurs même s'ils étaient déjà heureux comme c'est mon cas.
Je me suis peu à peu convaincue qu'un homme qui écrit avec une telle sincérité, une telle foi, en investissant et en dévoilant autant de lui-même, ne pouvait rester sans réponse, méritait un signe d'amitié, d'encouragement.
Pour lui prouver, s'il n'en est déjà convaincu, que même une lectrice anodine, sans problèmes particuliers est sensible à ses propos.

Je voulais simplement vous dire cela : quiconque lit vos paroles ne peut rester indifférent car elles disent vrai, juste, profond.

Il faut continuer Martin Gray, aller encore plus loin, vous engager davantage encore dans la lutte pour la sauvegarde de l'humanité.
Vous avez actuellement en mains tous les atouts pour mener une grande bataille contre tout ce qui diminue l'homme, le mutile.
Pourquoi pas un immense mouvement pacificateur et écologiste à l'échelon mondial ?
Vous disposez déjà, j'en suis persuadée, de millions de militants.
En tout cas, soyez certain d'en compter au moins une.

Vous avez sensibilisé, éveillé les esprits... Cela ne suffit pas ; il faut que toutes ces énergies que vous avez si bien su faire naître ou développer, agissent.
J'attends autre chose, vos lecteurs attendent...
Il ne suffit pas de changer sa façon d'être et d'agir auprès de ceux qui nous entourent dans notre environnement quotidien, presque individuellement...

Je pense qu'autre chose aussi doit changer, l'environnement au sens large, le Monde.

Vos pages 27. 28. 29 des Forces de la vie ne font que constater l'hostilité et l'absurdité du Monde.

Ne pensez-vous pas que l'on peut agir sur lui collectivement, efficacement ?

Je sais bien que cela part d'abord par une prise de conscience personnelle, un changement individuel, mais ensuite, il faut envisager un moyen d'action à visée beaucoup plus vaste...

J'attends, nous attendons.

Vous ne pouvez pas avoir semé pour récolter ensuite et organiser les fruits de cette récolte

Nous espérons en vous, nous avons foi en vous.

Il faut poursuivre votre mission

J'ai conscience d'être exigeante, mais je vous dois de l'être

Courage

Amitié

Je me présente, je m'appelle Françoise, j'ai 16 ans et j'habite Bruxelles.

Cette lettre je l'ai écrite le soir même de la conférence que vous avez donné à Bruxelles le 4 février

Le contact, si lointain soit-il, m'a fait voir l'amour avec lequel " vous analysiez, chaque problème. J'ai [illegible]staté que vous accordiez une grande importance aux jeunes et je pense que la venue d'un prochain livre serait vraiment à souhaiter. Je parle pour la Belgique, mais je suppose qu'il en est de même partout dans le monde au 20e s, les parents ne comprennent pas leurs enfants on dirait qu'ils ne savent pas se mettre à leur place. Je citerai un exemple banal, à notre époque c'est chose courante que les jeunes aiment se rencontrer et parfois ces rencontres fréquentes donnent naissance à une amitié de plus en plus profonde pour ne pas dire " une sorte d'amour " et bien cela les parents, ne le comprennent pas, pour eux la vie des jeunes = travail pour avoir une place plus tard, mais si l'on ne vit pas pleinement sa vie, on la perd au jour le jour. Les parents oublient que comme nous ils ont été jeunes. Ensuite, ils nous présentent les gens, la société d'une façon [illegible], ils nous disent que [illegible] un [illegible], car les jeunes se laissent vivre sans réagir. Mais (je parle au nom de bien des jeunes) je prétends que pour que l'on réagisse il faudrait d'abord que les parents nous laissent prendre des initiatives de nous-même, nous laisser leur prouver ce dont nous, les jeunes, sommes capables.

Pour eux, nous vivons dans une société pourrie, mais il serait de leur devoir, pour nous aider à faire une réforme dans le monde, de nous communiquer leurs expériences acquises. Ne trouvez-vous pas?

Par contre, je trouve qu'il faut aussi convaincre les jeunes qu'ils doivent entrer en relations plus profondes avec leurs parents. Il devrait être possible de créer une ambiance agréable, car à force que les parents apprendront à connaître les jeunes, il sera possible de rendre l'entente parents-jeunes, encore meilleur et c'est seulement là qu'il serait possible que les jeunes s'affirment tout en étant soutenus par les parents.
Mais que faire pour se faire écouter des parents? Pourriez-vous me soumettre votre point de vue sur la jeunesse actuelle, est-elle à critiquer, se laisse-t-elle aller comme certains le disent, courrons-nous à l'échec de la société future! Trouvez-vous normale l'attitude des parents envers les jeunes, car dans le fond ils ont peur que les jeunes détruisent leurs oeuvres!

Je vais terminer ma lettre ici, en espérant avoir le plaisir de recevoir dans les prochains mois une réponse de vous, personnellement.

En attendant d'avoir ce plaisir, je voudrais vous remercier d'avoir su me convaincre que pour vivre il faut lutter et qu'il y a toujours à chaque question une solution. Je vous remercie encore pour la phrase que vous m'avez dédicacée "la vie sans amour n'est rien!

Cher Martin.

Je m'appelle Anne, j'ai treize ans, j'ai 4 frères, et 1 soeur. Mes parents s'entendent très bien (Papa donne des cours d'assurance, Maman reste à la maison et nous fait tous nos vêtements) J'ai le bonheur depuis ma naissance et je crois que je ne l'apprécie plus assez, je ne suis jamais entièrement contente, pourquoi? vous pourtant, vous avez eu tous les malheurs qui puissent exister et pourtant vous avez l'Espoir, vous n'en voulez à personne, vous aimez la vie, moi, je ne sais pas ce qu'elle m'apporte, et pourtant je ne la déteste pas mais je sens que je ne sais pas l'aimer (je la trouve un peu monotone, un peu plate)

J'ai lu "Au nom de tous les miens" et le livre de la vie, et à travers ses deux livres j'ai l'impression de vous connaître, de connaître vos malheurs (vous savez, si je pouvais, je donnerai tous, je ferai tout pour vous rendre votre vrai bonheur)

Et, comme tous les gens qui vous ont écrit, qui vous écrivent, et qui vous aiment, je voudrai faire quelque chose pour la Fondation, mais je trouve trop injuste qu'il n'y ai que les grands : personne qui ai le droit de vous aidez à sauvez les forêts, à empêcher qu'un nouveau drame arrive (ce n'est pas parce que nous sommes "petits" que nous devons être mis à part car nous aussi nous voulons vous aidez)

Martin, vous qui ne croyez pas en Dieu, vous qui ne croyez pas qu'il y a une seconde vie qui, malgré vos malheurs (qui sont tellement pire que des malheurs!) vous a raccroché à la vie? (est-ce l'Espoir?)

Vous aimez la vie, vous aimez votre peuple, vous en êtes fière (moi, je trouve que les juifs sont les hommes les plus courageux de la terre et qu'il est injuste qu'ils n'aient pas eux aussi leur pays) moi qui suis française j'ai presque honte de faire parti de ce pays, qui a la réputation d'être sale, plein de voleur, ... Papa aime la France et les français mais il ne peut que me dire pourquoi (et pourtant je sens que si une nouvelle guerre venait la ravager je ferai tout pour la defendre) mais peut-être vous qui avez tant souffert, tant vécu, vous saurez.

Je prie et je pense très très souvent à vous, à Dina et à vos enfants.

Je vais vous quittez en esperant que vous me répondré, si je peux rien faire pour la fondation j'aimerai

au moin faire quelque chose pour vous et on oublié pas si un jour vous êtes seul à Paris, il y a Orleans une maison pleine d'enfants et de bonheur qui vous attend.

de très tres nombreuse pensées, d'une petite fille qui comprend vos souffrance et qui aime de tout son coeur vous

Sandez

LITTÉRATURE GÉNÉRALE

AGUEEV M.
Roman avec cocaïne

ALBERONI FRANCESCO
Le choc amoureux
L'érotisme

AL-NAFZAWI MOUHAMMAD
La prairie parfumée où s'ébattent les plaisirs

AL-TIFACHI AHMAD
Le délice des cœurs

ARNAUD GEORGES
Le salaire de la peur

BARJAVEL RENÉ
Les chemins de Katmandou
Les dames à la licorne
Le grand secret
La nuit des temps
Une rose au paradis

BARTOL VLADIMIR
Alamut

BERBEROVA NINA
Histoire de la Baronne Boudberg
Tchaïkovski

BERNANOS GEORGES
Journal d'un curé de campagne
Nouvelle histoire de Mouchette
Un crime

BESSON PATRICK
Je sais des histoires
Nostalgie de la princesse

BLANC HENRI-FRÉDÉRIC
Combats de fauves au crépuscule
Jeu de massacre

BODROV SERGUEI
Liberté = Paradis

BOULGAROV MICHAEL
Le Maître et Marguerite

BOULLE PIERRE
La baleine des Malouines
Contes de l'absurde
L'épreuve des hommes blancs
La planète des singes
Le pont de la rivière Kwaï
Le sacrilège malais
William Conrad

BOYLET C.
Water Music

BRAGANCE ANNE
Annibal
Le voyageur de noces

BRASILLACH ROBERT
Comme le temps passe

BRONTË CHARLOTTE
Jane Eyre

BRONTË EMILIE
Hurlevent

BURGESS ANTHONY
L'orange mécanique

BUZZATI DINO
Le désert des Tartares
Le K
Nouvelles (Bilingue)

CARRÉ PATRICK
Le palais des nuages

CARRIÈRE JEAN
L'épervier de Maheux

CARRIÈRE JEAN-CLAUDE
La controverse de Valladolid
Le mahabharata
La paix des braves
Simon le mage

CESBRON GILBERT
Il est minuit, docteur Schweitzer

CHANDERNAGOR FRANÇOISE
L'allée du roi

Chang Jung
Les cygnes sauvages

Chateaureynaud G.-Olivier
Mathieu Chain
Le congrès de fantomologie

Cholodenko Marc
Les états du désert
Le roi des fées

Courrière Yves
Joseph Kessel

David-Néel Alexandra
Au pays des brigands gentilshommes
Le bouddhisme du Bouddha
Immortalité et réincarnation
L'Inde où j'ai vécu
Journal
tome 1
tome 2
Le lama aux cinq sagesses
Magie d'amour et magie noire
Mystiques et magiciens du Tibet
La puissance du néant
Le sortilège du mystère
Sous une nuée d'orages
Voyage d'une Parisienne à Lhassa

Decoin Didier
Béatrice en enfer

Deniau Jean-François
La Désirade
L'Empire nocturne
Le secret du roi des serpents
Un héros très discret

Desprat Jean-Paul
Le camp des enfants de Dieu
Le marquis des éperviers
Le secret des Bourbons

Fagundes Telles Lygia
La structure de la bulle de savon

Falkner J.-M.
Moonfleet

Fernandez Dominique
Le promeneur amoureux

Filippini Serge
Comoedia
L'homme incendié

Fitzgerald Scott
Un diamant gros comme le Ritz

Forester Cecil Scott
Aspirant de marine
Lieutenant de marine
Seul maître à bord
Trésor de guerre
Retour à bon port
Le vaisseau de ligne
Pavillon haut
Le Seigneur de la mer
Lord Hornblower
Mission aux Antilles

France Anatole
Crainquebille
Le crime de Sylvestre Bonnard
Les dieux ont soif
Histoire contemporaine
1. L'orme du Mail
2. Le mannequin d'osier
3. L'anneau d'améthyste
4. M. Bergeret à Paris
L'île des pingouins
Le livre de mon ami
Le lys rouge
La révolte des anges

Franck Dan/Vautrin Jean
La dame de Berlin
Le temps des cerises

Gazier Michelle
Histoires d'une femme sans histo

Genevoix Maurice
Beau François
Bestiaire enchanté
Bestiaire sans oubli
La forêt perdue
Le jardin dans l'île
La Loire, Agnès et les garçons
Le roman de renard
Tendre bestiaire

ɪIROUD FRANÇOISE
ɹlma Mahler
enny Marx

ɪRÈCE MICHEL DE
.e dernier sultan
'envers du soleil – Louis XIV
a femme sacrée
e palais des larmes
a Bouboulina

IEDAYAT SADEQ
rois gouttes de sang

IERMARY-VIEILLE CATHERINE
n amour fou

IUGO VICTOR
ug-Jargal

IOUE YASUSHI
a Geste de Sanada

ACQ CHRISTIAN
'affaire Toutankhamon
hampollion l'Égyptien
laître Hiram et le roi Salomon
our l'amour de Philae
a pyramide assassinée
a reine soleil

EROME K. JEROME
rois hommes dans un bateau

OYCE JAMES
es Gens de Dublin

AFKA FRANZ
e château
e procès

AZANTSAKI NIKOS
lexis Zorba
Christ recrucifié
a dernière tentation du Christ
es frères ennemis
ettre au Greco
liberté ou la mort
pauvre d'Assise

ESSEL JOSEPH
es amants du Tage
armée des ombres

Le coup de grâce
Fortune carrée
Pour l'honneur

KONWICKI TADEUSZ
La petite apocalypse

LAINÉ PASCAL
Dialogues du désir
Dîner d'adieu
Elena

LAPIERRE DOMINIQUE
La cité de la joie

LAWRENCE D.H.
L'amant de Lady Chatterley

LÉAUTAUD PAUL
Le petit ouvrage inachevé

LEVI PRIMO
Si c'est un homme

LEWIS ROY
Le dernier roi socialiste
Pourquoi j'ai mangé mon père

LOTI PIERRE
Aziyadé
Pêcheur d'Islande
Ramuntcho
Le roman d'un Spahi

MALAPARTE CURZIO
Sodome et Gomorrhe
Une femme comme moi

MAURIAC FRANÇOIS
Le romancier et ses personnages
Le Sagouin

MESSINA ANNA
La maison dans l'impasse

MICHENER JAMES A.
Alaska
1. La citadelle de glace
2. La ceinture de feu
Caraïbes
tome 1
tome 2

Hawaii
  tome 1
  tome 2

Mimouni Rachid
De la barbarie en général et de l'intégrisme
  en particulier
Le fleuve détourné
Une peine à vivre

Monsarrat Nicholas
La mer cruelle

Montheillet Hubert
Néropolis

Morgièvre Richard
Fausto

Nakagami Kenji
La mer aux arbres morts
Mille ans de plaisir

Nasr Eddin Hodja
Sublimes paroles et idioties

Nin Anaïs
Henry et June

Norris Franck
Les rapaces

Perec Georges
Les choses

Pouchkine Alexandre
La fille du capitaine

Queffelec Yann
La femme sous l'horizon
Le maître des chimères
Prends garde au loup

Radiguet Raymond
Le diable au corps

Ramuz C.F.
La pensée remonte les fleuves

Rey Françoise
La femme de papier
La rencontre

Rouanet Marie
Nous les filles

Sagan Françoise
Aimez-vous Brahms...
Avec toute ma sympathie
Bonjour tristesse
La chamade
Le chien couchant
Dans un mois, dans un an
Les faux-fuyants
Le garde du cœur
La laisse
Les merveilleux nuages
Musiques de scènes
Répliques
Sarah Bernhardt
Un certain sourire
Un orage immobile
Un piano dans l'herbe
Les violons parfois

Salinger Jerome-David
L'attrape-cœur

Schreiner Olive
La nuit africaine

Stocker Bram
Dracula

Strindberg August
Mariés !

Tartt Donna
Le maître des illusions

Troyat Henri
L'araigne
La clé de voûte
Faux jour
La fosse commune
Grandeur nature
Le jugement de Dieu
Le mort saisit le vif
Les semailles et les moissons
  1. Les semailles et les moisso
  2. Amélie
  3. La grive
  4. Tendre et violente Elisabet
  5. La rencontre

Cet ouvrage a été réalisé
SOCIÉTÉ NOUVELLE FIRMIN-DIDOT
Mesnil-sur-l'Estrée
pour le compte des Éditions Pocket
en juin 1996

POCKET - 12, avenue d'Italie - 75627 Paris cedex 13
Tél. : 44-16-05-00

Imprimé en France
Dépôt légal : juin 1996
N° d'impression : 33203